Anne Buscha • Szilvia Szita

Übungsgrammatik Deutsch als Fremdsprache

Sprachniveau A1 • A2

Mit Zeichnungen von Jean-Marc Deltorn

Die Autorinnen der **A-Grammatik** sind Lehrerinnen am Goethe-Institut Niederlande und verfügen über langjährige Erfahrungen in Deutschkursen für fremdsprachige Lerner.

Bitte beachten Sie unser Internet-Angebot mit zusätzlichen Aufgaben und Übungen zu den Sprachniveaus A1 und A2 unter:

www.aufgaben.schubert-verlag.de

Die vorliegende Übungsgrammatik beinhaltet ein herausnehmbares Lösungsheft sowie eine Audio-CD.

2 Hörtext auf CD (z. B. Nr. 2)

Englische Übersetzung: Szilvia Szita, Andrew Thean
Layout und Satz: Diana Becker
Umschlagfoto: Andreas Buscha

Die Hörmaterialien auf der CD wurden gesprochen von:
Burkhard Behnke, Claudia Gräf, Judith Kretzschmar, Axel Thielmann

5.	4.	3.	2.	1.	Die letzten Ziffern bezeichnen Zahl
2014	13	12	11	10	und Jahr des Druckes.

Alle Drucke dieser Auflage können, da unverändert, nebeneinander benutzt werden.

1. Auflage 2010

Printed in Germany
ISBN: 978-3-941323-09-4

Inhaltsübersicht

Inhaltsübersicht

3 Pronomen

4 Adjektive

5 Präpositionen

6 Adverbien und Partikeln

7 Einfache Sätze

8 Zusammengesetzte Sätze

9 Anhang

Vorwort

Die **A-Grammatik** ist eine Übungsgrammatik für Lerner auf den Niveaustufen A1 und A2 des Europäischen Referenzrahmens für Sprachen. Sie eignet sich sowohl als kursbegleitendes Zusatzmaterial als auch für die individuelle Arbeit.

Um die deutsche Grammatik für beginnende Deutschlerner einfach, verständlich und motivierend darzustellen, enthält die **A-Grammatik** nur grammatische Strukturen, die für die Niveaustufen A1 und A2 von Bedeutung sind. Im Vordergrund steht nicht die Vollständigkeit, sondern die Relevanz grammatischer Erscheinungen für den Sprachgebrauch.

Jedes Grammatikthema ist übersichtlich gegliedert in:
- ein illustriertes Beispiel zur Einführung in das Thema
- eine Übersicht über die grammatischen Formen
- Hinweise zu Strukturen und Gebrauch
- besondere Hinweise zur Syntax
- kommunikative Übungen zum Thema.

Zum Erlernen und Einüben der grammatischen Strukturen werden unterschiedliche Übungsformen angeboten. Dazu gehören unter anderem Zuordnungsübungen, Lückentexte und das vorgabeorientierte Formulieren von Sätzen oder Texten. Die Übungen sind in kommunikative Kontexte wie Dialoge, E-Mails, Briefe oder Zeitungsinformationen eingebunden. Die Situationen beziehen sich auf das Alltags- und das Arbeitsleben und greifen Wortschatz aus beiden Bereichen auf.

Der Anhang des Buches enthält als zusätzliches Angebot Sprechübungen für Gruppen und Tandemlerner zum gezielten Training grammatischer Strukturen. Er beinhaltet außerdem Verblisten und eine thematische Übersicht der Übungen, die zur Wortschatzerweiterung dienen und/oder als Sprechanlässe benutzt werden können.

Zur **A-Grammatik** gehören ein herausnehmbarer Lösungsschlüssel und eine Audio-CD mit ausgewählten Texten zur Aussprachehilfe. Zusätzliche Übungen zu den Grammatikthemen sind im Internet unter *www.aufgaben.schubert-verlag.de* zu finden.

Anne Buscha und Szilvia Szita

Preface

A-Grammatik is a practical grammar that focuses on the requirements for the A1 and A2 levels of the Common European Framework for Languages. The book can be used in both group-lesson and self-study settings.

A-Grammatik offers a simple, clear and motivating introduction to the German grammar for beginners as it only presents structures that students need to master at the A1 and A2 levels. Instead of an overly detailed overview, the emphasis lies on frequently used language structures.

In order to facilitate orientation, all chapters have the following structure:
- Introduction of a certain grammar aspect by an illustrated example
- Overview of the forms
- Rules of formation and use
- Additional information about sentence structure
- Communicative exercises.

The book offers a great variety of exercises so that students can see and practise every grammar aspect in many different situations. Find the matching ending, Fill in the blanks, Complete the text with the given words are just a few examples for various instruction types. Most exercises are integrated in communicative contexts such as dialogues, e-mails, letters, and press cuttings. They are related to everyday situations and work life providing useful vocabulary for both areas.

The Appendix includes additional exercises for oral practice in group lessons, several verb lists, and a list of all exercises in the book that can be used for vocabulary extension and topic-related discussions.

A-Grammatik is complemented by a removable answer-key and an audio CD with selected texts for pronunciation practice. Additional exercises are available at *www.aufgaben.schubert-verlag.de.*

Anne Buscha and Szilvia Szita

Buchstaben – Wörter – Wortgruppen – Sätze Letter – Words – Word Groups – Sentences

Buchstaben Letters

H-a-l-l-o! ↓ ↓↓ Buchstabe: Konsonant Letter: Consonant	*H-a-l-l-o!* ↓ ↓ Buchstabe: Vokal Letter: Vowel	*Hal-lo!* ↓ ↓ Silbe Syllable

Wörter und Wortarten Words and parts of speech

Ich sitze oft auf dem sonnigen Balkon. I often sit on the sunny balcony.

Ich	sitze	oft	auf	dem	sonnigen	Balkon.
I	sit	often	on	the	sunny	balcony.
↓	↓	↓	↓	↓	↓	↓
Personalpronomen	Verb	Adverb	Präposition	Artikel	Adjektiv	Nomen
Personal pronoun	Verb	Adverb	Preposition	Article	Adjective	Noun

ich	Personalpronomen Personal pronouns	Pronomen sind Stellvertreter der Nomen. Man kann sie deklinieren: z. B. ich – mir – mich. (➤ Seite 91–93) Pronouns substitute a noun. They can be declined: *ich – mir – mich* (I – for me – me).
sitze	Verb Verb	‣ Verben sind Tätigkeitswörter. Sie bezeichnen eine Tätigkeit, ein Geschehen. Sie stehen mit einem Subjekt und werden konjugiert: z. B. ich sitze – wir sitzen. Verbs denote an action or an occurence. They require a subject and must be conjugated: *ich sitze – wir sitzen* (I am sitting – we are sitting). ‣ Verben drücken auch die Zeit des Geschehens aus: z. B. ich sitze = Gegenwart • ich habe gesessen = Vergangenheit (➤ Seite 10–44) The form of the verb indicates the tense of the action: *ich sitze – ich habe gesessen* (I am sitting – I was sitting). ‣ Manchmal hängen an Verben bestimmte Ergänzungen: z. B. Ich baue ein Haus. (Akkusativergänzung) Ich danke dir. (Dativergänzung) Wir reden über Politik. (präpositionale Ergänzung) (➤ Seite 59–68) Certain verbs require complements: *Ich baue ein Haus.* (I build a house./accusative complement) *Ich danke dir.* (I thank you./dative complement). *Wir reden über Politik.* (We are talking about politics./prepositional complement). ‣ Verben können auch Höflichkeit ausdrücken: z. B. Könnte ich bitte Herrn Müller sprechen? (➤ Seite 51–53) The form of the verb can also indicate politeness, e.g.: *Könnte ich bitte Herrn Müller sprechen?* (Could I please talk to Mr. Müller?)
oft	Adverb Adverb	Adverbien geben z. B. eine Anzahl: *oft, selten*, einen Ort: *oben* oder eine Zeit: *jetzt, heute* an. Adverbien werden nicht dekliniert, sie bleiben unverändert. (➤ Seite 133–135) Adverbs can indicate frequency: *oft* (often), *selten* (seldom), location: *oben* (above), time: *jetzt* (now), *heute* (today) etc. Adverbs cannot be declined, they are invariable.
auf	Präposition Preposition	Präpositionen werden ebenfalls nicht dekliniert. Sie bestimmen den Kasus der nachfolgenden Nomen oder Pronomen. Man braucht sie z. B. zur Angabe von Ort: *auf dem Balkon* oder Zeit: *in den Ferien*. (➤ Seite 117–128) Prepositions cannot be declined either. They determine the case of the noun or pronoun that follows them. They can indicate place: *auf dem Balkon* (on the balcony), time: *in den Ferien* (during the holiday) etc.
dem	bestimmter Artikel Definite article	Artikel sind Begleiter der Nomen. Sie kennzeichnen mit ihrer Endung Genus (Geschlecht), Numerus (Anzahl) und Kasus (Fall) des Nomens. (➤ Seite 82–85) Nouns are usually preceded by an article. The ending of the article indicates the gender, the number and the case of the noun.

sonnigen	Adjektiv Adjective	Adjektive beschreiben ein Nomen oder eine Tätigkeit näher. Sie können gesteigert werden: Otto läuft schnell, Fritz läuft schneller. (➤ Seite 110–113) Vor einem Nomen werden Adjektive dekliniert: der schnelle Läufer, ein schneller Läufer (➤ Seite 105–109) Adjectives give more information about a noun or an action. They have inflections: *Otto läuft schnell, Fritz läuft schneller.* (Otto runs quickly, Fritz runs more quickly.) Adjectives must be declined if they precede a noun: *der schnelle Läufer* (the quick runner), *ein schneller Läufer* (a quick runner).
Balkon	Nomen Noun	Nomen haben ein Genus: der Baum, die Blume, das Haus und können im Singular oder Plural auftreten: der Baum, die Bäume. (➤ Seite 69–76) Nomen werden dekliniert. Die Deklination hängt von ihrer Funktion im Satz ab: Er schenkt dem Kind einen Ball. (➤ Seite 77–81) Nouns have a gender: *der Baum* (the tree/masculine), *die Blume* (the flower/feminine), *das Haus* (the house/neuter). They can be used in the singular or in the plural: *der Baum, die Bäume.* Nouns must be declined. The declension depends on the function of the noun in the sentence: *Er schenkt dem Kind einen Ball.* (He gives the child/dative/a ball/accusative/.).

Wortgruppen Word groups

- Otto schenkt seiner Freundin einen teuren Diamantring. Otto gives his girlfriend an expensive diamond ring.

Otto schenkt Otto gives	seiner Freundin his girlfriend ↓ Dativergänzung Dativobjekt Dative complement	einen teuren Diamantring. an expensive diamond ring. ↓ Akkusativergänzung Akkusativobjekt Accusative complement

- Ich sitze am Nachmittag mit meiner Freundin auf dem Balkon. I sit with my (female) friend on the balcony in the afternoon.

Ich sitze I sit	am Nachmittag in the afternoon ↓ Temporalangabe (Zeit) Adverbial of time	mit meiner Freundin with my (female) friend ↓ Modalangabe (Art und Weise) Adverbial of manner	auf dem Balkon. on the balcony. ↓ Lokalangabe (Ort) Adverbial of place

- Ich tue das alles aus Liebe für dich. I do all this out of love for you.

Ich tue das alles I do all this	aus Liebe out of love ↓ Kausalangabe (Grund) Adverbial of cause	für dich. for you. ↓ Finalangabe (Zweck) Adverbial of reason

Sätze Sentences

- Wo **bist** du?
  Where are you?
  → Fragesatz mit Fragewort: Das konjugierte Verb steht an 2. Stelle.
  Wh-question: The conjugated verb is in the second position.
- **Sitzt** du gerade auf dem Balkon?
  Are you sitting on the balcony right now?
  → Fragesatz ohne Fragewort: Das konjugierte Verb steht an 1. Stelle.
  Yes-no question: The conjugated verb is in the first position.
- Ich **sitze** auf dem Balkon.
  I am sitting on the balcony.
  → Aussagesatz: Das konjugierte Verb steht an 2. Stelle.
  Statement: The conjugated verb is in the second position.
- **Komm** schnell ins Wohnzimmer!
  Come to the living room quickly.
  → Aufforderungssatz: Das konjugierte Verb steht an 1. Stelle.
  Imperative sentences: The conjugated verb is in the first position.
- Ich **sitze** auf dem Balkon, weil die Sonne **scheint.**

Ich **sitze** auf dem Balkon, I am sitting on the balcony ↓ Hauptsatz Main clause Das konjugierte Verb steht an 2. Stelle. The conjugated verb is in the second position.	weil die Sonne **scheint.** because the sun is shining. ↓ Nebensatz Subordinate clause Das konjugierte Verb steht an letzter Stelle. The conjugated verb is placed at the end of the sentence.

1 Verben Verbs
1.1 Tempora Verb tenses
1.1.1 Gebrauch der Tempora The use of verb tenses

Immer unterwegs:

Heute fahren wir nach Köln.
Morgen fahren wir nach Hamburg.

Gestern sind wir nach Berlin gefahren.
Gestern fuhren wir nach Berlin.

▶ Hinweise Rules

→ Im Deutschen benutzen wir hauptsächlich drei Zeitformen der Verben: Präsens, Perfekt oder Präteritum, um gegenwärtiges, zukünftiges oder vergangenes Geschehen auszudrücken.
There are three verb tenses in German that are commonly used to tell about future, present or past events: the present, the perfect and the preterite tenses.

- **Gegenwärtiges Geschehen** drücken wir mit der Tempusform **Präsens** aus.
  The present tense is used when telling about things that are happening right now.
  Wir **fahren** nach Köln. Wir **besuchen** den Kölner Dom.

- **Zukünftiges Geschehen** drücken wir oft mit der Tempusform **Präsens** und einer **Zeitangabe** aus.
  The present tense together with an adverbial of time can indicate that something will take place in the future.
  Wir **fahren morgen** nach Hamburg. **Übermorgen besuchen** wir das Völkerkundemuseum.

- **Vergangenes Geschehen** drücken wir mit den Tempusformen **Perfekt** (meist mündlich) oder **Präteritum** (meist schriftlich) aus.
  When telling about events that happened in the past, we can use two different verb tenses: the perfect tense (mainly used in speaking) or the preterite tense (mainly used in writing).

Perfekt: Wir **sind** nach Berlin **gefahren**.
Dort **haben** wir das Pergamonmuseum **besucht**.

Präteritum: Wir **fuhren** nach Berlin.
Dort **besuchten** wir das Pergamonmuseum.

	Beispiele Examples	**Tempusform** Verb tense
Geschehen in der Gegenwart Events happening in the present	wir **fahren** wir **besuchen**	Präsens Present tense
Geschehen in der Zukunft Future events	wir **fahren** wir **besuchen**	Präsens Present tense
Geschehen in der Vergangenheit Events happened in the past	wir **sind gefahren** wir **haben besucht**	Perfekt (meist mündlich) Perfect tense (mainly in speaking)
	wir **fuhren** wir **besuchten**	Präteritum (meist schriftlich) Preterite (mainly in writing)

1.1.2 Präsens Present Tense

■ Verben ohne Vokalwechsel im Präsens Verbs without vowel change in the present tense

Ich koche gern.
Otto kocht auch gern.
Und du? Kochst du gern?

▶ Formen Forms

	Singular		
1. Person	ich		koche
2. Person	du		kochst
3. Person	er sie es man	(Peter) (Sarah) (das Kind) (allgemein)	kocht

	Plural	
1. Person	wir	kochen
2. Person	ihr	kocht
3. Person	sie	kochen
formelle Anrede (Singular + Plural)	Sie	kochen

▶ Hinweise Rules

→ Es gibt drei Personen im Singular und im Plural.
There are three grammatical persons in the singular and in the plural.

→ Die formelle Form im Singular und Plural entspricht der 3. Person Plural: Sie wohnen.
The formal singular and plural forms are the same as the third person plural: *Sie wohnen.*

→ Fast alle Verben haben im Präsens die Endungen: **Singular:** *-e/-st/-t*; **Plural:** *-en/-t/-en.*
Almost all verbs have the following present tense endings: singular: *-e/-st/-t*; plural: *-en/-t/-en.*

▶ Satzbau Sentence structure

→ Im Aussagesatz steht das konjugierte Verb an 2. Stelle.
In indicative sentences (statements) the conjugated verb is in the second position.

I.	II.	III.
Ich	koche	gern.

→ Im Fragesatz mit Fragewort steht das konjugierte Verb an 2. Stelle.
In wh-questions the conjugated verb is in the second position.

I.	II.	III.
Was	kocht	Otto gern?

→ Im Fragesatz ohne Fragewort steht das konjugierte Verb an 1. Stelle.
In yes-no questions the conjugated verb is in the first position.

I.	II.	III.
Kochst	du	gern?

Übungen

1) **Welche Form passt? Markieren Sie die richtige Lösung.** 2
Aussprachehilfe: Hören Sie die Lösungen auf CD.
Find the matching form. Mark the right answer. Pronunciation help: Check your answers with the CD.

●	Ich *rauche* nicht.	○ rauchen	○ raucht	✗ rauche
1.	Er .... Informatik.	○ studierst	○ studieren	○ studiert
2.	.... du meinen Kaffee?	○ Bezahlt	○ Bezahlst	○ Bezahle
3.	.... Sie Deutsch?	○ Lernt	○ Lerne	○ Lernen
4.	.... ihr einen Sprachkurs?	○ Machst	○ Macht	○ Machen
5.	Wir .... zwei Nächte in München.	○ bleiben	○ bleibt	○ bleibe
6.	.... du noch eine Cola?	○ Trinkst	○ Trinkt	○ Trinken
7.	Wo .... das Auto?	○ stehen	○ steht	○ stehst
8.	Der Künstler .... in Frankfurt.	○ lebe	○ leben	○ lebt

2) **Jeder macht etwas anderes. Ergänzen Sie die Sätze.**
Everyone is doing something different. Complete the sentences.

~~eine E-Mail schreiben~~ • Musik hören • im Internet nach Informationen suchen • Fußball spielen • Blumen fotografieren • Deutsch lernen • Bier trinken • eine Wanderung machen

1 Joseph
schreibt eine E-Mail.

2 Norbert
....

3 Isolde
....

4 Frank und Andreas
....

5 Karl und Bertus
....

6 Petra und Klemens
....

7 Eduard
....

8 Martha
....

3) **Ergänzen Sie die Verben in der richtigen Form.**
Put the verbs in the correct form.

1. gehen
   a) Ich *gehe* nach Hause.
   b) Wohin .... du?
   c) Meine Freundin .... ins Theater.
2. machen
   a) Was .... ihr am Wochenende?
   b) .... du viele Fotos?
   c) .... Sie Ihre Hausaufgaben?
3. reservieren
   a) Conrad .... einen Tisch.
   b) Ich .... eine Theaterkarte.
   c) Paula und Peter .... Flugtickets.
4. kommen
   a) Woher .... ihr?
   b) Ich .... aus Australien.
   c) Mein Freund .... aus Japan.
5. bestellen
   a) Ich .... eine Suppe.
   b) Die Gäste .... Rotwein.
   c) Wir .... alles im Internet.
6. schreiben
   a) .... du eine E-Mail an Vera?
   b) Das Kind .... diese Postkarte.
   c) .... ihr oft Briefe?

4) **Hobbys. Bilden Sie Sätze.** 3
Aussprachehilfe: Hören Sie die Lösungen auf CD.
Hobbies. Build sentences. Pronunciation help: Check your answers with the CD.

1. ich: Gitarre spielen – Musik hören – ins Konzert gehen
   Ich spiele gern Gitarre, höre gern Musik und ....
2. du: im Internet surfen – Computerprogramme schreiben – am Computer spielen
   ....
3. Vera: Sprachen lernen – Sprachkurse besuchen – CDs kaufen
   ....
4. wir: fotografieren – ins Museum gehen – Ausstellungen besichtigen
   ....
5. ihr: Kochbücher kaufen – kochen – eine Party organisieren
   ....
6. sie *(Pl.)*: wandern – schwimmen – Tennis spielen
   ....

5) **Was passiert nächstes Wochenende? Ergänzen Sie die Verben in der richtigen Form.**
What will happen next weekend? Put the verbs in the correct form.

1. Ich .... zu Hause. *(bleiben)*
2. Du .... ins Kino. *(gehen)*
3. Otto .... das Abendessen. *(kochen)*
4. Wir .... Freunde. *(besuchen)*
5. Ihr .... Musik. *(hören)*
6. Klaus und Eva .... einen Bericht. *(schreiben)*

Besonderheiten bei bestimmten Konsonanten
Particularities after certain consonants

Er heißt Heinz Schirmer.
Heinz arbeitet in Frankfurt.
Er sammelt Euromünzen.

▶ **Formen** Forms

	Verben auf *-t/-d/-n/-m*		
	arbeiten	**reden**	**öffnen**
ich	arbeit**e**	red**e**	öffn**e**
du	arbeit**est**	red**est**	öffn**est**
er/sie/es	arbeit**et**	red**et**	öffn**et**
wir	arbeit**en**	red**en**	öffn**en**
ihr	arbeit**et**	red**et**	öffn**et**
sie/Sie	arbeit**en**	red**en**	öffn**en**

▶ **Hinweise** Rules

→ Verben auf *-t* oder *-d* bekommen in der 2. und 3. Person Singular und der 2. Person Plural ein *-e* vor der Endung: du arbeitest • er arbeitet • ihr arbeitet. Das erleichtert die Aussprache.
Verbs ending in *-t* or *-d* receive a connecting *-e* for the second and third person singular as well as for the second person plural to facilitate pronunciation: *du arbeitest • er arbeitet • ihr arbeitet.*

→ Das Gleiche gilt für Verben auf *-m* oder *-n*, wenn ein anderer Konsonant (aber nicht: *r*) davorsteht: du öffnest • er öffnet • ihr öffnet.
The same applies for verbs ending in *-m* or *-n* if the *-m* or *-n* is preceded by another consonant (other than *r*): *du öffnest • er öffnet • ihr öffnet.*

▶ **Formen** Forms

	Verben auf *-s/-ss/-ß/-z*			Verben auf *-eln*
	reisen	**heißen**	**tanzen**	**sammeln**
ich	reis**e**	heiß**e**	tanz**e**	samml**e**
du	reis**t**	heiß**t**	tanz**t**	sammel**st**
er/sie/es	reis**t**	heiß**t**	tanz**t**	sammel**t**
wir	reis**en**	heiß**en**	tanz**en**	sammel**n**
ihr	reis**t**	heiß**t**	tanz**t**	sammel**t**
sie/Sie	reis**en**	heiß**en**	tanz**en**	sammel**n**

▶ **Hinweise** Rules

→ Für Verben auf *-s/-ss/-ß/-z* gilt:
2. Person Singular = 3. Person Singular: du heißt – er heißt.
For verbs ending in *-s/-ss/-ß/-z* the second and third person singular are identical: *du heißt – er heißt*.

→ Bei Verben auf *-eln* entfällt das *-e-* in der 1. Person Singular: ich sammle.
With verbs ending in *-eln* the *-e-* is omitted in the first person singular: *ich sammle*.

■■■ Übungen

6) **Ergänzen Sie die Verben in der richtigen Form.**
Put the verbs in the correct form.

studieren • tanzen • reisen • sammeln • singen • heißen • wohnen • spielen • arbeiten • reden

1. Wie *heißen* Sie? – Ich .... Frank.
2. Was .... Marie? – Sie .... Medizin.
3. .... du gern? – Ja, ich .... gern Tango.
4. Wo .... ihr? – Wir .... in München.
5. .... Sie ein Instrument? – Nein, aber mein Bruder .... sehr gut Klavier.
6. .... ihr oft nach Italien? – Ja, wir .... oft nach Italien.
7. .... Sie etwas? – Ja, ich .... alte Gläser.
8. .... du im Chor? – Nein, aber meine Freunde .... im Chor.
9. .... du am Wochenende? – Nein, aber mein Mann .... am Wochenende.
10. .... du mit deinem Hund? – Ja, ich .... manchmal mit meinem Hund.

7) **Was passiert im Büro? Ergänzen Sie die Verben in der richtigen Form. Manchmal gibt es mehrere Möglichkeiten.**
At the office. Put the verbs in the correct form. Sometimes more than one answer is possible.

reparieren • bezahlen • begrüßen • arbeiten • schreiben • telefonieren • speichern • reden • lösen • buchen

1. Otto .... bis 17.00 Uhr.
2. Die Sekretärin .... mit dem Chef.
3. Sie .... ein Hotelzimmer.
4. Ich .... 30 E-Mails.
5. Die Verwaltungsleiterin .... die Rechnungen.
6. Der Chef .... die Gäste.
7. Frau Fischer .... mit Kunden.
8. Der Informatiker .... den Computer.
9. Ich .... einen Text.
10. Der Hausmeister .... technische Probleme.

Verben mit Vokalwechsel im Präsens Verbs with vowel change in the present tense

Ingo liest noch Zeitung.

Petra schläft schon.

Formen Forms

	e → i(e)			a → ä		au → äu	i → ei
	geben	**nehmen**	**lesen**	**fahren**	**schlafen**	**laufen**	**wissen**
ich	gebe	nehme	lese	fahre	schlafe	laufe	weiß
du	gibst	nimmst	liest	fährst	schläfst	läufst	weißt
er/sie/es	gibt	nimmt	liest	fährt	schläft	läuft	weiß
wir	geben	nehmen	lesen	fahren	schlafen	laufen	wissen
ihr	gebt	nehmt	lest	fahrt	schlaft	lauft	wisst
sie/Sie	geben	nehmen	lesen	fahren	schlafen	laufen	wissen

Hinweise Rules

→ Einige Verben haben einen Vokalwechsel in der 2. und 3. Person Singular: *e → i(e), a → ä, au → äu*:
du gibst, er gibt • du fährst, er fährt • du läufst, er läuft.
The stem vowel of a few verbs changes in the second and third person singular: *e → i(e), a → ä, au → äu:*
du gibst, er gibt • du fährst, er fährt • du läufst, er läuft.

→ *Wissen* hat besondere Formen im Singular: ich weiß, du weißt, er weiß.
Wissen (to know) has special forms in the singular: *ich weiß, du weißt, er weiß.*

Satzbau Sentence structure

→ Im Aussagesatz und im Fragesatz mit Fragewort steht das konjugierte Verb an 2. Stelle.
In statements and wh-questions the conjugated verb is in the second position.

I.	II.	III.
Inge	liest	gern Krimis.
Was	liest	du gern?

→ Im Fragesatz ohne Fragewort steht das konjugierte Verb an 1. Stelle.
In yes-no questions the conjugated verb is in the first position.

I.	II.	III.
Liest	du	auch gern Krimis?

Übungen

1) **Ergänzen Sie die Tabelle.**
Complete the table.

nehmen	fahren	laufen	geben	sprechen
er *nimmt*	ich *fahre*	ihr	du	ich ....
ich	wir	der Film	Manfred	der Lehrer ....
ihr	Gudrun	die Kinder	wir	ihr ....

lesen	essen	schlafen	tragen	sehen
er	ich	das Kind	er	ich ....
ich	du	die Gäste	ihr	du ....
Sie	wir	du	wir	die Besucher ....

2) **Was macht Claudia? Antworten Sie.**
What is Claudia doing? Answer the questions.

Musik hören • arbeiten • tanzen • ~~warten~~ • ein Fußballspiel sehen • zum Bahnhof fahren • nach Rom fliegen • Fachbücher lesen • ihr Lieblingsgericht essen • ihre Sachen waschen • das Abendessen kochen • duschen

Was macht Claudia ...

- ● an der Bushaltestelle? Sie *wartet*.
1. im Flugzeug? ....
2. im Auto? ....
3. im Konzert? ....
4. in der Disko? ....
5. in der Bibliothek? ....
6. in der Dusche? ....
7. in der Küche? ....
8. im Restaurant? ....
9. auf dem Fußballplatz? ....
10. im Büro? ....
11. im Bad? ....

3) **Das ist Bruno. Ergänzen Sie die Verben in der richtigen Form.** 4
Aussprachehilfe: Hören Sie die Lösungen auf CD.
This is Bruno. Put the verbs in the correct form. Pronunciation help: Check your answers with the CD.

Bruno ...

- ● *gibt* viele Autogramme. *(geben)*
1. .... keine Bücher. *(lesen)*
2. .... nicht gern allein. *(schlafen)*
3. .... oft seine Termine. *(vergessen)*
4. .... gern altmodische Kleidung. *(tragen)*
5. .... oft mit seinen Fans. *(sprechen)*
6. .... gern Motorrad. *(fahren)*
7. .... gern Pommes frites. *(essen)*
8. .... gern alte Filme. *(sehen)*
9. .... viel über Elvis. *(wissen)*
10. .... oft durch den Wald. *(laufen)*

4) **Ergänzen Sie die Verben in der richtigen Form.**
Put the verbs in the correct form.

- ● Carla *geht* langsam durch den Park. – Otto *läuft* sehr schnell. *(gehen – laufen)*
1. Carla .... – Otto .... *(schweigen – sprechen)*
2. Carla .... Gedichte. – Otto .... Zeitung. *(schreiben – lesen)*
3. Carla .... gern Musik auf CD. – Otto .... gern Musikvideos. *(hören – sehen)*
4. Carla .... zu Fuß zur Arbeit. – Otto .... mit dem Auto. *(gehen – fahren)*
5. Carla .... gern. – Otto .... gern. *(kochen – essen)*
6. Carla .... ein Glas Mineralwasser. – Otto .... ein Bier. *(trinken – nehmen)*
7. Carla .... die Wäsche. – Otto .... *(waschen – schlafen)*

5) **Mit Vokalwechsel oder ohne Vokalwechsel? Bilden Sie informelle Fragen im Singular.**
A verb with or without vowel change? Ask informal questions in the singular.

	du	ihr
●	*Lernst du gern Fremdsprachen?*	Lernt ihr gern Fremdsprachen?
1.	....?	Esst ihr gern Schokolade?
2.	....?	Kauft ihr oft neue Schuhe?
3.	....?	Fahrt ihr im Winter in die Berge?
4.	....?	Nehmt ihr heute den Bus?
5.	....?	Geht ihr gerne ins Kino?
6.	....?	Lauft ihr viel?
7.	....?	Wisst ihr viel über Albert Einstein?

Besondere Verben: *haben, sein* und *werden* — Particular verbs: *haben, sein* and *werden*

Franz ist krank.
Er hat eine Erkältung.
Er wird bald wieder gesund.

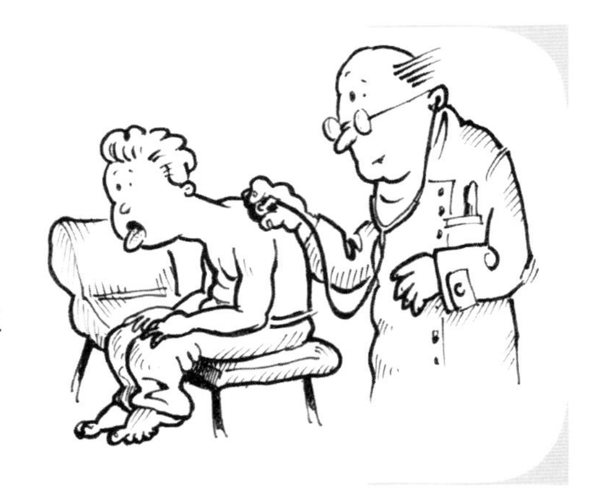

Formen — Forms

	haben	sein	werden
ich	habe	bin	werde
du	hast	bist	wirst
er/sie/es	hat	ist	wird
wir	haben	sind	werden
ihr	habt	seid	werdet
sie/Sie	haben	sind	werden

Hinweise — Rules

→ Als Vollverben werden *haben, sein* und *werden* mit einer Ergänzung (Nomen oder Adjektiv) verwendet: Ich bin krank. Ich habe Angst. Ich werde Ärztin.
Haben, sein and *werden* as full verbs are always used with a complement (a noun or an adjective): *Ich bin krank. Ich habe Angst. Ich werde Ärztin.*

→ Meistens werden *haben, sein* und *werden* als Hilfsverben gebraucht (zum Beispiel beim Perfekt oder beim Passiv).
In most sentences, *haben, sein* and *werden* are used as helping verbs (e. g. perfect tense, passive voice).

Satzbau — Sentence structure

→ Im Aussagesatz und im Fragesatz mit Fragewort steht das konjugierte Verb an 2. Stelle, die Ergänzung steht am Satzende.
In statements and wh-questions the conjugated verb is in the second position. The complement is placed at the end of the sentence.

I.	II.	III.	Satzende
Franz	ist	heute	krank.
Er	wird	bald wieder	gesund.
Wann	wird	Franz wieder	gesund?

→ Im Fragesatz ohne Fragewort steht das konjugierte Verb an 1. Stelle, die Ergänzung steht am Satzende.
In yes-no questions the conjugated verb is in the first position. The complement is placed at the end of the sentence.

I.	II.	III.	Satzende
Ist	Franz	schon lange	krank?

Übungen

1) Ergänzen Sie *haben, sein* und *werden* in der richtigen Form. 5
Aussprachehilfe: Hören Sie die Lösungen auf CD.
Put *haben, sein* and *werden* in the correct form. Pronunciation help: Check your answers with the CD.

1. □ Was *sind* Sie von Beruf? *(sein)*
   △ Ich .... Krankenschwester. *(sein)*
2. □ Wo .... ihr? *(sein)*
   △ Wir .... hier, im Nachbarzimmer! *(sein)*
3. □ .... du heute Zeit? *(haben)*
   △ Nein, ich .... leider keine Zeit. *(haben)*
4. □ Du .... so blass. .... du krank? *(sein, werden)*
   △ Ich .... schon krank, ich .... eine Erkältung. *(sein, haben)*
5. □ Wie alt .... der Junge? *(sein)*
   △ Er .... 12 Jahre alt und .... später vielleicht ein guter Fußballer. *(sein, werden)*
6. □ Es .... kalt. .... du keine warme Jacke? *(sein, haben)*
   △ Doch, ich .... eine warme Jacke. *(haben)*
7. □ Wie .... das Wetter in Italien? *(sein)*
   △ Schlecht, aber morgen .... es besser. *(werden)*
8. □ Wann .... du Geburtstag? *(haben)*
   △ Ich .... am 6. März Geburtstag. Ich .... dieses Jahr 30! *(haben, werden)*

2) Ergänzen Sie die Verben in der richtigen Form. 6
Aussprachehilfe: Hören Sie die Lösungen auf CD.
Put the verbs in the correct form. Pronunciation help: Check your answers with the CD.

Das *ist* *(sein)* Frau Müller. Sie .... *(arbeiten)* als Sekretärin bei einer großen Firma. Ihre Arbeit .... *(beginnen)* um 9.00 Uhr. Sie .... *(fahren)* morgens mit der Straßenbahn zur Arbeit. Der Tagesablauf von Frau Müller .... *(sein)* immer gleich: Zuerst .... *(begrüßen)* sie ihre Kollegen, dann .... *(lesen)* sie viele E-Mails und .... *(kochen)* Kaffee.
Um 10.00 Uhr .... *(haben)* alle Mitarbeiter eine kurze Besprechung. Von 12.30 bis 13.00 Uhr .... *(haben)* Frau Müller Mittagspause. Oft .... *(gehen)* sie in der Pause in ein kleines Restaurant. Nachmittags .... *(beantworten)* sie die elektronische Post, ... *(schreiben)* Rechnungen und .... *(vereinbaren)* Termine für ihren Chef. Um 17.30 Uhr .... *(haben)* sie Feierabend.

3) Ergänzen Sie die Verben in der richtigen Form.
Put the verbs in the correct form.

Liebe Susanne,

viele Grüße aus Leipzig *senden* *(senden)* Dir Andrea und Maximilian!
Wir .... *(wohnen)* in einem schönen Hotel direkt am Augustusplatz in der 8. Etage und wir .... *(haben)* einen schönen Ausblick über die Stadt. Unser Zimmer .... *(haben)* einen großen Fernseher und eine Sitzecke. Es .... *(sein)* sehr gemütlich. Ich .... *(sein)* von der langen Reise ein bisschen müde. Maximilian auch, er .... *(liegen)* im Bett und .... *(schlafen)*. Morgen .... *(haben)* wir ein volles Ausflugsprogramm. Zuerst .... *(besichtigen)* wir das Völkerschlachtdenkmal, danach .... *(gehen)* wir ins Museum für moderne Kunst. Dort .... *(hängen)* viele Bilder aus dem 20. Jahrhundert. Abends .... *(geben)* der Thomanerchor in der Thomaskirche ein Konzert. Wir .... *(hören)* Musik von Johann Sebastian Bach. Du .... *(wissen)* doch: Ich .... *(lieben)* die Musik von Bach.

Bis bald, Andrea

Besondere Verben: Modalverben Particular verbs: Modal verbs

Katharina will später Lehrerin werden.
Sie möchte gern Kinder unterrichten.
Sie mag Kinder.

Formen Forms

	können	müssen	sollen	dürfen	mögen	wollen	möchte(n)
ich	kann	muss	soll	darf	mag	will	möchte
du	kannst	musst	sollst	darfst	magst	willst	möchtest
er/sie/es	kann	muss	soll	darf	mag	will	möchte
wir	können	müssen	sollen	dürfen	mögen	wollen	möchten
ihr	könnt	müsst	sollt	dürft	mögt	wollt	möchtet
sie/Sie	können	müssen	sollen	dürfen	mögen	wollen	möchten

Hinweise Rules

→ Modalverben beschreiben das Verhältnis einer Person zur Handlung: Otto kann kochen. Otto muss kochen. Otto will heute kochen.
Deshalb stehen Modalverben meistens mit einem Infinitiv: Otto **kann** gut **kochen**.
Modal verbs indicate how the subject feels about an action: *Otto kann kochen. Otto muss kochen. Otto will heute kochen.*
Modal verbs are therefore usually used with an infinitive: *Otto kann gut kochen.*

→ Manchmal verwendet man Modalverben als Vollverben: Ich mag dich. Kannst du Türkisch? Ich muss zur Arbeit.
Modal verbs are occasionally used as full verbs: *Ich mag dich. Kannst du Türkisch? Ich muss zur Arbeit.*

Gebrauch Use

können	Otto **kann** sehr gut kochen. Du **kannst** jetzt zum Chef gehen. (Er hat gerade Zeit.)	Fähigkeit Ability Gelegenheit Opportunity
müssen	Ich **muss** die E-Mail heute noch beantworten.	Notwendigkeit Necessity
sollen	Ich **soll** heute länger arbeiten. (Mein Chef hat das gesagt.) **Soll** ich dir ein Brötchen mitbringen?	Auftrag Duty, assigment Frage nach dem Wunsch einer anderen Person Asking another person's wishes
dürfen	Man **darf** bis 22.00 Uhr Musik machen. In öffentlichen Gebäuden **darf** man **nicht** rauchen. **Darf** ich hier mal telefonieren?	Erlaubnis Authorisation Verbot Ban, prohibiton höfliche Frage Polite questions
mögen	Ich **mag** die Musik von Johann Sebastian Bach.	Vorliebe Preference
wollen	Ich **will** mir ein neues Auto kaufen.	Absicht Intention
möchte(n)	Ich **möchte** gern am Fenster sitzen.	Wunsch Wish, desire (freundliche Form von *wollen*) (friendly form of *wollen*)

Satzbau Sentence structure

→ Im Aussagesatz und im Fragesatz mit Fragewort steht das Modalverb an 2. Stelle, der Infinitiv steht am Satzende.
In statements and wh-questions the modal verb is in the second position. The infinitive is placed at the end of the sentence.

I.	II.	III.	Satzende
Ich	will	mir ein neues Auto	kaufen.
Wann	darf	ich endlich mit deinem Auto	fahren?

→ Im Fragesatz ohne Fragewort steht das Modalverb an 1. Stelle, der Infinitiv steht am Satzende.
In yes-no questions the modal verb is in the first position. The infinitive is placed at the end of the sentence.

I.	II.	III.	Satzende
Darf	ich	mal mit deinem Auto	fahren?

Übungen

1) **Ergänzen Sie die Modalverben in der richtigen Form.**
Put the modal verbs in the correct form.

1. können
   a) Ich *kann*
   b) Klaus ....
   c) Wir .... — dich am Wochenende nicht besuchen.
2. müssen
   a) Die Sekretärin ....
   b) Ihr ....
   c) Ich .... — die Rechnung noch bezahlen.
3. sollen
   Der Arzt sagt:
   a) Ihr ....
   b) Frau Krüger ....
   c) Wir .... — viel Obst essen.
4. dürfen
   a) Du ....
   b) Man ....
   c) Sie .... — hier nicht rauchen.
5. wollen
   a) Der Sportler ....
   b) Ich ....
   c) Die Fußballer .... — mehr trainieren.
6. möchte(n)
   a) Wir ....
   b) Ich ....
   c) Mein Kollege .... — einen Platz in der ersten Reihe.
7. mögen
   a) Du ....
   b) Ich ....
   c) Mein Hund .... — die Nachbarin nicht.

2) **Ergänzen Sie die Modalverben in der richtigen Form.**
Put the modal verbs in the correct form.

● Georg *muss* noch viel lernen. *(müssen)*
1. .... ich mal Ihren Kopierer benutzen? *(dürfen)*
2. Wann .... Sie Urlaub nehmen? *(wollen)*
3. .... du keine Schokolade? *(mögen)*
4. Alle Kollegen .... an der Besprechung teilnehmen. *(müssen)*
5. .... Sie noch etwas trinken? *(möchten)*
6. .... du mich vom Bahnhof abholen? *(können)*
7. Peter .... dieses Problem nicht alleine lösen. *(können)*
8. .... ich dir das mal erklären? *(sollen)*
9. .... du wirklich kein neues Handy? *(möchten)*
10. Fritzchen .... heute nicht in die Schule gehen. *(wollen)*
11. Was .... ich für Sie tun? *(können)*

3) **Bilden Sie aus den vorgegebenen Wörtern Sätze.**
Use the given words to build sentences.

- ich – sprechen – bitte – Herrn Klein – möchten — *Ich möchte bitte Herrn Klein sprechen.*
1. müssen – Rainer – das Protokoll – schreiben ....
2. der Chef – keine langen Besprechungen – mögen ....
3. buchen – sollen – du – für den Chef – einen Flug ....
4. wir – die Rechnung – bezahlen – noch – müssen ....
5. der neue Kollege – eine Dienstreise – wollen – machen ....
6. Martina – heute – zu Hause – arbeiten – dürfen ....
7. ich – den Drucker – reparieren – nicht – können ....

4) **Lesen Sie den Dialog und ergänzen Sie die passenden Modalverben.** 7
Aussprachehilfe: Hören Sie die Lösungen auf CD.
Read the dialogue and complete the sentences with the appropriate modal verb. Pronunciation help: Check your answers with the CD.

können • möchte(n) • wollen • sollen • müssen • dürfen • mögen

Rezeptionist:	Hotel „Sonnenschein". Guten Tag. Was *kann* ich für Sie tun?
Frau Schüler:	Ich ....(1) bitte ein Doppelzimmer.
Rezeptionist:	Wann ....(2) Sie anreisen?
Frau Schüler:	Am 12. Juni.
Rezeptionist:	Und für wie lange ....(3) ich das Zimmer für Sie reservieren?
Frau Schüler:	Für fünf Tage.
Rezeptionist:	................(4) Sie ein Zimmer mit Seeblick oder mit Gartenblick?
Frau Schüler:	Mit Seeblick bitte. Hat das Zimmer auch einen Balkon?
Rezeptionist:	Ja, es hat einen Balkon Richtung Süden. Sie ....(5) den ganzen Tag in der Sonne liegen.
Frau Schüler:	................(6) man in Ihrem Hotel rauchen?
Rezeptionist:	Nein, das tut mir leid. Sie ....(7) im Haus nicht rauchen.
Frau Schüler:	................(8) ich dann auf dem Balkon rauchen?
Rezeptionist:	Ja, Sie ....(9) nur auf dem Balkon oder im Garten rauchen.
Frau Schüler:	Haben Sie auch Wellnessangebote?
Rezeptionist:	Aber ja! Sie ....(10) gerne unser Schwimmbad benutzen oder eine Schönheitsbehandlung machen.
Frau Schüler:	Gibt es auch ein Hotelrestaurant?
Rezeptionist:	Wir haben ein Restaurant mit deutschen Spezialitäten.
Frau Schüler:	Oh, ich ....(11) deutsches Essen nicht.
Rezeptionist:	Es gibt ganz in der Nähe auch andere Restaurants. Vielleicht ....(12) Sie ja italienisches Essen. Dann ....(13) ich Ihnen das Restaurant „Milano" empfehlen.
Frau Schüler:	Und was kostet das Doppelzimmer pro Nacht?
Rezeptionist:	Es kostet 120 Euro pro Nacht.
Frau Schüler:	Und wie ....(14) ich bezahlen? ....(15) ich mit Kreditkarte bezahlen oder ....(16) ich bar bezahlen?
Rezeptionist:	Sie ....(17) bezahlen, wie sie ....(18): mit Kreditkarte, mit EC-Karte oder bar.
Frau Schüler:	................(19) Sie das Zimmer für mich bitte reservieren?
Rezeptionist:	Gern. Ich brauche dafür noch einige Angaben von Ihnen ...

Verben mit Präfix — Verbs with a prefix

Günter kauft ein.

Er bezahlt an der Kasse.

Abends sieht er fern.

Formen — Forms

trennbare Verben Separable verbs	abholen:	ich hole ab	anfangen:	ich fange an
	aufstehen:	ich stehe auf	ausschalten:	ich schalte aus
	einkaufen:	ich kaufe ein	fernsehen:	ich sehe fern
	festhalten:	ich halte fest	herkommen	ich komme her
	hinfahren:	ich fahre hin	loslassen:	ich lasse los
	mitmachen:	ich mache mit	nachdenken:	ich denke nach
	vorschlagen:	ich schlage vor	wegbringen:	ich bringe weg
	weitergehen:	ich gehe weiter	zuhören:	ich höre zu
	zurückkommen:	ich komme zurück	zusammenarbeiten:	wir arbeiten zusammen
nicht trennbare Verben Inseparable verbs	beginnen:	ich beginne	empfehlen:	ich empfehle
	erklären:	ich erkläre	gefallen:	ich gefalle
	missverstehen:	ich missverstehe	vereinbaren:	ich vereinbare
	zerreißen:	ich zerreiße		
trennbare oder nicht trennbare Verben Separable or inseparable (dual) verbs	unterscheiden:	ich unterscheide		
	wiederholen:	ich wiederhole		
	unterbringen:	ich bringe unter		
	wiederbringen:	ich bringe wieder		

Hinweise — Rules

→ **Trennbare Verben:**
Verben, die als Präfix ein Wort haben, das auch alleine stehen kann (eine Präposition oder ein Adverb), sind meist trennbar. Das Präfix ist betont.
Separable verbs: Verbs which have a word as a prefix that can also be used on its own (a preposition or an adverb) are usually separable. These prefixes are stressed.

→ **Nicht trennbare Verben:**
Verben mit den Präfixen: *be-/emp-/ent-/er-/ge-/miss-/ver-/zer-* sind nicht trennbar. Das Präfix ist unbetont.
Inseparable verbs: Verbs with the prefixes *be-/emp-/ent-/er-/ge-/miss-/ver-/zer-* are inseparable. These prefixes are unstressed.

→ **Trennbare oder nicht trennbare Verben:**
Verben mit den Präfixen: *durch-/über-/um-/unter-/wider-/wieder-* können trennbar oder nicht trennbar sein. Das Präfix ist betont, wenn es trennbar ist, unbetont, wenn es nicht trennbar ist.
Separable or inseparable (dual) verbs: Verbs with the prefixes *durch-/über-/um-/unter-/wider-/wieder-* can be either separable or inseparable. The prefix is stressed when it is separable and unstressed when it is not separable.

Satzbau — Sentence structure

→ Bei trennbaren Verben steht das konjugierte Verb im Aussagesatz und im Fragesatz mit Fragewort an 2. Stelle, das trennbare Präfix steht am Satzende.
In statements and wh-questions the conjugated verb is in the second position. The separable prefix is placed at the end of the sentence.

I.	II.	III.	Satzende
Peter	steht	jeden Morgen um 7.00 Uhr	auf.
Wann	steht	Peter jeden Morgen	auf?

→ Im Fragesatz ohne Fragewort steht das konjugierte Verb an 1. Stelle, das trennbare Präfix steht am Satzende.
In yes-no questions the conjugated verb is in the first position. The separable prefix is placed at the end of the sentence.

I.	II.	III.	Satzende
Stehst	du	jeden Morgen um 7.00 Uhr	auf?

■ ■ ■ Übungen

1) **Hören Sie die Verben. Markieren Sie die Präfixe und ordnen Sie die Verben zu.** 8
Listen to the verbs. Underline the prefixes and write the verbs into the appropriate column.

~~absagen~~ • bestellen • fernsehen • anrufen • aufstehen • verlieren • zusehen • aussteigen • empfangen • weiterarbeiten • erfinden • zerstören • vorstellen • ausleihen

trennbar	nicht trennbar
ich sage ab, ...	....
....	....
....	....
....	....

2) **Tom hat viel zu tun. Beschreiben Sie seinen Tagesablauf.** 9
Aussprachehilfe: Hören Sie die Lösungen auf CD.
Tom has a busy day. Write his schedule. Pronunciation help: Check your answers with the CD.

● um 8.00 Uhr – aufstehen
Um 8.00 Uhr steht Tom auf.

1. um 8.30 Uhr – frühstücken
....
2. um 9.00 Uhr – zur Arbeit – gehen
....
3. um 9.30 Uhr – mit der Arbeit – beginnen
....
4. zuerst – seine E-Mails – lesen + beantworten
....
5. danach – eine Besprechung mit seinen Kollegen – haben
....
6. um 12.00 Uhr – die Gäste – vom Flughafen – abholen
....
7. dann – den Gästen – das Programm – erklären
....
8. um 14.00 Uhr – mit den Gästen – über neue Projekte – sprechen
....
9. nachmittags – ein paar E-Mails – schreiben + Termine mit Kunden – vereinbaren
....
10. um 16.00 – Frau Schröder – anrufen + über ein Problem – diskutieren
....
11. um 17.30 Uhr – Feierabend – haben
....
12. danach – im Supermarkt – etwas zum Abendessen – einkaufen
....

13. zu Hause – das Abendessen – vorbereiten

....

14. um 19.00 Uhr – ganz alleine – essen + ein Glas Wein – trinken

....

15. ab 20.00 Uhr – fernsehen

....

16. um 23.00 Uhr – einschlafen + etwas Schönes – träumen

....

3) **Was Kathrin alles am Computer macht. Bilden Sie Sätze.**
Kathrin does plenty of things on her computer. Build sentences.

- Computer einschalten: *Sie schaltet den Computer ein.*
1. ein Passwort eingeben ....
2. ihre E-Mails abrufen ....
3. unwichtige E-Mails löschen ....
4. wichtige E-Mails ausdrucken ....
5. Dokumente weiterleiten ....
6. Texte bearbeiten ....
7. Sätze ausschneiden und sie einfügen ....
8. im Internet surfen ....
9. Rechnungen bezahlen ....
10. Videoclips herunterladen ....

4) **Lesen Sie den Dialog und ergänzen Sie die Verben in der richtigen Form.** 10
Aussprachehilfe: Hören Sie die Lösungen auf CD.
Read the dialogue and put the verbs in the correct form. Pronunciation help: Check your answers with the CD.

funktionieren • wohnen • können *(2 x)* • vorbeikommen • ansehen • sein • verstehen • wollen • verbinden • brauchen • versprechen • erwarten • haben *(2 x)*

Rezeptionistin:	„Schnelle Hilfe für den Haushalt". Was *kann* ich für Sie tun?
Herr Beier:	Klaus Beier hier. Ich ....(1) ein Problem. Meine Waschmaschine ....(2) kaputt.
Rezeptionistin:	Ihre Waschmaschine ... Einen Moment, bitte. Ich ....(3) Sie mal mit meinem Kollegen.
Herr Kaiser:	Kaiser.
Herr Beier:	Ja, guten Tag, hier ist Klaus Beier. Meine Waschmaschine ....(4) nicht mehr. ....(5) Sie heute oder morgen vorbeikommen und die Waschmaschine reparieren? Ich ....(6) die Maschine dringend.
Herr Kaiser:	Das ....(7) ich. Wie alt ist denn die Waschmaschine?
Herr Beier:	Zehn Jahre.
Herr Kaiser:	Was? Zehn Jahre alt! Und Sie ....(8) wirklich keine neue Waschmaschine kaufen?
Herr Beier:	Nein, dafür ....(9) ich kein Geld.
Herr Kaiser:	Gut. Ich ....(10) am Donnerstag ....(10) und ....(11) mir die Maschine mal ....(11). Aber ich ....(12) keine Wunder.
Herr Beier:	Gut. Dann ....(13) ich Sie am Donnerstag.
Herr Kaiser:	Wo ....(14) Sie, Herr Beier?
Herr Beier:	In der Sonnengasse 3.

1.1.3 Perfekt The perfect tense

Vergangenheitsformen Past tense forms

Gestern sind wir nach Berlin gefahren.
Dort haben wir getanzt.

Gestern fuhren wir nach Berlin.
Dort tanzten wir.

▶ **Perfekt oder Präteritum?**

Perfekt	Wir sind nach Berlin gefahren. Wir haben getanzt.	Das Perfekt verwenden wir meist im Gespräch, in mündlichen Berichten oder in persönlichen Texten. The perfect tense is mainly used in discussions, oral reports and personal texts.
Präteritum	Wir fuhren nach Berlin. Wir tanzten.	Das Präteritum verwenden wir vor allem in schriftlichen Erzählungen oder Berichten, außerdem bei den Modalverben und den Verben: *haben*, *sein* und *werden*. The preterite tense is mainly used in written stories and reports. Modal verbs and the verbs *haben*, *sein* and *werden* are usually used in the preterite (also in texts written in the perfect tense).

Perfekt mit *haben* Perfect tense with *haben*

A Regelmäßige Verben Regular verbs

Was haben die Leute am Sonntag gemacht?

Georg hat Musik gehört.
(hat ↓ Hilfsverb, gehört ↓ Partizip II)

Susanne hat auf ihren Freund gewartet.
(hat ↓ Hilfsverb, gewartet ↓ Partizip II)

Herr Roth hat fotografiert.
(hat ↓ Hilfsverb, fotografiert ↓ Partizip II)

▶ **Formen** Forms

			Verben auf *-t/-d*		Verben auf *-ieren*	
	hören		**warten**		**studieren**	
ich	habe	gehört	habe	gewartet	habe	studiert
du	hast		hast		hast	
er/sie/es	hat		hat		hat	
wir	haben		haben		haben	
ihr	habt		habt		habt	
sie/Sie	haben		haben		haben	

▶ **Hinweise** Rules

→ Die meisten Verben bilden das Perfekt mit dem Hilfsverb *haben* und dem Partizip II.
(Perfekt mit *sein* ➤ Seite 28)
The perfect tense of most verbs is formed with the helping verb *haben* and the participle II. (Perfect tense with *sein* ➤ page 28)

→ Regelmäßige Verben bilden das Partizip II mit: *ge-* + Verbstamm + *-(e)t*: gehört • gewartet.
The participle II of the regular verbs is formed with *ge-* + verb stem + *-(e)t*: *gehört* • *gewartet*.

→ Verben auf *-ieren* bilden das Partizip II mit: Verbstamm + *-t*: studiert.
The participle II of the verbs ending in *-ieren* is formed with verb stem + *-t*: *studiert*.

B Unregelmäßige Verben Irregular verbs

Was haben die Leute am Sonntag gemacht?

Frau Kunkel hat gelesen.
hat ↓ Hilfsverb, gelesen ↓ Partizip II

Max hat ein Gedicht geschrieben.
hat ↓ Hilfsverb, geschrieben ↓ Partizip II

Oma hat ein Glas Wein getrunken.
hat ↓ Hilfsverb, getrunken ↓ Partizip II

▶ **Formen** Forms

	lesen		trinken		schreiben		schneiden		helfen	
ich	habe		habe		habe		habe		habe	
du	hast		hast		hast		hast		hast	
er/sie/es	hat	gelesen	hat	getrunken	hat	geschrieben	hat	geschnitten	hat	geholfen
wir	haben		haben		haben		haben		haben	
ihr	habt		habt		habt		habt		habt	
sie/Sie	haben		haben		haben		haben		haben	

▶ **Hinweise** Rules

→ Unregelmäßige Verben bilden das Partizip II mit: *ge-* + Verbstamm + *-en*.
Oft ändert sich der Stammvokal: schreiben → geschrieben,
manchmal auch der Konsonant: scheiden → geschnitten.
The participle II of the irregular verbs is formed with *ge-* + verb stem + *-en*.
The vowel of the verb stem often changes: *schreiben* → *geschrieben*,
Sometimes the consonant also changes: *scheiden* → *geschnitten*.

▶ **Satzbau** Sentence structure

→ Im Aussagesatz und im Fragesatz mit Fragewort steht das Hilfsverb *haben* an 2. Stelle, das Partizip steht am Satzende.
In statements and wh-questions the helping verb *haben* is in the second position. The participle is placed at the end of the sentence.

I.	II.	III.	Satzende
Oma	hat	ein Glas Wein	getrunken.
Was	hat	Oma	getrunken?

→ Im Fragesatz ohne Fragewort steht das Hilfsverb an 1. Stelle, das Partizip steht am Satzende.
In yes-no questions the helping verb is in the first position. The participle is placed at the end of the sentence.

I.	II.	III.	Satzende
Hat	Oma	ein Glas Wein	getrunken?

■ ■ ■ Übungen

1) **Regelmäßig oder unregelmäßig?**
Markieren Sie die Endungen und eventuelle Vokal- oder Konsonantenwechsel. Wie heißt der Infinitiv?
Is the verb regular or irregular? Mark the ending and the change of vowel/consonant where appropriate. Give the infinitive.

● gewartet *warten*
1. gesehen ....
2. genommen ....
3. gewohnt ....
4. gearbeitet ....
5. geholfen ....
6. geschnitten ....
7. gefunden ....
8. getrunken ....
9. gegessen ....
10. geschlafen ....
11. gelöst ....
12. gekauft ....
13. geschrieben ....
14. gesungen ....

2) **Hast du/Habt ihr/Haben Sie schon einmal …? Bilden Sie Fragen und antworten Sie.** 11
Aussprachehilfe: Hören Sie die Lösungen auf CD.
Have you ever …? Ask questions and answer them. Pronunciation help: Check your answers with the CD.

● du – im Hotel Ritz – in Paris – schlafen
□ *Hast du schon einmal im Hotel Ritz in Paris geschlafen?*
△ *Ja, ich habe schon einmal/oft im Hotel Ritz in Paris geschlafen.*
△ *Nein, ich habe noch nie im Hotel Ritz in Paris geschlafen.*

1. ihr – Musik von Wolfgang Amadeus Mozart – hören
.................................? – ....
2. Sie – Schokolade aus der Schweiz – essen
.................................? – ....
3. ihr – warmes Bier – trinken
.................................? – ....
4. Sie – im Urlaub – arbeiten
.................................? – ....
5. du – die Mona Lisa – im Original – sehen
.................................? – ....
6. ihr – in New York – wohnen
.................................? – ....
7. du – ein Liebesgedicht – schreiben
.................................? – ....
8. du – über dich selbst – lachen
.................................? – ....
9. Sie – einen Science-Fiction-Roman – lesen
.................................? – ....
10. Sie – einen Fehler – machen
.................................? – ....
11. du – einem Mitschüler – helfen
.................................? – ....
12. du – eine fremde Sprache – lernen
.................................? – ....

13. Sie – ein Portemonnaie auf der Straße – finden
……………………………………………? – ……………………………………………
14. du – ein Fünf-Gänge-Menü – kochen
……………………………………………? – ……………………………………………
15. ihr – ein Computerproblem – lösen
……………………………………………? – ……………………………………………
16. du – ein wichtiges Dokument – löschen
……………………………………………? – ……………………………………………
17. ihr – in einem Chor – singen
……………………………………………? – ……………………………………………
18. Sie – Schach – spielen
……………………………………………? – ……………………………………………

3) **Was haben diese Leute in Deutschland gemacht? Bilden Sie Sätze.**
What did these people do in Germany? Build sentences.

1. Ich war in Berlin: eine Currywurst essen – im Hotel Albertin schlafen – das Neue Museum besuchen
Ich habe eine Currywurst gegessen, im Hotel ……………………………………………
……………………………………………
2. Rudi war in Köln: den Kölner Dom besichtigen – ein Kölsch trinken – im Rhein-Energie-Stadion ein Fußballspiel sehen
……………………………………………
……………………………………………
3. Wir waren in München: Freunde treffen – im Englischen Garten sitzen – technische Erfindungen im Deutschen Museum bewundern ……………………………………………
4. Carola und Susanne waren in Rostock: im Meer baden – eine Hafenrundfahrt machen – Seemannslieder singen ……………………………………………
5. Ihr wart in Leipzig: Tiere im Zoo fotografieren – in der Thomaskirche ein Konzert hören – auf dem Marktplatz alte Gläser kaufen ……………………………………………

4) **Ulrich berichtet über seine Reise nach Paris. Ergänzen Sie die Verben im Perfekt.**
Ulrich is telling about his journey to Paris. Put the verbs in the perfect tense.

Letztes Wochenende waren meine Frau und ich in Paris. Wir *haben* den Zug *genommen (nehmen)*. Die Tickets ………… ich im Internet ………… *(buchen)*. Die Reise ………… fünf Stunden ………… *(dauern)*.
In Paris ………… wir bei einer deutschen Freundin ………… *(wohnen)*. Am ersten Tag ………… es ………… *(regnen)*, da ………… wir Geschenke ………… *(kaufen)*.
Am Abend ………… wir unsere französischen Freunde ………… *(treffen)*. Wir ………… sie seit fünf Jahren nicht ………… *(sehen)*. Wir ………… zusammen ………… *(essen)*, lange ………… *(diskutieren)* und ziemlich viel Rotwein ………… *(trinken)*. Am nächsten Tag ………… wir bis 12.00 Uhr ………… *(schlafen)*.

Perfekt mit *sein* — Perfect tense with *sein*

A Regelmäßige Verben — Regular verbs

▶ **Formen** Forms

	wandern		reisen		landen	
ich	bin	gewandert	bin	gereist	bin	gelandet
du	bist		bist		bist	
er/sie/es	ist		ist		ist	
wir	sind		sind		sind	
ihr	seid		seid		seid	
sie/Sie	sind		sind		sind	

B Unregelmäßige Verben — Irregular verbs

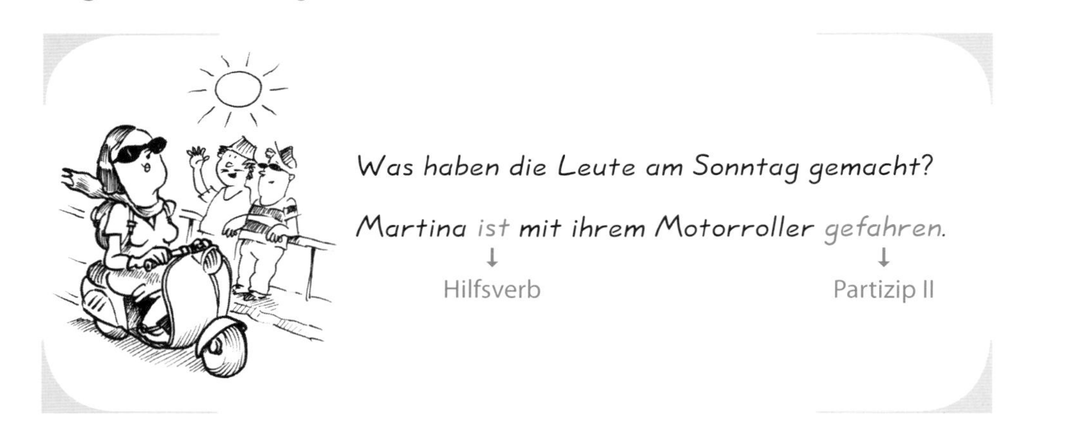

▶ **Formen** Forms

	laufen		fahren		bleiben		sein	
ich	bin	gelaufen	bin	gefahren	bin	geblieben	bin	gewesen
du	bist		bist		bist		bist	
er/sie/es	ist		ist		ist		ist	
wir	sind		sind		sind		sind	
ihr	seid		seid		seid		seid	
sie/Sie	sind		sind		sind		sind	

Hinweise Rules

→ Das Perfekt mit *sein* bilden Verben,
The perfect tense is formed with *sein*:

- die einen Ortswechsel beschreiben und keine Akkusativergänzung haben:
  If the verb indicates a change of place and does not require an accusative object:
  Ich bin gefahren. • Otto ist schon ins Büro gegangen.
- die eine Zustandsveränderung beschreiben:
  If the verb indicates a change of state or condition:
  Der Junge ist gewachsen. • Es ist etwas passiert.
- und einige besondere Verben:
  And for the following verbs:
  sein: Ich bin in Italien gewesen.
  bleiben: Ich bin dort drei Wochen geblieben.
  werden: Peter ist 15 Jahre alt geworden.

→ Alle anderen Verben bilden das Perfekt mit *haben*.
The perfect tense of all other verbs is formed with *haben*.

Satzbau Sentence structure

→ Im Aussagesatz und im Fragesatz mit Fragewort steht das Hilfsverb *sein* an 2. Stelle, das Partizip steht am Satzende.
In statements and wh-questions the helping verb *sein* is in the second position. The participle is placed at the end of the sentence.

I.	II.	III.	Satzende
Das Flugzeug aus Rom	ist	pünktlich	gelandet.
Wann	ist	das Flugzeug aus Rom	gelandet?

→ Im Fragesatz ohne Fragewort steht das Hilfsverb an 1. Stelle, das Partizip steht am Satzende.
In yes-no questions the helping verb is in the first position. The participle is placed at the end of the sentence.

I.	II.	III.	Satzende
Ist	das Flugzeug	aus Rom schon	gelandet?

Übungen

1) **Bilden Sie Fragen im Perfekt mit *sein*.**
Ask questions in the perfect tense. Use the verb *sein*.

- wann – Flugzeug – landen — *Wann ist das Flugzeug gelandet?*
1. was – passieren ....?
2. wohin – er – laufen ....?
3. warum – du – so schnell – schwimmen ....?
4. wo – die Akten – sein ....?
5. wann – er – krank – werden ....?
6. wohin – er – fahren ....?
7. wie lange – du – in London – bleiben ....?
8. wann – ihr – das letzte Mal – ins Kino – gehen ....?
9. wohin – der Chef – reisen ....?
10. woher – der Zug – kommen ....?
11. wie oft – du – schon – fliegen ....?
12. wann – du – das letzte Mal – beim Zahnarzt – sein ....?
13. wann – Frau Müller – nach Hause – gehen ....?

2) **Eine E-Mail von Knut. Ergänzen Sie *haben* oder *sein* in der richtigen Form.** 12
Aussprachehilfe: Hören Sie die Lösungen auf CD.
An e-mail from Knut. Put *haben* or *sein* in the correct form. Pronunciation help: Check your answers with the CD.

Liebe Kathrin,

wie geht es Dir? Mir geht es gut. Ich *bin* drei Tage bei Tante Emma und Onkel Klaus in Ottobrunn gewesen und .... interessante Neuigkeiten gehört: Mein Cousin Alex .... 50 000 Euro im Lotto gewonnen! Er .... sich von dem Geld ein neues Auto gekauft und .... damit sofort nach Italien gefahren. In Italien .... er dann seine Traumfrau getroffen. Sie heißt Nora und .... vorgestern mit Alex nach Ottobrunn gekommen. Gestern .... wir alle zusammen in einem tollen Restaurant gegessen und Otto .... uns gesagt, dass er heiraten will. Was für eine Überraschung!

Liebe Grüße
Knut

3) **Was ist gestern alles passiert? Bilden Sie Sätze im Perfekt mit *haben* oder *sein*.** 13
Aussprachehilfe: Hören Sie die Lösungen auf CD.
What happened yesterday? Build sentences in the perfect tense by using *haben* or *sein*. Pronunciation help: Check your answers with the CD.

- Frank – zur Firma – laufen — *Frank ist zur Firma gelaufen.*

1. er – zu spät – zur Arbeit – kommen ....
2. alle – auf Frank – warten ....
3. Beate – keinen Parkplatz – finden ....
4. Peter – mit dem Fahrrad – fahren ....
5. die Besprechung – nicht pünktlich – beginnen ....
6. Martha – alle E-Mails – löschen ....
7. Martin – das Computerproblem – nicht – lösen ....
8. Herr Müller – nach Madrid – fliegen ....
9. das Flugzeug – in Madrid – mit Verspätung – landen ....
10. Michael – neue Produkte – für einen Katalog – fotografieren ....
11. ich – den ganzen Tag – hart – arbeiten ....
12. Margit – Dokumente – kopieren ....
13. Joachim und Manfred – über einen Auftrag – diskutieren ....
14. Steffi – mal wieder – im Internet – surfen ....
15. der Chef – einen wichtigen Termin – vergessen ....

4) **Was hat Gabi gestern gemacht? Bilden Sie Sätze im Perfekt mit *haben* oder *sein*.**
What did Gabi do yesterday? Build sentences in the perfect tense by using *haben* or *sein*.

1. um 9.30 Uhr – Kaffee trinken — *Um 9.30 Uhr hat Gabi* ....
2. von 10.00 bis 10.30 Uhr – Gymnastik machen ....
3. von 11.00 bis 12.30 Uhr – beim Friseur sein ....
4. um 13.00 Uhr – im Restaurant einen Salat essen ....
5. von 14.00 bis 16.30 Uhr – Golf spielen ....
6. um 17.00 Uhr – neue Schuhe kaufen ....
7. um 18.00 Uhr – mit einer Freundin telefonieren ....
8. ab 20.00 Uhr – auf einer Party mit Herrn Wichtig tanzen ....
9. um 23.30 Uhr – ins Bett gehen ....
10. danach – im Bett einen Krimi lesen ....

■ Verben mit Präfix Verbs with a prefix

A Trennbare Verben Separable verbs

Was hat Otto gestern gemacht?

Otto hat für das Abendessen eingekauft.
↓ Hilfsverb ↓ Partizip II

Otto ist sehr spät zurückgekommen.
↓ Hilfsverb ↓ Partizip II

▶ **Formen** Forms

	regelmäßige Verben		unregelmäßige Verben			
	einkaufen		anrufen		zurückkommen	
ich	habe	eingekauft	habe	angerufen	bin	zurückgekommen
du	hast		hast		bist	
er/sie/es	hat		hat		ist	
wir	haben		haben		sind	
ihr	habt		habt		seid	
sie/Sie	haben		haben		sind	

➤ Seite 21: Übersicht *Verben mit Präfix*

▶ **Hinweise** Rules

→ Verben mit Präfix bilden das Perfekt mit *haben* oder *sein* und dem Partizip II.
The perfect tense of verbs with a prefix is formed with *haben* or *sein* and the participle II.

→ Bei trennbaren Verben steht beim Partizip II *-ge-* zwischen Präfix und Verbstamm:
- regelmäßige Verben: Präfix + *-ge-* + Verbstamm + *-(e)t*: eingekauft
- unregelmäßige Verben: Präfix + *-ge-* + Verbstamm + *-en*: angerufen

With separable verbs *-ge-* is placed between the prefix and the verb stem:
- Regular verbs: prefix + *-ge-* + verb stem + *-(e)t*: *eingekauft*
- Irregular verbs: prefix + *-ge-* + verb stem + *-en*: *angerufen*

B Nicht trennbare Verben Inseparable verbs

Was hat Otto gestern gemacht?

Otto hat viele E-Mails bekommen und beantwortet.
↓ Hilfsverb ↓ ↓ Partizip II

Er hat mit Kunden Termine vereinbart.
↓ Hilfsverb ↓ Partizip II

Verben
Tempora: Perfekt

Formen Forms

	regelmäßige Verben				unregelmäßige Verben	
	vereinbaren		beantworten		bekommen	
ich	habe		habe		habe	
du	hast		hast		hast	
er/sie/es	hat	vereinbart	hat	beantwortet	hat	bekommen
wir	haben		haben		haben	
ihr	habt		habt		habt	
sie/Sie	haben		haben		haben	

Hinweise Rules

→ Nicht trennbare Verben bilden das Partizip II ohne *ge-*:
- regelmäßige Verben: Verbstamm + *-(e)t*: vereinbart
- unregelmäßige Verben: Verbstamm + *-en*: bekommen

The participle II of the inseparable verbs is formed without *ge-*:
- Regular verbs: verb stem + *-(e)t*: *vereinbart*
- Irregular verbs: verb stem + *-en*: *bekommen*

Satzbau Sentence structure

→ Im Aussagesatz und im Fragesatz mit Fragewort steht das Hilfsverb an 2. Stelle, das Partizip steht am Satzende.
In statements and wh-questions the helping verb is in the second position. The participle is placed at the end of the sentence.

I.	II.	III.	Satzende
Wir	sind	mit zwei Stunden Verspätung	abgefahren.
Wann	seid	ihr	abgefahren?

→ Im Fragesatz ohne Fragewort steht das Hilfsverb an 1. Stelle, das Partizip steht am Satzende.
In yes-no questions the helping verb is in the first position. The participle is placed at the end of the sentence.

I.	II.	III.	Satzende
Hast	du	schon einen Termin mit dem Kunden	vereinbart?

Übungen

1) **Viel Arbeit im Haushalt. Bilden Sie Fragen und antworten Sie.** 14
Aussprachehilfe: Hören Sie die Lösungen auf CD.
Household tasks. Ask questions and answer them. Pronunciation help: Check your answers with the CD.

- das Geschirr abspülen
  Spülst du das Geschirr bald ab? – *Ich habe das Geschirr schon abgespült.*

1. das Zimmer aufräumen
   ....? – ....
2. die Teller in den Küchenschrank einräumen
   ....? – ....
3. das Paket von der Post abholen
   ....? – ....
4. die Stromrechnung bezahlen
   ....? – ....
5. das Waschbecken anbauen
   ....? – ....
6. den alten Kühlschrank verkaufen
   ....? – ....

7. einen neuen Kühlschrank bestellen
....? – ....
8. das Bild aufhängen
....? – ....
9. die Gläser abtrocknen
....? – ....
10. frisches Obst einkaufen
....? – ....
11. die Musik im Wohnzimmer ausmachen
....? – ....
12. den Fernseher im Schlafzimmer einschalten
....? – ....
13. das Licht im Arbeitszimmer ausschalten
....? – ....

2) **Wann? Bilden Sie Fragen im Perfekt und antworten Sie.**
When? Ask questions in the perfect tense and answer them.

- wann – du – gestern – einschlafen *(um 23.00 Uhr)*
  Wann bist du gestern eingeschlafen? – *Ich bin um 23.00 Uhr eingeschlafen.*

1. wann – du – heute – aufstehen *(um 9.00 Uhr)*
....? – ....
2. wann – der Sprachkurs – anfangen *(am Montag)*
....? – ....
3. wann – du – Tante Annelies – anrufen *(gestern)*
....? – ....
4. wann – der Zug – ankommen *(um 17.00 Uhr)*
....? – ....

3) **Viel Arbeit im Büro. Bilden Sie Sätze im Perfekt.** 15
Aussprachehilfe: Hören Sie die Lösungen auf CD.
Plenty of work in the office. Build sentences in the perfect tense. Pronunciation help: Check your answers with the CD.

Das hat Otto heute alles gemacht:

- alle Computer einschalten
  Otto hat alle Computer eingeschaltet.

1. verschiedene Passwörter eingeben
....
2. alle Computerfunktionen kontrollieren
....
3. einige Probleme lösen
....
4. viele Dokumente ausdrucken
....
5. die Kollegen über Veränderungen informieren ....
6. neue Mitarbeiter vorstellen ....
7. über schwierige Probleme diskutieren ....
8. zwei Softwarefirmen anrufen ....
9. viele Termine vereinbaren ....
10. eine Präsentation vorbereiten ....
11. einen Vertreter vom Bahnhof abholen ....
12. an einer Besprechung teilnehmen ....
13. Gespräche mit Mitarbeitern führen ....
14. einen Vertrag unterschreiben ....

1.1.4 Präteritum The Preterite Tense

Vergangenheitsformen Past tense forms

Gestern sind wir nach Berlin gefahren.
Dort haben wir getanzt.

Gestern fuhren wir nach Berlin.
Dort tanzten wir.

Perfekt oder Präteritum?

Perfekt	Wir sind nach Berlin gefahren. Wir haben getanzt.	Das Perfekt verwenden wir meist im Gespräch, in mündlichen Berichten oder in persönlichen Texten. The perfect tense is mainly used in discussions, oral reports and personal texts.
Präteritum	Wir fuhren nach Berlin. Wir tanzten.	Das Präteritum verwenden wir vor allem in schriftlichen Erzählungen oder Berichten, außerdem bei den Modalverben und den Verben: *haben*, *sein* und *werden*. The preterite tense is mainly used in written stories and reports. Modal verbs and the verbs *haben, sein* and *werden* are usually used in the preterite (even in texts written in the perfect tense).

Besondere Verben: *haben, sein* und *werden* Particular Verbs: *haben, sein* and *werden*

Was passierte gestern?

Franz war krank.

Er hatte eine Erkältung.

Formen Forms

	haben	sein	werden
ich	hatte	war	wurde
du	hattest	warst	wurdest
er/sie/es	hatte	war	wurde
wir	hatten	waren	wurden
ihr	hattet	wart	wurdet
sie/Sie	hatten	waren	wurden

Hinweise Rules

→ Bei *haben*, *sein* und *werden* bevorzugen wir in der Vergangenheit das Präteritum.
The verbs *haben*, *sein* and *werden* are usually used in the preterite when reporting events of the past.

▶ Satzbau Sentence structure

→ Im Aussagesatz und im Fragesatz mit Fragewort steht das konjugierte Verb an 2. Stelle, die Ergänzung am Satzende.
In statements and wh-questions the conjugated verb is in the second position. The complement of the verb is placed at the end of the sentence.

I.	II.	III.	Satzende
Otto	hatte	letzte Woche	Urlaub.
Franz	war	gestern	krank.
Wann	war	Frank das letzte Mal	krank?

→ Im Fragesatz ohne Fragewort steht das konjugierte Verb an 1. Stelle, die Ergänzung steht am Satzende.
In yes-no questions the conjugated verb is in the first position. The complement of the verb is placed at the end of the sentence.

I.	II.	III.	Satzende
War	Franz	gestern	krank?

■ ■ ■ Übungen

1) **Ergänzen Sie *haben, sein* oder *werden* im Präteritum.**
Complete the sentences with *haben, sein* or *werden* in the preterite.

1. sein
   a) Wir *waren*
   b) Ihr ....
   c) Christine .... — im Urlaub.
2. werden
   a) Ich ....
   b) Franz ....
   c) Meine Eltern .... — im Urlaub krank.
3. haben
   a) Meine Oma ....
   b) Wir ....
   c) Ihr .... — großes Glück.
4. sein
   a) Das Hotel ....
   b) Die Landschaft ....
   c) Die Bademöglichkeiten .... — traumhaft.
5. haben
   a) Meine Tante ....
   b) Ich ....
   c) Klaus und Karin .... — im Urlaub schönes Wetter.

2) **Bilden Sie Sätze im Präteritum.** 16
Aussprachehilfe: Hören Sie die Lösungen auf CD.
Build sentences in the preterite tense. Pronunciation help: Check your answers with the CD.

● wo – ihr – gestern – sein? *Wo wart ihr gestern?*
1. wir – auf einer Party – sein ....
2. Kerstin – auch da – sein? ....?
3. Kerstin und Sabine – krank – sein ....
4. es – schön – auf der Party – sein? ....?
5. nein – es – schrecklich – sein ....
6. Otto – wieder mal – betrunken – sein ....
7. Marie – Kopfschmerzen – haben ....
8. die Musik – viel zu laut – sein ....
9. Karl – Ärger mit Susanne – haben ....
10. um 22.00 Uhr – ich – keine Lust mehr – haben ....

Besondere Verben: Modalverben   Particular verbs: Modal verbs

Was passierte gestern?

Franz war krank.

Er konnte nicht Fußball spielen.

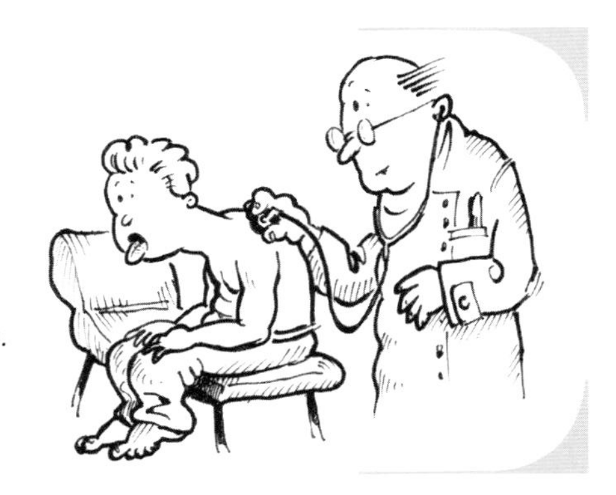

Formen   Forms

	können	müssen	sollen	dürfen	mögen	wollen
ich	konnte	musste	sollte	durfte	mochte	wollte
du	konntest	musstest	solltest	durftest	mochtest	wolltest
er/sie/es	konnte	musste	sollte	durfte	mochte	wollte
wir	konnten	mussten	sollten	durften	mochten	wollten
ihr	konntet	musstet	solltet	durftet	mochtet	wolltet
sie/Sie	konnten	mussten	sollten	durften	mochten	wollten

Hinweise   Rules

→ Bei den Modalverben bevorzugen wir in der Vergangenheit das Präteritum.
When reporting events of the past, modal verbs are usually used in the preterite.

→ Modalverben stehen meistens mit einem Infinitiv: Franz **konnte** heute nicht Fußball **spielen**.
Modal verbs are usually followed by an infinitive: *Franz konnte heute nicht Fußball spielen.*

Satzbau   Sentence structure

→ Im Aussagesatz und im Fragesatz mit Fragewort steht das Modalverb an 2. Stelle, der Infinitiv steht am Satzende.
In statements and wh-questions the modal verb is in the second position. The infinitive is placed at the end of the sentence.

I.	II.	III.	Satzende
Franz	**konnte**	heute nicht Fußball	**spielen.**
Warum	**konnte**	Franz nicht Fußball	**spielen?**

→ Im Fragesatz ohne Fragewort steht das Modalverb an 1. Stelle, der Infinitiv steht am Satzende.
In yes-no questions the modal verb is in the first position. The infinitive is placed at the end of the sentence.

I.	II.	III.	Satzende
Durfte	Otto	beim letzten Spiel nicht	**mitspielen?**

Übungen

1) **Ergänzen Sie die Modalverben im Präteritum.**
Complete the sentences with the modal verbs in the preterite.

1. können a) Ich *konnte* b) Klaus .... c) Wir .... dich gestern nicht besuchen.
2. müssen a) Die Sekretärin .... b) Wir .... c) Ich .... länger arbeiten.

3. sollen
   a) Ich ....
   b) Frau Krüger .... das Dokument noch fertigstellen.
   c) Wir ....
4. dürfen
   a) Du ....
   b) Man .... hier früher noch rauchen.
   c) Sie ....
5. wollen
   a) Der Betriebsrat ....
   b) Ich .... keine Kompromisse mehr machen.
   c) Die Mitarbeiter ....
6. mögen
   a) Du ....
   b) Ich .... den Hausmeister sehr.
   c) Meine Kollegen ....

2) **Heute und gestern. Ergänzen Sie die Modalverben im Präsens und im Präteritum.** 17
Aussprachehilfe: Hören Sie die Lösungen auf CD.
Today and yesterday. Complete the sentences with the given modal verb in the present and in the preterite.
Pronunciation help: Check your answers with the CD.

1. mögen — Heute *mag* Herr Grünwald seine Arbeit.
   Früher .... er sie nicht.
2. wollen — Heute .... er jedes Jahr nach Spanien fahren.
   Früher .... er immer nach Frankreich.
3. können — Herr Grünwald .... heute perfekt Spanisch sprechen.
   Früher .... er kein Spanisch.
4. dürfen — Herr Grünwald .... heute im Büro nicht mehr rauchen.
   Früher .... es das noch.
5. müssen — Heute .... Herr Grünwald keine Überstunden mehr machen.
   Früher .... er oft bis Mitternacht arbeiten.
6. sollen — Früher .... Herr Grünwald immer pünktlich zu Hause sein.
   Heute .... er das immer noch.

3) **Ergänzen Sie die Modalverben im Präteritum.**
Complete each sentence by adding the modal verb in the preterite.

- Was *wollte* Marie schon wieder? *(wollen)*
1. Warum .... du so lange im Büro bleiben? *(müssen)*
2. .... ihr nicht die Projektbeschreibung fertig machen? *(sollen)*
3. .... ihr mit den Gästen essen gehen? *(dürfen)*
4. .... Sie die Firma nicht finden? *(können)*
5. .... du mich nicht gestern anrufen? *(wollen)*
6. .... du den Kunden nicht? *(mögen)*

4) **Ergänzen Sie das Präteritum von *haben, sein, werden, wollen, müssen* und *können* in der richtigen Form.**
Complete the sentences with the correct form of *haben, sein, werden, wollen, müssen* or *können* in the preterite.

1. Oma *hatte* gestern einen runden Geburtstag. Sie .... 80! Aber sie .... kein Geschenk haben. *(haben, werden, wollen)*
2. .... ihr schon mal im Guggenheim-Museum in New York? .... ihr auch so lange in der Schlange stehen? *(sein, müssen)*
3. Das Hotelzimmer .... schrecklich. Es .... keine Badewanne und keinen Fernseher. Außerdem .... die Dusche kaputt, man .... nicht duschen. *(sein, haben, sein, können)*
4. Wo .... du gestern? – Ich .... zu Hause. Ich .... Kopfschmerzen und .... im Bett bleiben. *(sein, sein, haben, müssen)*
5. Das .... ein tolles Fußballspiel! Alle Spieler .... fit und der Torschütze .... zweimal richtiges Glück. Leider .... Rudi Ratlos nicht mitspielen. Er .... auf der Ersatzbank sitzen. *(sein, sein, haben, können, müssen)*
6. Herr Müller .... der neue Direktor, deshalb .... die Abteilung gestern Abend eine Party. Viele Mitarbeiter .... aber nicht kommen, sie .... länger arbeiten. *(werden, haben, können, müssen)*

■ Regelmäßige und unregelmäßige Verben Regular and irregular verbs

A Regelmäßige Verben Regular verbs

Was passierte gestern?

Der Künstler malte ein Bild.

▶ **Formen** Forms

	malen	studieren	arbeiten	öffnen
			Verben auf -*t*/-*d*/-*n*/-*m*	
ich	malte	studierte	arbeitete	öffnete
du	maltest	studiertest	arbeitetest	öffnetest
er/sie/es	malte	studierte	arbeitete	öffnete
wir	malten	studierten	arbeiteten	öffneten
ihr	maltet	studiertet	arbeitetet	öffnetet
sie/Sie	malten	studierten	arbeiteten	öffneten

▶ **Hinweise** Rules

→ Regelmäßige Verben bilden das Präteritum mit -*t*-: malten.
The preterite of regular verbs is formed with -*t*-: *malten*.

→ Verben auf -*d* oder -*t* bilden das Präteritum mit -*et*-: arbeiteten.
The preterite of verbs ending in -*d* or -*t* is formed with -*et*-: *arbeiteten*.

→ Verben auf -*n* oder -*m* bilden das Präteritum mit -*et*-, wenn ein anderer Konsonant (aber nicht: *r*) davorsteht: öffneten.
The preterite of verbs ending in -*n* or -*m* is formed with -*et*- when the -*n* or -*m* is proceded by a consonant (other than *r*): *öffneten*.

B Unregelmäßige Verben Irregular verbs

Was passierte gestern?

Der Minister gab ein Interview.

Formen *Forms*

	geben	gehen	kommen	Verben auf *-t/-d* bitten
ich	gab	ging	kam	bat
du	gabst	gingst	kamst	batest
er/sie/es	gab	ging	kam	bat
wir	gaben	gingen	kamen	baten
ihr	gabt	gingt	kamt	batet
sie/Sie	gaben	gingen	kamen	baten

Hinweise *Rules*

→ Unregelmäßige Verben haben im Präteritum einen Vokalwechsel: geben → gaben.
The stem vowel of irregular verbs changes in the preterite tense: *geben → gaben.*

→ Die 1. und die 3. Person Singular haben keine Endung: ich gab, er gab.
The first and third person singular do not have an ending: *ich gab, er gab.*

→ Verben auf *-d* oder *-t* enden in der 2. Person Singular auf *-est*, in der 2. Person Plural auf *-et*: du batest, ihr batet.
If the verb ends in *-d* or *-t*, the ending of the second person singular is *-est* and the second person plural is *-et*: *du batest, ihr batet.*

Satzbau *Sentence structure*

→ Im Aussagesatz und im Fragesatz mit Fragewort steht das konjugierte Verb an 2. Stelle.
In statements and wh-questions the conjugated verb is in the second position.

I.	II.	III.
Der Minister	gab	ein Interview.
Wann	gab	der Minister das Interview?

→ Im Fragesatz ohne Fragewort steht das konjugierte Verb an 1. Stelle.
In yes-no questions the conjugated verb is in the first position.

I.	II.	III.
Gab	der Minister	schon wieder ein Interview?

Übungen

1) **Ergänzen Sie die Tabelle.**
Complete the table.

a) **Regelmäßige Verben**
Regular verbs

Infinitiv		Präsens	Präteritum
● suchen	ich	*suche*	*suchte*
1. arbeiten	er	....	....
2. begrüßen	wir	....	....
3. telefonieren	sie *(Sg.)*	....	....
4. bezahlen	du	....	....
5. lösen	er	....	....
6. sammeln	ich	....	....
7. öffnen	sie *(Pl.)*	....	....
8. tanzen	ihr	....	....
9. präsentieren	du	....	....

b) **Unregelmäßige Verben**
Irregular verbs

	Infinitiv	Präsens		Präteritum	
1.	....	....		es	*begann*
2.	....	er	*geht*	....	
3.	....	....		wir	*gewannen*
4.	*fahren*	du	....	....	
5.	....	....		er	*verließ*
6.	....	....		sie	*schoss*
7.	....	wir	*kommen*	....	
8.	....	....		sie	*gaben*
9.	....	....		wir	*fanden*
10.	....	....		sie	*sprach*
11.	*lesen*	du	....	....	
12.	....	....		wir	*flogen*

2) **Wie heißt der Infinitiv?** 18
Aussprachehilfe: Hören Sie den Text auf CD.
Give the infinitive. Pronunciation help: Listen to the CD.

1 Franz Beckenbauer wurde 1945 in München geboren. Schon früh interessierte er sich für Fußball und spielte als Jugendlicher beim Sportklub 1906 München. 1958 plante der 13-jährige Franz den Wechsel zum größten Klub in München, dem TSV 1860. Bei
5 einem Spiel gegen den TSV bekam er von einem TSV-Spieler eine Ohrfeige. Deshalb änderte Franz seine Pläne und wechselte zum FC Bayern München. Mit 19 Jahren machte er sein erstes Spiel und schoss sein erstes Tor für den FC Bayern. Franz Beckenbauer gewann
10 mit seinem Klub viele Pokale und wurde mehrmals Deutscher Meister. 1974 war sein erfolgreichstes Jahr. Der FC Bayern holte den deutschen Meistertitel und den Europapokal der Landesmeister. Mit der Nationalmannschaft feierte er
15 1974 den Gewinn der Weltmeisterschaft. 1982 beendete er seine Fußballerkarriere.
Franz Beckenbauer absolvierte insgesamt 424 Spiele für die Bundesliga und 103 Spiele für die deutsche Nationalmannschaft. Von 1984 bis 1990 arbeitete er als Trainer und Teamchef für
20 Deutschland und führte die deutsche Nationalmannschaft 1990 zum Weltmeistertitel.

werden
.... / ....
....
....
....
....
.... / ....
....
....
....
....
....
....
....
....

3) **Bilden Sie aus den vorgegebenen Wörtern Sätze im Präteritum.**
Use the given words to build sentences in the preterite.

- Martin – früher – gern Fußball – spielen
Martin spielte früher gern Fußball.

1. er – mit 20 Jahren – sein erstes Länderspiel – machen
....
2. er – mit seinem Hamburger Klub – viele Pokale und Meistertitel – holen
....
3. vor vier Jahren – er – seine sportliche Karriere – beenden
....

4. Martine – ein Praktikum – in Hamburg – absolvieren

5. dort – sie – Deutsch – lernen

6. sie – danach – drei Jahre – bei einer Bank – arbeiten

7. sie – eine kleine Abteilung – leiten

8. im letzten Jahr – Martin und Martine – heiraten

4) **Lesen Sie den folgenden Text und markieren Sie alle Verben im Präteritum. Ergänzen Sie dann die Tabelle.** 19
Aussprachehilfe: Hören Sie den Text auf CD.
Read the following text and mark all preterite forms. After that, complete the table. Pronunciation help: Listen to the CD.

Die Anfänge der Motorisierung

1 1668 konstruierte der Belgier Ferdinand Verbiest das erste Auto. Das etwa 60 Zentimeter lange Modell lief mit Dampf. Allerdings weiß heute niemand, ob dieses Auto überhaupt fuhr.
Den ersten Dampf-Straßenwagen baute 1769 der Franzose Nicolas Joseph
5 Cugnot (1725–1804). Er transportierte mit dem Auto Kanonen für das französische Militär. Das Fahrzeug erreichte eine Geschwindigkeit von vier Kilometern pro Stunde, es brauchte aber alle 15 Minuten eine Pause. Ab 1780 nutzte man in England Dampf-Traktoren zur Feldarbeit. Im Straßenverkehr funktionierten die Traktoren nicht, sie waren zu groß und zu schwer.
10 Um 1825 entwickelte der Engländer Samuel Brown die ersten mobilen Gasverbrennungsmotoren. Er bekam 1826 für ein Fahrzeug mit einem vier PS starken Motor ein Patent.
Ab 1900 experimentierten die Konstrukteure mit verschiedenen Antriebssystemen. Der große Erfolg kam mit der Nutzung der Elektrizität. 1899 erreichte ein Renn-Elektromobil bereits 100 Kilometer pro Stunde, das Elektromobil kam aber nur 30 Kilometer weit.

Dampf: steam • Kanone: cannon • Traktor: tractor • Gasverbrennungsmotor: gas combustion engine • Antriebssystem: engine system

Präteritum		Infinitiv
regelmäßige Verben	unregelmäßige Verben	
Ferdinand Verbiest konstruierte		konstruieren
	das Modell lief	laufen

5) **Ergänzen Sie in den folgenden Nachrichten die Verben im Präteritum.** 20
Aussprachehilfe: Hören Sie die Lösungen auf CD.
Complete the following press cuttings with the verbs in the preterite. Pronunciation help: Check your answers with the CD.

1
In der Nähe von Rom *landete (landen)* heute Nachmittag ein Flugzeug auf der Autobahn. Das Flugzeug .... *(haben)* keinen Treibstoff mehr. Die Passagiere .... *(verlassen)* die Maschine über die Notausgänge. Schon zehn Minuten nach der Landung .... *(sein)* Polizei und Feuerwehr an der Landestelle.

2
Deutsche Wissenschaftler .... *(entdecken)* auf der Insel Madagaskar zahlreiche neue Tierarten. Die Biologen der Universität Hamburg .... *(finden)* elf neue Insekten. Einige Insektenarten .... *(leben)* bereits zur Zeit der Dinosaurier.

3
Das .... *(sein)* ein gutes Jahr für die Kultur in Deutschland! Es .... *(geben)* einige große Erfolge: Herta Müller .... *(erhalten)* den Literatur-Nobelpreis. Die weltbekannte Nofretete .... *(kommen)* nach 70 Jahren in das neu gebaute Berliner Neue Museum zurück. Und in Wuppertal .... *(bewundern)* viele Besucher die Gemälde in der weltgrößten Monet-Ausstellung.

4
Wie .... *(sein)* die Preisentwicklung im letzten Jahr? Diese Frage .... *(beantworten)* heute Mitarbeiter des Statistischen Bundesamtes. Insgesamt .... *(sein)* die Inflationsrate sehr niedrig. Öl und Lebensmittel .... *(werden)* deutlich billiger. Besonders preiswert .... *(können)* man Milch und Eier kaufen.

5
Der Autokonzern .... *(geraten)* im letzten Jahr in eine Krise. Die Konzernleitung .... *(sprechen)* heute mit der Regierung über finanzielle Hilfe. Am Abend .... *(treten)* der Finanzminister vor die Presse und .... *(geben)* das positive Resultat der Verhandlungen bekannt.

6
Gestern Abend .... *(spielen)* Manchester United gegen den FC Barcelona im Endspiel der UEFA Champions League. Die Spanier .... *(gewinnen)* das Spiel mit 2:0. Hunderttausende Fans .... *(feiern)* in Barcelona den Sieg.

7
Frauen können nicht einparken? Wirklich? Forscher an der Ruhr-Universität Bochum .... *(wollen)* es genau wissen und .... *(überprüfen)* diese These. 65 Männer und Frauen .... *(müssen)* ein großes Auto in eine Parklücke fahren. Das schockierende Ergebnis: Ja, es ist wahr! Die Frauen .... *(brauchen)* 20 Sekunden länger als die Männer und ihre Autos .... *(stehen)* danach schiefer in der Parklücke.

8
Heute .... *(fallen)* in Deutschland der erste Schnee. Auf den Autobahnen .... *(kommen)* es zu einigen Unfällen. Viele Autofahrer .... *(stehen)* im Stau. Auch im Zugverkehr .... *(geben)* es Verspätungen. Reisende .... *(müssen)* mehr als eine Stunde auf ihre Züge warten.

6) **Schreiben Sie die Sätze im Präteritum.**
Rewrite the sentences in the preterite.

- Keiner kommt zu Emils Party! — *Keiner kam zu Emils Party!*
1. Fritz steht im Stau. ....
2. Erikas Motorrad fährt nicht. ....
3. Klaus hat Bauchschmerzen. ....
4. Tante Frieda ist im Krankenhaus. ....
5. Gregor und Karl spielen noch Golf. ....
6. Franzi muss noch arbeiten. ....
7. Gustav feiert auf einer anderen Party. ....
8. Frau Krüger bekommt keine Einladung. ....
9. Die Nachbarin will nicht kommen. ....
10. Karin geht ins Kino. ....
11. Der Chef fliegt nach Rom. ....
12. Oskar kann nicht laufen. ....
13. Petra wird plötzlich krank. ....
14. Nina besucht ihren Freund. ....
15. Oskar lernt für eine Prüfung. ....

Verben mit Präfix Verbs with a prefix

Trennbare und nicht trennbare Verben Separable and inseparable verbs

Was passierte gestern?

Ein Dieb brach ins Museum ein.

Die Polizei verhaftete den Dieb.

Der Dieb bekam eine Strafe.

Formen Forms

	trennbare Verben		nicht trennbare Verben	
	regelmäßige Verben	unregelmäßige Verben	regelmäßige Verben	unregelmäßige Verben
	einkaufen	**einbrechen**	**verhaften**	**bekommen**
ich	kaufte ein	brach ein	verhaftete	bekam
du	kauftest ein	brachst ein	verhaftetest	bekamst
er/sie/es	kaufte ein	brach ein	verhaftete	bekam
wir	kauften ein	brachen ein	verhafteten	bekamen
ihr	kauftet ein	bracht ein	verhaftetet	bekamt
sie/Sie	kauften ein	brachen ein	verhafteten	bekamen

➤ Seite 21: Übersicht *Verben mit Präfix*

Hinweise Rules

→ Trennbare und nicht trennbare Verben können regelmäßige oder unregelmäßige Formen des Präteritums bilden.
Separable and inseparable verbs can be either regular or irregular in the preterite tense.

→ Bei trennbaren Verben steht das Präfix am Satzende.
The prefix of separable verbs is placed at the end of the sentence.

Satzbau Sentence structure

→ Bei trennbaren Verben steht das konjugierte Verb im Aussagesatz und im Fragesatz mit Fragewort an 2. Stelle, das trennbare Präfix steht am Satzende.
In statements and wh-questions the conjugated verb is in the second position. The separable prefix is placed at the end of the sentence.

I.	II.	III.	Satzende
Der Dieb	brach	ins Museum	ein.
Wann	brach	der Dieb	ein?

→ Im Fragesatz ohne Fragewort steht das konjugierte Verb an 1. Stelle, das trennbare Präfix steht am Satzende.
In yes-no questions the conjugated verb is in the first position. The separable prefix is placed at the end of the sentence.

I.	II.	III.	Satzende
Brach	gestern	jemand ins Museum	ein?

Übungen

1) **Alles lief schief. Bilden Sie Sätze im Präteritum.**
Everything went wrong. Build sentences in the preterite.

- Marie hat das Licht im Büro nicht ausgeschaltet. — *Marie schaltete das Licht im Büro nicht aus.*
1. Petra hat ihr Büro nicht abgeschlossen. ....
2. Kerstin hat die Gäste nicht vom Flughafen abgeholt. ....
3. Matthias hat die Kunden nicht angerufen. ....
4. Wolfgang hat die Zugfahrkarte nicht ausgedruckt. ....
5. Michaela hat die Dokumente nicht abgegeben. ....
6. Klaus hat die Formulare nicht ausgefüllt. ....
7. Christine hat die Reisekosten nicht abgerechnet. ....
8. Joachim hat die E-Mail nicht weitergeleitet. ....
9. Rainer hat die Alarmanlage nicht eingeschaltet. ....

2) **Gesamtwiederholung: Wissenschaftliche Erkenntnisse** 21
Ergänzen Sie die Verben im Präteritum.
Aussprachehilfe: Hören Sie die Lösungen auf CD.
Review: Scientific findings. Put the verbs in the preterite tense. Pronunciation help: Check your answers with the CD.

1
Schon vor über 500 Jahren *bauten (bauen)* die Inkas in Südamerika ein riesiges Straßennetz. Die Straßen .... *(verbinden)* Metropolen, Kultstätten und Festungen.

2
Das erste Frachtgut, das eine Eisenbahn in Deutschland .... *(transportieren)*, ... *(sein)* zwei Fässer Bier. Der Auftrag aus dem Jahr 1836 .... *(kommen)* von der Brauerei Lederer in Nürnberg.

3
Bei einem Versuch an der Universität Bristol .... *(müssen)* Studenten einen Viertelliter Wein trinken. Danach .... *(finden)* sie ihre Mitstudentinnen viel attraktiver.

4
In einem englischen Supermarkt .... *(kaufen)* zwei Drittel der Kunden deutsche Weine, wenn im Supermarkt deutsche Volkslieder .... *(laufen)*. Bei französischen Chansons .... *(entscheiden)* sich 80 Prozent der Kunden für Wein aus Frankreich.

5
Babylon .... *(sein)* 775 vor Christus mit etwa 200 000 Einwohnern die erste Großstadt in der Geschichte der Menschheit.

6
Kaffee .... *(gelten)* früher als giftig. Wie stark das Gift wirklich .... *(sein)*, ... *(wollen)* der schwedische König Gustav III. im 18. Jahrhundert herausfinden. In einem Experiment .... *(müssen)* zwei Kriminelle jahrelang trinken: Der eine .... *(dürfen)* nur Tee trinken, der andere nur Kaffee. Beide .... *(überleben)* den König. Der Teetrinker .... *(sterben)* mit 83 Jahren vor dem Kaffeetrinker.

7
Der deutsche Physiologe Adolf Gaston Eugen Fick .... *(entwickeln)* 1887 die ersten Kontaktlinsen. Die Linsen .... *(sein)* aus braunem Glas und .... *(haben)* einen Durchmesser von etwa 21 Millimetern. Fick .... *(testen)* die Linsen erst in den Augen von Kaninchen, dann .... *(tragen)* er sie selbst.

8
Die Tomate .... *(stammen)* ursprünglich aus Mittel- und Südamerika. Christoph Kolumbus .... 1498 die ersten Exemplare nach Spanien und Portugal .... *(mitbringen)*. Zuerst .... *(gelten)* die Tomate, wie der Kaffee, in Europa als giftig. Erst Ende des 18. Jahrhunderts .... *(kommen)* Italiener und Spanier auf die Idee, Tomaten zu essen. Erst ab 1900 .... *(essen)* auch die Deutschen Tomaten.

1.2 Reflexive Verben Reflexive verbs

Formen Forms

- Reflexivpronomen im Akkusativ

	Singular		
1. Person	ich	sonne	mich
2. Person	du	sonnst	dich
3. Person	er sie es	sonnt	sich

	Plural		
1. Person	wir	sonnen	uns
2. Person	ihr	sonnt	euch
3. Person	sie	sonnen	sich
formelle Anrede (Singular + Plural)	Sie	sonnen	sich

Hinweise Rules

→ Das Reflexivpronomen zeigt an, dass sich die Handlung auf das Subjekt des Satzes bezieht.
Reflexive pronouns indicate that the action is being done to the subject of the sentence.

→ Die Reflexivpronomen in der 1. und 2. Person Singular und Plural entsprechen den Personalpronomen.
Reflexive pronouns and personal pronouns in the first and second person singular and plural are the same.

→ Das Reflexivpronomen in der 3. Person Singular und Plural und in der formellen Form ist immer *sich*.
The reflexive pronoun in the third person singular and plural, and in the formal *Sie* form is *sich*.

Satzbau Sentence structure

→ Im Aussagesatz und im Fragesatz mit Fragewort steht das konjugierte Verb an 2. Stelle, das Reflexivpronomen steht meistens hinter dem konjugierten Verb.
In statements and wh-questions the conjugated verb is in the second position. The reflexive pronoun is usually placed right after the conjugated verb.

I.	II.	III.
Franz	interessiert	sich für Fußball.
Wofür	interessiert	sich Franz?

→ Im Fragesatz ohne Fragewort steht das konjugierte Verb an 1. Stelle, das Reflexivpronomen steht an 2. Stelle (bei Personen) oder an 3. Stelle (bei Personalpronomen).
In yes-no questions the conjugated verb is in the first position. The reflexive pronoun is usually placed in the second position (if the subject is a noun) or in the third position (if the subject is a personal pronoun).

I.	II.	III.
Interessiert	sich	Franz für Fußball?
Interessierst	du	dich für Fußball?

Reflexive und teilreflexive Verben Always reflexive and potentially reflexive verbs

Wir unterscheiden reflexive Verben und teilreflexive Verben.
Reflexive verbs have in two groups: there are exclusively reflexive verbs and verbs that can be either reflexive or not.

Reflexive Verben stehen immer mit einem Reflexivpronomen. Reflexive verbs are always used with a reflexive pronoun.	Ich bedanke mich.	sich bedanken sich beeilen sich befinden sich beschweren sich bewerben sich erkälten sich freuen sich interessieren sich streiten sich sonnen sich verlieben
Teilreflexive Verben können mit einem Reflexivpronomen oder einem anderen Akkusativobjekt stehen. Potentially reflexive verbs can be used with a reflexive pronoun or with another accusative (direct) object.	Ich wasche mich. Ich wasche meine Sachen.	sich/jemanden anmelden sich/jemanden anziehen sich/jemanden umziehen sich/jemanden ärgern sich/jemanden duschen sich/jemanden erinnern sich/jemanden föhnen sich/jemanden schminken sich/jemanden treffen sich/jemanden unterhalten sich/jemanden verabschieden sich/jemanden waschen

Übungen

1) **Lesen Sie den folgenden Text und ergänzen Sie die Reflexivpronomen.** 22
Aussprachehilfe: Hören Sie die Lösungen auf CD.
Read the following text and fill in the reflexive pronouns. Pronunciation help: Check your answers with the CD.

Emils Tag beginnt um 7.00 Uhr. Er steht auf, danach duscht er *sich* und föhnt ....(1). Gegen 7.30 Uhr frühstückt er. Nach dem Frühstück zieht er ....(2) an und fährt zur Arbeit. Um 9.00 Uhr beginnt seine Arbeit, um 10.30 Uhr hat er seine erste Pause. In der Pause unterhält er ....(3) gerne mit Julia. Emil und Julia ärgern ....(4) manchmal über die vielen Besprechungen und den Chef. Julia bewirbt ....(5) gerade bei einer anderen Firma. Sie interessiert ....(6) für die Arbeit mit anderen Menschen und möchte nicht immer nur im Büro sitzen. Abends treffen ....(7) Julia und Emil oft in einem kleinen Restaurant. Dort reden sie viel über das Leben und die Zukunft.

2) **Ergänzen Sie die Reflexivpronomen.**
Fill in the reflexive pronouns.

1. Franz hat .... in Irene verliebt. Hast du .... auch in Irene verliebt?
2. Warum streitet ihr .... immer?
3. Wir treffen .... direkt vor dem Restaurant.
4. Du musst .... beeilen, der Zug fährt gleich.
5. Schauspieler schminken .... vor dem Auftritt.
6. Kathrin kann nicht kommen. Sie hat .... erkältet.
7. Hast du .... schon umgezogen?
8. Ich bin noch nicht fertig, ich habe .... noch nicht geföhnt.

3) **Ergänzen Sie die Verben und Reflexivpronomen.**
Fill in the verbs and the reflexive pronouns.

1. unterhalten	a) Er	*unterhält*	*sich*		
	b) Ich	....	....		gerade mit dem Chef.
	c) Wir	....	....		
2. interessieren	a) Franz	....	....		
	b) Du	....	....		für Fußball.
	c) Ihr	....	....		
3. bedanken	a) *Bedankst*	du	....		
	b)	ihr	....		noch für das schöne Geschenk?
	c)	er	....		
4. erinnern	a) Wir	....	....		
	b) Ich	....	....		gern an den fantastischen Urlaub.
	c) Meine Eltern	....	....		
5. ärgern	a)	ihr	....		
	b)	du	....		immer noch über den Chef?
	c)	Sie	....		
6. befinden	a) Die Firma	....	....		
	b) Ich	....	....		in einer schlechten finanziellen Lage.
	c) Mein Bruder	....	....		
7. verabschieden	a) Der Chef	....	....		
	b) Ihr	....	....		von den Gästen.
	c) Wir	....	....		
8. streiten	a)	du	....		
	b)	ihr	....		schon wieder mit der Nachbarin?
	c)	Sie	....		

4) **Bilden Sie Fragen im Perfekt und antworten Sie.** 23
Aussprachehilfe: Hören Sie die Lösungen auf CD.
Ask questions in the perfect tense and answer them. Pronunciation help: Check your answers with the CD.

- bedanken – du – für die Blumen
  Hast du dich für die Blumen bedankt? – *Ja, ich habe mich für die Blumen bedankt.*

1. freuen – du – über das Stellenangebot
   ....? – ....
2. unterhalten – die Kollegen – über die neuen Arbeitszeiten
   ....? – ....
3. ärgern – ihr – über das Hotelzimmer
   ....? – ....
4. beschweren – Herr Kümmel – über die hohen Preise
   ....? – ....
5. bewerben – Marianne – um die Stelle als Managerin
   ....? – ....
6. anmelden – alle Mitarbeiter – für das Seminar
   ....? – ....
7. verabschieden – Otto – schon
   ....? – ....
8. interessieren – du – auch – für das Projekt
   ....? – ....
9. freuen – ihr – über den Erfolg
   ....? – ....
10. sonnen – du – auf dem Balkon
   ....? – ....

1.3 Imperativ Imperative

Gesund leben

Treiben Sie regelmäßig Sport!

Iss mehr Obst und Gemüse!

Arbeitet nicht so viel!

▶ Formen Forms

	du	ihr	Sie
Verben ohne Vokalwechsel	Mach weiter! *(du machst)*	Macht weiter! *(ihr macht)*	Machen Sie weiter! *(Sie machen)*
Verben auf *-d/-t/-n/-m*	Arbeite weniger! *(du arbeitest)*	Arbeitet weniger! *(ihr arbeitet)*	Arbeiten Sie weniger! *(Sie arbeiten)*
Verben auf *-ieren*	Studiere mehr! *(du studierst)*	Studiert mehr! *(ihr studiert)*	Studieren Sie mehr! *(Sie studieren)*
Verben mit Vokalwechsel	Iss gesund! *(du isst)* Fahr langsamer! *(du fährst)*	Esst gesund! *(ihr esst)* Fahrt langsamer! *(ihr fahrt)*	Essen Sie gesund! *(Sie essen)* Fahren Sie langsamer! *(Sie fahren)*
trennbare Verben	Komm mit! *(du kommst mit)*	Kommt mit! *(ihr kommt mit)*	Kommen Sie mit! *(Sie kommen mit)*
Sonderformen: *sein*	Sei pünktlich! *(du bist)*	Seid pünktlich! *(ihr seid)*	Seien Sie pünktlich! *(Sie sind)*
haben	Hab keine Angst! *(du hast)*	Habt keine Angst! *(ihr habt)*	Haben Sie keine Angst! *(Sie haben)*

▶ Hinweise Rules

→ Eine Aufforderung richtet sich immer an eine oder mehrere Personen: informell: *du* bzw. *ihr*, formell: *Sie.*
Requests and commands can be made to one or more persons in an informal way *(du, ihr)* or in a formal way *(Sie).*

→ Bei der Anrede mit *du* fällt das Personalpronomen und die Endung *-st* weg: du machst → Mach! • du arbeitest → Arbeite!
The personal pronoun and the ending of the second person singular is omitted: *du machst → Mach! • du arbeitest → Arbeite!*

→ Einige Verben enden in der 2. Person Singular auf *-e*: du studierst → Studiere!
A few verbs receive an *-e* in the second person singular: *du studierst → Studiere!*

→ Bei Verben mit Vokalwechsel im Präsens gibt es in der 2. Person Singular keinen Umlaut: du fährst → Fahr!
The umlaut of verbs with vowel change in the present tense is omitted in the second person singular: *du fährst – Fahr!*

→ Die Verben *sein* und *haben* haben Sonderformen: du bist → Sei! • Sie sind → Seien Sie! • du hast → Hab!
The verbs *sein* and *haben* have particular forms: *du bist → Sei! • Sie sind → Seien Sie! • du hast → Hab!*

▶ Satzbau Sentence structure

→ Im Aufforderungssatz steht das konjugierte Verb an 1. Stelle.
In requests and commands the conjugated verb is in the first position.

I.	II.
Iss	mehr Obst und Gemüse!

→ Bei trennbaren Verben steht das Präfix am Satzende.
The separable prefix is placed at the end of the sentence.

I.	II.	Satzende
Komm	bitte	mit!

■ ■ ■ Übungen

1) **Markieren Sie in den folgenden Texten die Imperative.**
Underline the imperative verbs in the following texts.

1

Wollen Sie Ihre Ernährung ändern? Rufen Sie uns an! Sprechen Sie mit uns. Oder besuchen Sie uns im Internet unter *www.gesund.de.* Informieren Sie sich über gesunde und einfache Gerichte. Wir beraten Sie gern.

2

Hausordnung im Ferienlager:
- Räumt nach dem Essen das Geschirr weg!
- Sprecht beim Essen leise!
- Achtet auf Sauberkeit im Zimmer!
- Haltet die Nachtruhe ein!
- Lauft im Gebäude langsam!

3

Füllen Sie zuerst Wasser in den Behälter. Geben Sie anschließend den Kaffee in den Filter. Drücken Sie auf den roten Knopf und schalten Sie das Gerät ein. Vergessen Sie nicht, das Gerät nach Gebrauch auszuschalten.

4

Nehmen Sie bei starken Kopfschmerzen maximal zwei Tabletten am Tag. Trinken Sie zur Einnahme ausreichend Wasser. Gehen Sie zum Arzt, wenn die Schmerzen nicht weniger werden.

2) **Bilden Sie Aufforderungssätze.**
Formulate requests.

● einen Workshop organisieren
du: *Organisiere einen Workshop!*
ihr: *Organisiert einen Workshop!*
Sie: *Organisieren Sie einen Workshop!*

1. einen Termin mit Frau Kuhn vereinbaren
du: ....
ihr: ....
Sie: ....

2. die Formulare sorgfältig ausfüllen
du: ....
ihr: ....
Sie: ....

3. die Rechnung noch mal kontrollieren
du: ....
ihr: ....
Sie: ....

4. den Bericht bitte bis morgen lesen
du: ....
ihr: ....
Sie: ....

5. die Arbeitsergebnisse bitte präsentieren
du: ....
ihr: ....
Sie: ....

6. die Präsentation gut vorbereiten
du: ....
ihr: ....
Sie: ....

7. Werbung für die Firma machen
du: ....
ihr: ....
Sie: ....

8. mich bitte über die Ergebnisse informieren
du: ....
ihr: ....
Sie: ....

9. vorsichtig fahren
du: ....
ihr: ....
Sie: ....

3) **Kurz vor der Besprechung hat der Chef noch einige Aufträge für seine Sekretärin. Formulieren Sie die Aufforderungen wie im Beispiel.** 24
Aussprachehilfe: Hören Sie die Lösungen auf CD.
Just before the meeting the boss gives his secretary some commands. Build imperative sentences by following the example.
Pronunciation help: Check your answers with the CD.

- alle Kollegen zur Besprechung einladen — *Laden Sie bitte alle Kollegen zur Besprechung ein.*

1. die Computer im Besprechungszimmer einschalten ....
2. die Fehler in dem Dokument korrigieren ....
3. die Tagesordnung kopieren ....
4. zwei Kannen Kaffee kochen ....
5. vor der Besprechung noch die Firma Prinz anrufen ....
6. sich bei Frau Kümmel nach den Preisen erkundigen ....
7. Protokoll schreiben ....

4) **Familie Müller will verreisen. Vor der Abreise hat Frau Müller noch eine Menge Aufträge für ihren Mann. Formulieren Sie die Aufforderungen in der 2. Person Singular.** 25
Aussprachehilfe: Hören Sie die Lösungen auf CD.
The Müller family are planning their journey. Mrs. Müller gives a lot of commands to her husband before leaving. Build imperative sentences in the second person singular. Pronunciation help: Check your answers with the CD.

1. das Reisebüro noch mal anrufen
Ruf noch mal das Reisebüro an!
2. nach den genauen Reisezeiten fragen ....
3. im Internet nach Informationen über das Hotel suchen ....
4. in der Apotheke noch Aspirin kaufen ....
5. das Auto in die Garage fahren ....
6. die wichtigsten spanischen Wörter lernen ....
7. endlich den Koffer packen ....
8. den Führerschein mitnehmen ....
9. den Laptop zu Hause lassen ....
10. den Fotoapparat einpacken ....
11. die Sonnencreme nicht vergessen ....
12. ein Taxi zum Flughafen bestellen ....

1.4 Konjunktiv II Conjunctive II
1.4.1 Höfliche Bitten und Fragen Polite requests and questions

Der Chef hat einige Aufträge für Frau Müller:

Frau Müller, hätten Sie einen Moment Zeit?

Könnten Sie im Restaurant „Mare" einen Tisch für mich bestellen?

Würden Sie uns noch einen Kaffee kochen?

Würden Sie auch noch schnell die E-Mail von Herrn Maier beantworten? Das wäre nett.

▶ Formen Forms

	haben		sein		können		kochen	
	Indikativ	Konjunktiv	Indikativ	Konjunktiv	Indikativ	Konjunktiv	Indikativ	Konjunktiv
ich	habe	hätte	bin	wäre	kann	könnte	koche	würde kochen
du	hast	hättest	bist	wärest	kannst	könntest	kochst	würdest kochen
er/sie/es	hat	hätte	ist	wäre	kann	könnte	kocht	würde kochen
wir	haben	hätten	sind	wären	können	könnten	kochen	würden kochen
ihr	habt	hättet	seid	wäret	könnt	könntet	kocht	würdet kochen
sie/Sie	haben	hätten	sind	wären	können	könnten	kochen	würden kochen

▶ Hinweise Rules

→ Wir unterscheiden im Deutschen Indikativ und Konjunktiv.
- Indikativ: Kann ich bitte Herrn Müller sprechen?
- Konjunktiv: Könnte ich bitte Herrn Müller sprechen?

In German a distinction between the indicative and the conjunctive mode is made.
- Indicative: *Kann ich bitte Herrn Müller sprechen?*
- Conjunctive: *Könnte ich bitte Herrn Müller sprechen?*

→ Den Konjunktiv II verwenden wir zum Ausdruck von besonderer Höflichkeit.
The use of the conjunctive II makes a question or a request particularly polite.

→ Hilfsverben *(haben, sein, werden)* und Modalverben haben besondere Konjunktivformen: hätten, wären, würden, könnten.
Helping verbs *(haben, sein, werden)* and modal verbs have particular conjunctive forms: *hätten, wären, würden, könnten.*

→ Die meisten Verben bilden den Konjunktiv II mit *würden* + Infinitiv: ich würde kochen.
The conjunctive II of most verbs is formed with *würden* + infinitive: *ich würde kochen.*

▶ Vergleich: Fragen und Bitten Comparison: Questions and requests

neutrale Frage/Bitte (Indikativ)	höfliche Bitte (Konjunktiv)
Kannst du mir mal **helfen**?	**Könntest** du mir mal **helfen**?
Kann ich bitte Herrn Schwarz **sprechen**?	**Könnte** ich bitte Herrn Schwarz **sprechen**?
Bringen Sie mir noch eine Tasse Tee?	**Würden** Sie mir noch eine Tasse Tee **bringen**?
Haben Sie noch ein Doppelzimmer für uns?	**Hätten** Sie noch ein Doppelzimmer für uns?
Ist Ihnen Montag recht?	**Wäre** Ihnen Montag recht?

▶ **Satzbau** Sentence structure

→ Im Aussagesatz und im Fragesatz mit Fragewort steht das konjugierte Verb an 2. Stelle, der Infinitiv steht am Satzende.
In statements and wh-questions the conjugated verb is in the second position. The infinitive is placed at the end of the sentence.

I.	II.	III.	Satzende
Ich	hätte	gern noch ein Glas Wasser.	
Ich	würde	gern mal	telefonieren.
Was	würden	Sie gern	trinken?

→ Im Fragesatz ohne Fragewort steht das konjugierte Verb an 1. Stelle, der Infinitiv steht am Satzende.
In yes-no questions the conjugated verb is in the first position. The infinitive is placed at the end of the sentence.

I.	II.	III.	Satzende
Könnte	ich	bitte Herrn Schwarz	sprechen?

■ ■ ■ Übungen

1) ***Könnte, wäre, hätte*** **oder** ***würde*?**
Ergänzen Sie die Verben in der richtigen Form. Manchmal sind mehrere Lösungen möglich. 26
Aussprachehilfe: Hören Sie die Lösungen auf CD.
Könnte, wäre, hätte or *würde*? Put the verbs in the correct form. Sometimes more than one answer is possible.
Pronunciation help: Check your answers with the CD.

1. Auf der Straße
   Entschuldigung, *könnten* Sie mir sagen, wie ich zur Schillerstraße komme?
   Verzeihung, ... Sie von uns ein Foto machen?
   Entschuldigung, ... Sie zwei Euro für mich?
2. Im Restaurant
   .... Sie mir die Speisekarte bringen?
   Welches Gericht .... Sie mir empfehlen?
   Ich .... gern die Tagessuppe.
   Ich .... gern zahlen.
3. Im Deutschkurs
   .... du bitte langsamer sprechen?
   .... Sie so nett, den Satz zu wiederholen?
   .... ihr eine Fotokopie für mich?
   .... Sie dieses Wort an die Tafel schreiben?
4. Im Geschäft
   .... Sie mir den Katalog zeigen?
   .... Sie Kleingeld?
   .... ich mit Kreditkarte zahlen?
   Ich .... das Kleid gerne anprobieren.

2) **Rita organisiert eine Party. Sie hat viel zu tun und bittet um Hilfe.**
Rita is organising a party. She has a lot of work and is asking for help.

● Konrad – das Geschirr abspülen — *Rita sagt zu Konrad: Könntest/Würdest du bitte das Geschirr abspülen?*

1. Beate und Rudi – Getränke kaufen — *Rita sagt:* ....
2. Sie – den Kuchen bestellen ....
3. Laura – CDs mitbringen ....
4. Joseph und Katja – Brötchen machen ....
5. Sie – Gläser auf den Tisch stellen ....
6. Mama – uns beim Saubermachen helfen ....
7. Bruno – den Teppich aufrollen ....
8. Olga und Paula – einige Stühle auf die Terrasse bringen ....

3) **Ergänzen Sie in dem Telefongespräch *könnten, würden, wären* und *hätten* in der richtigen Form.** 27
Aussprachehilfe: Hören Sie die Lösungen auf CD.
Complete the telephone conversation with *könnten, würden, wären* and *hätten* in the correct form. Pronunciation help: Check your answers with the CD.

Rezeptionist: Wohnzentrum „Chic", guten Tag. Was kann ich für Sie tun?
Herr Stein: Hier ist Erich Stein. .... ich bitte Frau Kaiser sprechen?
Rezeptionist: Einen Moment bitte, ich verbinde Sie.
Frau Kaiser: Kaiser.
Herr Stein: Guten Tag, Frau Kaiser, hier ist Erich Stein von der Firma Möbel-Design. Ich .... gern mit Ihnen einen Termin vereinbaren.
Frau Kaiser: Ah, Herr Stein! Ich habe Ihren Anruf schon erwartet. Es geht um die neue Möbelkollektion, richtig?
Herr Stein: Ja, genau. Ich .... Ihnen gerne unsere neuen Wohnzimmermöbel vorstellen.
Frau Kaiser: Wie .... es nächste Woche? .... Sie am Dienstag Zeit?
Herr Stein: Nein, das tut mir leid, am Dienstag habe ich schon einen anderen Termin. Der Mittwoch .... mir lieber.
Frau Kaiser: Mittwoch ..., ja Mittwoch .... prima. Treffen wir uns in meinem Büro? .... Sie um 10.00 Uhr hier sein?
Herr Stein: Ja, das schaffe ich. Ich bin um 10.00 Uhr da.
Frau Kaiser: Gut, dann sehen wir uns nächste Woche.

4) **Jeder braucht Hilfe. Was sagen die Menschen? Bilden Sie Sätze.**
Everyone needs help. What do these people say? Build sentences.

- Anna: Ich kann die Flasche nicht öffnen. *(du – die Flasche – öffnen)*
  Könntest/Würdest du die Flasche öffnen?

1. Conrad: Ich brauche Hilfe. *(Sie – mir – helfen)*
   ....
2. Dora: Ich möchte Eis essen, aber ich habe meine Geldbörse vergessen. *(ihr – haben – vielleicht – Geld für mich)*
   ....
3. Norbert: Ich kenne den Weg zum Hauptbahnhof nicht. *(Sie – mir – den Weg – zeigen)*
   ....
4. Fiona: Ich kann nicht Chinesisch. *(du – diese Gebrauchsanweisung – ins Deutsche – übersetzen)*
   ....
5. Oswald: Ich habe keinen Wecker. *(Sie – mich – um 7.00 Uhr – wecken)*
   ....
6. Dieter: Mein Fahrrad ist kaputt. *(du – es – reparieren)*
   ....
7. Tamara: Mein Koffer ist sehr schwer. *(Sie – meinen Koffer – tragen)*
   ....
8. Gudrun: Otto kommt heute an. *(du – ihn – abholen)*
   ....
9. Johann: Ich habe einen Tisch gekauft. Ich muss ihn nach Hause bringen. *(ihr – mir – euer Auto – leihen)*
   ....
10. Tanja: Ich muss arbeiten. *(du – einkaufen – gehen)*
    ....

1.4.2 Irreale Wünsche und Bedingungen Unrealised wishes and conditions

Franz ist krank.
Er wäre gern wieder gesund.

Frau Müller hat viel zu tun.
Sie würde gern in den Urlaub fahren, aber sie hat keine Zeit.

Wenn Claudia Geld hätte, würde sie sich ein Auto kaufen.

Hinweise Rules

→ Irreale Wünsche und Bedingungen drücken wir mit dem Konjunktiv II aus.
Unrealised wishes and conditions are formed with the conjunctive II.

→ Irreale Bedingungen werden mit Hilfe von konditionalen Nebensätzen formuliert: Wenn Claudia Geld hätte, würde sie sich ein Auto kaufen.
Hypothetical situations are formed with conditional clauses: *Wenn Claudia Geld hätte, würde sie sich ein Auto kaufen.* (If Claudia had money she would buy herself a car.)

Vergleich: Realität – Irrealität Comparison: Reality – Irreality

Realität (Indikativ)	Irrealität (Konjunktiv)
Ich habe kein Geld.	Ich hätte gern Geld.
Ich bin krank.	Ich wäre gern gesund.
Ich fahre nicht in den Urlaub.	Ich würde gern in den Urlaub fahren.
Ich arbeite jeden Tag.	Ich würde gern nicht mehr arbeiten.
Ich kaufe mir keinen Porsche.	Ich würde mir gern einen Porsche kaufen.

Satzbau Sentence structure

→ Im irrealen Wunschsatz steht das konjugierte Verb an 2. Stelle, der Infinitiv am Satzende.
In hypothetical wishes the conjugated verb is in the second position. The infinitive is placed at the end of the sentence.

I.	II.	III.	Satzende
Franz	wäre	gern wieder	gesund.
Frau Müller	würde	gern in den Urlaub	fahren.

→ Der irreale Bedingungssatz wird mit der Subjunktion *wenn* eingeleitet, das konjugierte Verb steht an letzter Stelle. Im nachfolgenden Hauptsatz steht das konjugierte Verb direkt nach dem Nebensatz.
Hypothetical conditional clauses begin with the subjunction *wenn*. The conjugated verb is placed at the end of the clause. The conjugated verb of the main clause is placed in the first position, right after the subordinate clause.

Nebensatz Subordinate Clause			Hauptsatz Main Clause		
	I.		II.	III.	
Subjunktion		konjugiertes Verb	konjugiertes Verb		Infinitiv
Wenn	ich im Lotto gewinnen	würde,	wäre	ich reich.	
Wenn	ich im Lotto gewinnen	würde,	würde	ich nicht mehr	arbeiten.

➤ Seite 153

Übungen

1) **Wünsche. Formulieren Sie die Wünsche von Annemarie wie im Beispiel.**
Wishes. Write Annemary's wishes by following the example.

- Deutsch lernen — *Wenn Oskar doch endlich ... Deutsch lernen würde!*
1. anrufen ....
2. immer pünktlich sein ....
3. öfter nachdenken ....
4. mehr Zeit für mich haben ....
5. mehr Sport treiben ....
6. eine große Erfindung machen ....
7. für mich ein Liebesgedicht schreiben ....
8. nicht mehr nach anderen Frauen gucken ....
9. fünf Kilo abnehmen ....
10. kochen können ....
11. mal aufräumen ....
12. selbst seine Sachen waschen ....
13. vorsichtiger fahren ....
14. ein bisschen Geld sparen ....

2) **Was passt? Ergänzen Sie die Sätze. Manchmal gibt es mehrere Lösungen.**
Find the matching ending for each sentence. Sometimes more than one answer is possible.

meinem Chef die Meinung sagen • nicht mehr arbeiten • einen Roman schreiben • kein Fastfood mehr essen • immer im Stau stehen • jeden Tag spazieren gehen • ~~öfter ins Kino gehen~~ • mich erholen • besser Deutsch sprechen

- Wenn ich Zeit hätte, *würde ich öfter ins Kino gehen.*
1. Wenn ich reich wäre, ...
2. Wenn ich mehr Fantasie hätte, ...
3. Wenn ich mehr Mut hätte, ...
4. Wenn ich einen Hund hätte, ...
5. Wenn ich besser kochen könnte, ...
6. Wenn ich einen deutschen Freund hätte, ...
7. Wenn ich ein Auto hätte, ...
8. Wenn ich jetzt im Urlaub wäre, ...

3) **Formulieren Sie irreale Bedingungssätze und antworten Sie wie im Beispiel.**
Ask hypothetical questions and answer them by following the example.

Wenn ich Zeit/Lust hätte ... • Wenn ich reich wäre ... • Wenn ...

- □ Kaufst du mir diese Tasche von Chanel?
  △ *Wenn ich reich wäre, würde ich dir die Tasche kaufen – aber leider bin ich nicht reich.*
1. □ Übersetzt du den Brief ins Japanische?
   △ *Wenn ich Japanisch könnte,* ....
2. □ Kommst du heute mit mir in die Oper?
   △ ....
3. □ Lädst du mich auf eine Kreuzfahrt in die Karibik ein?
   △ ....
4. □ Kochst du für mich heute Abend etwas Leckeres?
   △ ....
5. □ Druckst du die Dokumente für mich aus?
   △ ....
6. □ Passt du heute auf die Kinder auf?
   △ ....
7. □ Würden Sie die Arbeit von Frau Krause zusätzlich erledigen?
   △ ....

1.5 Passiv The passive voice

Was passiert hier?

Die Wäsche wird gewaschen.

Franz wird untersucht.

Der Minister wird interviewt.

Formen Forms

	Präsens (Gegenwart)		Präteritum (Vergangenheit)	
ich	werde	untersucht	wurde	untersucht
du	wirst		wurdest	
er/sie/es	wird		wurde	
wir	werden		wurden	
ihr	werdet		wurdet	
sie/Sie	werden		wurden	

Hinweise Rules

→ Das Passiv wird gebildet aus: *werden* + Partizip II: Franz wird untersucht.
The passive voice is formed with *werden* and the participle II: *Franz wird untersucht.* (Franz is being examined.)

→ Im Passivsatz steht die Handlung im Vordergrund, nicht die handelnde Person.
In passive sentences the emphasis lies on the action, not on the agent of the action.

→ Man findet das Passiv oft in beschreibenden Texten: Das Telefon wurde 1876 erfunden.
The passive voice is often used in descriptions: *Das Telefon wurde 1876 erfunden.* (The telephone was invented in 1876.)

Vergleich: Aktiv – Passiv Comparison: Active voice – Passive voice

Aktiv	Passiv
Martin **wäscht** die Wäsche.	Die Wäsche **wird gewaschen.**
Der Arzt **untersucht** Franz.	Franz **wird untersucht.**
Ein Journalist **interviewt** den Minister.	Der Minister **wird interviewt.**

Satzbau Sentence structure

→ Im Aussagesatz und im Fragesatz mit Fragewort steht *werden* an 2. Stelle, das Partizip II steht am Satzende.
In statements and wh-questions *werden* is in the second position. The participle II is placed at the end of the sentence.

I.	II.	III.	Satzende
Franz	**wird**	heute	**untersucht.**
Wann	**wird**	Franz	**untersucht?**

→ Im Fragesatz ohne Fragewort steht *werden* an 1. Stelle, das Partizip II steht am Satzende.
In yes-no questions *werden* is in the first position. The participle II is placed at the end of the sentence.

I.	II.	III.	Satzende
Wird	Franz	heute	**untersucht?**

Übungen

1) Formulieren Sie Fragen wie im Beispiel.
Ask questions by following the example.

- das Büro – renovieren — *Wann wird das Büro endlich renoviert?*
1. der Brief – beantworten ……
2. das Paket – abholen ……
3. das Zimmer vom Chef – aufräumen ……
4. die neuen Drucker – liefern ……
5. das Kollegium – informieren ……
6. der Artikel – veröffentlichen ……
7. die Preise – senken ……
8. das Gehalt – erhöhen ……

2) Das wird sofort gemacht. Formulieren Sie Sätze wie im Beispiel.
It will be done right away. Build sentences by following the example.

- der Text – korrigieren — *Der Text wird sofort korrigiert.*
1. der Computer – reparieren ……
2. das Problem – lösen ……
3. die Unterlagen – kopieren ……
4. die E-Mail – verschicken ……
5. die Tickets – bestellen ……
6. die Rechnung – bezahlen ……
7. das Ersatzteil – einbauen ……
8. das Datum – ändern ……
9. der Termin – bestätigen ……

3) Vergangenheit. Aktiv oder Passiv? Markieren Sie die richtige Lösung.
Past tense. Active or passive voice? Mark the right answer.

	Aktiv	Passiv
● Angela M. wurde 1954 geboren.	○	✕
1. Sie studierte Physik.	○	○
2. Später wurde sie Politikerin.	○	○
3. Sie wurde zur ersten Bundeskanzlerin gewählt.	○	○
4. Letzte Woche besuchte sie Frankreich.	○	○
5. Sie wurde vom französischen Staatspräsidenten empfangen.	○	○
6. Nach dem Empfang wurde sie zum Essen eingeladen.	○	○

4) Lesen Sie den folgenden Text und markieren Sie die Passivformen. 28
Aussprachehilfe: Hören Sie den Text auf CD.
Read the following text and mark the passive forms. Pronunciation help: Check your answers with the CD.

Viele Erfinder möchten reich und berühmt werden. Doch bei Erfindungen gibt es häufig ein Problem: Der Erfinder muss seine Erfindung zum Patent anmelden, nur dann wird seine Erfindung anerkannt. Das beweist die Geschichte einiger Erfindungen.
Die ersten erfolgreichen Flugversuche wurden zwischen 1901 und 1903 von den Brüdern Wright durchgeführt. Gleichzeitig wurden im Jahre 1901 von Gustav Weißkopf motorisierte Flugversuche gestartet. Er flog damals schon 800 Meter weit. Das Patent wurde aber im Jahre 1903 von den Brüdern Wright beantragt und sie ernteten den Ruhm.
Das Telefon ist ebenfalls ein Kind vieler Väter. Den Kampf um das Patent gewann Graham Bell am 14. Februar 1876 mit zwei Stunden Vorsprung vor Elisha Gray. Vielleicht wurde das Telefon aber doch von einem anderen erfunden? Schon 1861 telefonierte der Deutsche Philipp Reis mit einem telefonähnlichen Apparat. Leider hatte er kein Geld und konnte die Technik seines Telefons nicht verbessern. Er starb 1873.

anerkannt: recognised • der Flugversuch: flight experiment • ein Patent beantragen: to request a patent • den Ruhm ernten: to win fame

5) **Formulieren Sie Fragen und antworten Sie wie im Beispiel.**
Ask questions and answer them by following the example.

- 1961: die Berliner Mauer – bauen
  Wann wurde die Berliner Mauer gebaut? *Die Berliner Mauer wurde 1961 gebaut.*

1. 1949: die Bundesrepublik Deutschland – gründen
2. 1.1.2002: der Euro als Zahlungsmittel – einführen
3. 1492: Amerika – entdecken
4. 1886: der Fernseher – erfinden
5. 1963: John F. Kennedy – ermorden

6) **Lesen Sie die folgenden Nachrichten und markieren Sie die Passivformen.**
Read the following press cuttings and mark the passive forms.

Jahresrückblick: Das letzte Jahr war ein Jahr mit vielen Ereignissen und Emotionen.

1
Die Bundesregierung versuchte gemeinsam mit den Banken und der Wirtschaft, die Krise zu bewältigen. Es wurde ein großes Hilfsprogramm entwickelt. Doch einige bekannte deutsche Firmen wie *Quelle* und *Rosenthal* haben die Krise nicht überlebt. Viele Mitarbeiter wurden entlassen.

2
In Deutschland wurde eine neue Regierung gewählt. Die SPD hat viele Wählerstimmen verloren. Im November haben die Gewinner der Wahl Gespräche geführt und der Regierungsvertrag wurde unterschrieben.

3
Der Jahrestag des Mauerfalls wurde am 9. November in besonderer Weise gefeiert. Staatschefs aus aller Welt kamen nach Berlin und wurden von den Berlinern freudig empfangen. Beim „Fest der Freiheit" traten viele berühmte Künstler auf.

4
Eine besondere Art der Grippe bedrohte die Bevölkerung. Sie breitete sich von Südamerika über die ganze Welt aus. Die Menschen in Deutschland wurden ausführlich über die Grippe informiert. Die Regierung bot Ende des Jahres eine Impfung gegen die Grippe an. Ungefähr sechs Millionen Menschen wurden geimpft.

7) **Schreiben Sie Nachrichten. Formulieren Sie Sätze im Passiv Präteritum.** 29
Aussprachehilfe: Hören Sie die Lösungen auf CD.
Write short news articles. Use the passive preterite. Pronunciation help: Check your answers with the CD.

- der Minister – von seinem deutschen Amtskollegen – empfangen
  Der Minister wurde von seinem deutschen Amtskollegen empfangen.

1. der Bundespräsident – interviewen
2. nach dem Unfall – die Verletzten – sofort – versorgen
3. die Automobilmesse – eröffnen
4. im letzten halben Jahr – 20 Prozent mehr Neuwagen – verkaufen
5. einige Eintrittskarten – zum Endspiel der Weltmeisterschaft – verschenken
6. die Eröffnungsveranstaltung – live im Fernsehen – übertragen
7. im Museum – einbrechen
8. ein Bild von Picasso – stehlen

1.6 Verben und ihre Ergänzungen Verbs and their complements
1.6.1 Verben mit direktem Kasus Verbs with a direct case

▶ **Das Verb regiert im Satz!** The verb determines the sentence structure.

Paul schläft.
↓
Subjekt
Nominativ

→ Fast alle Sätze haben ein Subjekt. Das Subjekt steht immer im Nominativ.
Einige Verben können nur mit einem Subjekt stehen, z. B.: schlafen, lächeln, regnen, schneien, scheinen.
Almost all sentences have a subject. The subject is always in the nominative case. Certain verbs do not require any other complement.

Bruno ist Sänger.
↓ Subjekt Nominativ — ↓ Ergänzung Nominativ

→ Wenige Verben bilden Sätze mit einer Ergänzung im Nominativ, z. B.: sein, werden, bleiben.
A few verbs require a complement in the nominative case.

Otto liest eine Tageszeitung.
↓ Subjekt Nominativ — ↓ Ergänzung Akkusativ

→ Die meisten Verben haben eine Ergänzung im Akkusativ, z. B.: abholen, anrufen, beantworten, besuchen, bezahlen, brauchen, essen, finden, haben, hören, kennen, lesen, lieben, möchte(n), sehen, trinken.
Most verbs require a complement in the accusative case.

Das Auto gehört meinem Bruder.
↓ Subjekt Nominativ — ↓ Ergänzung Dativ

→ Einige Verben haben eine Ergänzung im Dativ, z. B.: antworten, danken, folgen, gefallen, gehören, glauben, gratulieren, helfen, passen, schmecken, widersprechen, zuhören.
Die Dativergänzung ist oft eine Person.
Certain verbs require a complement in the dative case. This complement is often a person.

Kathrin schreibt ihrem Freund einen Brief.
↓ Subjekt Nominativ — ↓ Ergänzung Dativ — ↓ Ergänzung Akkusativ

→ Manche Verben bilden Sätze mit einer Ergänzung im Dativ (meist eine Person) und einer Ergänzung im Akkusativ (meist eine Sache), z. B.: anbieten, bringen, empfehlen, erklären, geben, leihen, kaufen, schenken, schicken, schreiben, senden, wünschen, zeigen.

Some verbs require both a dative complement (usually a person) and an accusative complement (usually a thing).

Verben
Ergänzungen: Direkter Kasus

▶ **Satzbau** Sentence structure

→ Bei mehreren Ergänzungen steht normalerweise der Dativ vor dem Akkusativ.
When there is more than one complement, the dative usually precedes the accusative.

I.	II.	III.	
Kathrin	schenkt	**ihrem Freund**	**ein Fahrrad.**
Kathrin	schenkt	**ihm**	**ein Fahrrad.**

→ Wenn beide Ergänzungen Pronomen sind, steht der Akkusativ vor dem Dativ.
If both complements are pronouns, the accusative pronoun precedes the dative pronoun.

I.	II.	III.	
Kathrin	schenkt	**es**	**ihm.**

■ ■ ■ Übungen

1) **Welche Ergänzung hat das Verb? Markieren Sie die richtige Lösung.
Manche Verben haben mehrere Ergänzungen.**
Which complement goes with the verb? Mark the right answer. Some verbs have more than one complement.

	Nominativ	Dativ	Akkusativ
● Ich brauche ein Auto.	○	○	✗
1. Otto kauft seiner Freundin einen Ring.	○	○	○
2. Das Essen schmeckt meinem Mann nicht.	○	○	○
3. Das Fahrrad gehört meinem Freund.	○	○	○
4. Angela M. ist Politikerin.	○	○	○
5. Der Ingenieur zeigt den Gästen die Maschine.	○	○	○
6. Herr Klein präsentiert neue Möbel.	○	○	○
7. Paul liebt Marie.	○	○	○
8. Ich kenne den Kollegen noch nicht.	○	○	○
9. Andreas isst am liebsten Spaghetti.	○	○	○
10. Monika wird später Ärztin.	○	○	○
11. Frau Müller schreibt dem Chef eine E-Mail.	○	○	○
12. Die Schuhe passen mir gut.	○	○	○

2) **Was passt? Ordnen Sie zu.**
Find the matching ending for each sentence.

1. Ich sehe
2. Wir bezahlen
3. Wir besuchen
4. Das Kleid gefällt
5. Ich schicke
6. Herr Klein vereinbart
7. Bruno schenkt
8. Der Arzt hilft
9. Frau Krüger beantwortet
10. Ich möchte bitte
11. Ich lese
12. Martin gratuliert
13. Mein Nachbar ist
14. Franz trinkt

a) dem Kunden eine Bestätigung.
b) die E-Mail sofort.
c) die Rechnung sofort.
d) gerade einen Film.
e) das Pergamonmuseum.
f) noch eine Tasse Kaffee.
g) einen Termin.
h) seiner Freundin einen Ring.
i) meinem Freund nicht.
j) dem Patienten.
k) Polizist.
l) keinen Alkohol.
m) seiner Kollegin zum Geburtstag.
n) jeden Tag Zeitung.

3) **Verben mit Akkusativergänzung. Bilden Sie Fragen im Perfekt wie im Beispiel.**
Verbs with an accusative complement. Ask questions in the perfect tense by following the example.

- du – Suppe – essen — *Hast du die Suppe schon gegessen?*
1. ihr – Bild – kaufen ……………………………………
2. du – Deutschkurs – bezahlen ……………………………………
3. ihr – Hausaufgaben *(Pl.)* – machen ……………………………………
4. du – CD – hören ……………………………………
5. du – Zeitung – lesen ……………………………………
6. du – Besprechung – vorbereiten ……………………………………
7. ihr – Ware – bestellen ……………………………………
8. du – Gäste *(Pl.)* – begrüßen ……………………………………
9. du – Termin – notieren ……………………………………
10. du – Nachricht – weiterleiten ……………………………………

4) **Dativ oder Akkusativ? Markieren Sie die richtige Lösung.**
Dative or accusative? Mark the right answer.

●	Hast du	dem Gast	den Gast	schon abgeholt?
1.	Hast du	dem Chef	den Chef	schon gratuliert?
2.	Hast du	dem Techniker	den Techniker	schon bestellt?
3.	Hast du	dem Professor	den Professor	überhaupt zugehört?
4.	Hast du	der Praktikantin	die Praktikantin	schon geholfen?
5.	Hast du	dem Direktor	den Direktor	schon geantwortet?
6.	Hast du	deinem Freund	deinen Freund	widersprochen?
7.	Hast du	dem Film	den Film	schon gesehen?
8.	Hast du	der Ausstellung	die Ausstellung	schon besucht?
9.	Hast du	der Kollegin	die Kollegin	schon gedankt?
10.	Hast du	deinem Kaffee	deinen Kaffee	schon getrunken?

5) **Bilden Sie Sätze. Achten Sie auf die Wortstellung (Reihenfolge: Nominativ, Dativ, Akkusativ).** ➤ Seite 140
Build sentences. Pay attention to the word order (Word order: nominative, dative, accusative).

- das Hotel – gut – den Gästen – gefallen — *Das Hotel gefällt den Gästen gut.*
1. den Kunden – schnell – helfen – wir ……………………………………
2. der Firma – das Auto – gehören ……………………………………
3. ein Kochbuch – schenken – Otto – seiner Mutter ……………………………………
4. dem Chef – du – das Dokument – zeigen? ……………………………………
5. mir – du – mitbringen – ein Andenken? ……………………………………
6. deinen Stift – du – mir – leihen – können? ……………………………………
7. deinen Eltern – Postkarten – aus dem Urlaub – du – schreiben? ……………………………………
8. dir – schon wieder – neue Schuhe – du – kaufen? *(Perfekt)* ……………………………………
9. wann – das Fachbuch – ihm – du – geben? *(Perfekt)* ……………………………………
10. den Kollegen – erklären – der Direktor – diese Entscheidung – müssen ……………………………………
11. bezahlen – die Rechnung für den Kurs – müssen – alle Teilnehmer ……………………………………
12. das Restaurant „La Cachette" – Kollegen aus dem Ausland – wir – empfehlen – immer ……………………………………

1.6.2 Verben mit präpositionalem Kasus   Verbs with a prepositional case

▶ **Das Verb regiert im Satz!** The verb determines the sentence structure.

A Aussagesätze   Statements

Paul träumt von schönen Frauen.
↓ Subjekt — ↓ Ergänzung: *von* + Dativ

Frau Müller telefoniert mit dem Chef.
↓ Subjekt — ↓ Ergänzung: *mit* + Dativ

Max und Moritz reden über Fußball.
↓ Subjekt — ↓ Ergänzung: *über* + Akkusativ

▶ **Formen** Forms

Verben mit Präposition + Dativ *aus, bei, mit, nach, unter, von, vor, zu*	abhängen von	Alles hängt vom Wetter ab.
	anfangen mit	Wann fangt ihr mit dem Projekt an?
	beginnen mit	Wann beginnt ihr mit der Arbeit?
	sich bedanken bei	Martin bedankt sich bei seinem Chef.
	sich beschäftigen mit	Erwin beschäftigt sich gerade mit der Abrechnung.
	sich beschweren bei	Beschweren Sie sich bei unserem Manager!
	diskutieren mit	Der Direktor diskutiert mit den Mitarbeitern.
	sich entschuldigen bei	Ich möchte mich bei dir entschuldigen.
	sich erkundigen nach	Erkundigen Sie sich bitte nach günstigen Flugverbindungen.
	fragen nach	Frag doch den Mann dort nach dem Weg!
	gehören zu	Kaffee kochen gehört nicht zu meinen Aufgaben.
	gratulieren zu	Ich gratuliere dir zum Geburtstag.
	leiden unter	Wir leiden unter dem Lärm.
	sprechen mit	Ich spreche morgen mit meinem Arzt.
	telefonieren mit	Ich telefoniere gerade mit meiner Mutter.
	träumen von	Paul träumt von schönen Frauen.
	sich unterhalten mit	Ich unterhalte mich gerne mit Christine.
Verben mit Präposition + Akkusativ *für, gegen, über, um*	sich ärgern über	Frau Müller ärgert sich über ihren Chef.
	sich aufregen über	Regst du dich schon wieder über die Benzinpreise auf?
	sich bedanken für	Der Projektleiter bedankt sich für die gute Zusammenarbeit.
	sich beschweren über	Der Gast beschwert sich über das Hotelzimmer.
	sich bewerben um	Robert bewirbt sich um ein Stipendium.
	bitten um	Ich bitte dich um einen kleinen Gefallen.
	diskutieren über	Die Studenten diskutieren über die politischen Ereignisse.
	sich entscheiden für	Wir entscheiden uns für die kleine Wohnung.
	sich freuen über	Ich freue mich über die Blumen.
	es geht um	Es geht um unsere neuen Wohnzimmermöbel.
	sich interessieren für	Interessierst du dich für Computerspiele?
	kämpfen gegen	Wir kämpfen gegen die Konkurrenz.
	lachen über	Über diesen alten Witz lacht niemand mehr.
	nachdenken über	Über diesen Vorschlag muss ich erst mal nachdenken.
	sprechen über	Die Kinder sprechen über ihre Probleme.
	sich unterhalten über	Max und Moritz unterhalten sich fast nur über Sport.
	sich wehren gegen	Die Bürger wehren sich gegen den Ausbau des Flughafens.

Verben mit Präposition + Dativ oder Akkusativ *an, auf, in*	denken an + Akk.	Frau Müller denkt auch nachts an ihre Arbeit.
	teilnehmen an + Dativ	Wer nimmt an der Besprechung teil?
	warten auf + Akk.	Ich warte am Ausgang auf dich.
	basieren auf + Dativ	Die Entscheidung basiert auf einem Umfrageergebnis.
	sich verlieben in + Akk.	Marie hat sich in ihren Friseur verliebt.
	bestehen in + Dativ	Das Problem besteht in der Zusammensetzung der Materialien.

▶ Hinweise Rules

→ Viele Verben haben eine Ergänzung mit Präposition. Die Präposition gehört zum Verb und bestimmt den Kasus.
Many verbs require complements with a preposition. The preposition belongs to the verb and determines the grammatical case of the noun.

→ Einige Verben haben Ergänzungen mit und ohne Präposition: Ich danke dir *(Dativ)* für die Blumen *(für + Akkusativ).*
A few verbs require two complements: one with and one without a preposition: *Ich danke dir (Dativ) für die Blumen (für + Akkusativ).*

→ Zu den Verben mit präpositionaler Ergänzung gehören viele reflexive Verben: Otto streitet sich oft mit seinem Nachbarn.
Many verbs which require a prepositional complement are reflexive: *Otto streitet sich oft mit seinem Nachbarn.*

▶ Satzbau Sentence structure

→ Bei mehreren Ergänzungen steht der direkte Kasus vor dem präpositionalen Kasus.
If the verb has more than one complement, the direct case precedes the prepositional case.

I.	II.	III.
Ich	danke	**dir für die Blumen.**
Ich	freue	**mich über die Blumen.**

■ ■ ■ Übungen

1) **Was passt zusammen? Ordnen Sie die richtige Ergänzung zu.**
Find the matching complement for each sentence.

1. Erkundige dich doch mal
2. Rede doch mal
3. Frag den Polizisten doch mal
4. Beschwer dich doch
5. Bewirb dich doch
6. Diskutiere doch nicht immer
7. Freu dich doch

a) mit dem Chef!
b) beim Direktor!
c) um diese Stelle!
d) nach den Preisen!
e) auf den Urlaub!
f) nach dem Weg!
g) über Politik!

2) **Ergänzen Sie in der folgenden Zeitungsmeldung die richtigen Präpositionen.** 30
Aussprachehilfe: Hören Sie die Lösungen auf CD.
Complete the following press cutting with the appropriate prepositions. Pronunciation help: Check your answers with the CD.

bei • über *(2 x)* • auf • für • in • mit *(2 x)*

Bruno in Hannover
Gestern hat Bruno mit seiner Band in Hannover gespielt. 20 000 Fans erlebten ein fantastisches Konzert. Nach dem Konzert freute sich Bruno ....(1) seinen Erfolg und bedankte sich ....(2) seinen Fans. Einige weibliche Fans warteten am Ausgang ....(3) Bruno. Sie interessierten sich vor allem ....(4) Brunos Privatleben. In den letzten Tagen berichteten mehrere Zeitungen, dass sich Bruno ....(5) die Sängerin Sandra verliebt hat und sich ....(6) seiner Exfreundin Yvonne gestritten hat. Sein Manager Karl Theodor wollte gestern Abend ....(7) Bruno ....(8) die Beziehung zu Sandra reden. Das Ergebnis des Gesprächs ist noch geheim.

3) **Bilden Sie Sätze im Präsens. Achten Sie auf den Satzbau und die fehlenden Präpositionen.**
Build sentences in the present tense. Pay attention to the sentence structure and the missing prepositions.

- einige Kollegen – das Essen – in der Kantine – sich beschweren
Einige Kollegen beschweren sich über das Essen in der Kantine.

1. wir – schon lange – das Protokoll – warten
....
2. Marion – täglich – ihr Freund – in Kanada – telefonieren
....
3. Georg – nur noch – das Projekt – denken
....
4. Max – nur – Fußball – sich interessieren
....
5. der Informatiker – das Softwareproblem – nachdenken
....
6. bei der Sitzung – wir – die Arbeitszeiten – sprechen
....
7. die Verwaltungsleiterin – heute – die Jahresendabrechnung – sich beschäftigen
....
8. wir – besonders – die Sicherheit – achten
....

4) **Schwierige Kollegen. Ergänzen Sie die Präpositionen und die Artikelendungen, wenn nötig.**
Difficult colleagues. Fill in the prepositions and the article endings where necessary.

- Anna fängt *mit* d*er* Arbeit immer erst am Nachmittag an.

1. Maria beschwert sich ständig .... d.......... Chef .... ihr.......... Kollegen.
2. Gustav freut sich nie .... d.......... neuen Projekte.
3. Bert spricht selten .... sein.......... Kollegen.
4. Karla nimmt .... kein.......... Besprechung teil.
5. Paul denkt immer nur .... d.......... Wochenende.
6. Rudi erinnert sich nie .... sein.......... Passwort.
7. Ida bedankt sich nie .... d.......... Hilfe.
8. Gertrud diskutiert den ganzen Tag .... ihr.......... Freundinnen am Telefon.
9. Frank bereitet sich nie .... d.......... Sitzungen vor.
10. Gudrun interessiert sich nicht .... ihr.......... Arbeit.

5) **Herr Schreiner ist in einer fremden Stadt. Was macht er dort?**
Ergänzen Sie die passenden Verben in der richtigen Form.
Mr. Schreiner is in a foreign city. What is he doing there? Complete the sentences with the matching verb in the correct form.

~~sich unterhalten~~ • sich beschweren • sich bedanken • teilnehmen • sich ärgern • sich freuen • fragen • warten • bitten • denken • sich interessieren

- Er *unterhält sich* mit anderen Hotelgästen.

1. An der Rezeption .... er nach einem Stadtplan, denn er hat keinen.
2. Er .... den Portier um Rat, denn er kennt die Stadt nicht gut.
3. Der Portier gibt ihm viele Tipps. Herr Schreiner .... für die Informationen.
4. Er geht in eine Galerie, denn er .... für moderne Kunst.
5. Er .... an einer Führung ...., denn er möchte die Stadt besser kennenlernen.
6. Er .... über die vielen kulturellen Programme in der Stadt.
7. Er .... nur selten an seine Arbeit.
8. Nur mit der Bedienung im Hotelrestaurant ist er nicht zufrieden: Er .... oft über die Kellner.
9. Manchmal muss er eine halbe Stunde auf sein Abendessen ....
10. Er will .... beim Hoteldirektor über die langsame Bedienung ....

B Fragesätze Questions

Paul träumt von schönen Frauen.
Von wem träumt Paul?

Paul träumt von der deutschen Grammatik.
Wovon träumt Paul?

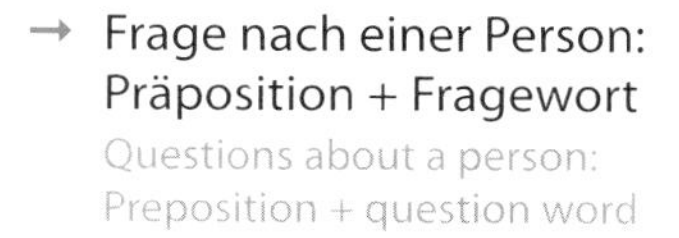

→ Frage nach einer Person:
Präposition + Fragewort
Questions about a person:
Preposition + question word

→ Frage nach einer Sache:
wo + Präposition
Questions about a thing:
wo + preposition

Oskar denkt an seinen Chef.
An wen denkt Oskar?

Oskar denkt an seine Arbeit.
Woran denkt Oskar?

→ Frage nach einer Person:
Präposition + Fragewort
Questions about a person: Preposition + question word

→ Frage nach einer Sache:
wo + *r* + Präposition
Die Präposition beginnt mit einem Vokal.
Questions about a thing: *wo* + *r* + preposition
The preposition begins with a vowel.

6) Was passt zusammen? Ordnen Sie die richtige Ergänzung zu.

Find the matching complement for each question.

1. Wovon träumst du?
2. Von wem träumst du?
3. Woran denkst du?
4. An wen denkst du?
5. Worüber habt ihr gelacht?
6. Über wen habt ihr gelacht?
7. Worüber hast du dich geärgert?
8. Über wen hast du dich geärgert?
9. Mit wem hast du dich gestritten?
10. Worüber habt ihr euch gestritten?

a) Ich denke an gestern Abend.
b) Wir haben über die E-Mail gelacht.
c) Ich habe mich über Frau Müller geärgert.
d) Ich habe mich mit meinem Bruder gestritten.
e) Ich träume von einer Reise nach Afrika.
f) Ich denke an Martin.
g) Wir haben uns über alte Comics gestritten.
h) Ich träume nicht von dir.
i) Wir haben über den Chef gelacht.
j) Ich habe mich über das Computerprogramm geärgert.

7) Wie heißen die Fragen?

Ask questions.

- *Worüber habt ihr euch unterhalten?* – Wir haben uns über das Projekt unterhalten.

1. ....? – Ich habe mit dem Chef gesprochen.
2. ....? – Wir haben uns für die schönen Geschenke bedankt.
3. ....? – Ich denke über ein Problem nach.
4. ....? – Ich habe mich für diese Jacke entschieden.
5. ....? – Er hat sich mit seinem Bruder gestritten.
6. ....? – Ich habe über deinen Witz gelacht.
7. ....? – Ich habe mich in meinen Nachbarn verliebt.
8. ....? – Wir warten auf den Bus.
9. ....? – Ich denke an meinen nächsten Urlaub.
10. ....? – Ich habe ihn um Hilfe gebeten.

8) **Partygespräche. Die Musik ist zu laut, die Gäste können einander nicht verstehen. Ergänzen Sie die Fragewörter.** 31
Aussprachehilfe: Hören Sie die Lösungen auf CD.
Party talk. The music is too loud, the guests can't understand each other. Fill in the question words. Pronunciation help: Check your answers with the CD.

auf wen • mit wem *(4 x)* • womit • worüber *(2 x)* • wofür • woran • ~~in wen~~

- □ Karl hat sich in Ute verliebt.
  △ Was hast du gesagt? *In wen* hat er sich verliebt?

1. □ Ich habe heute mit Wilhelm telefoniert.
   △ Was hast du gesagt? .... hast du telefoniert?
2. □ Ich warte auf Andrea.
   △ Bitte? .... wartest du?
3. □ Ich will mit Joseph sprechen.
   △ Wie bitte? .... willst du sprechen?
4. □ Ich freue mich so über die Geschenke.
   △ Was hast du gesagt? .... freust du dich?
5. □ Wir müssen unbedingt über deine Pläne diskutieren.
   △ Bitte, ... müssen wir diskutieren?
6. □ Ich interessiere mich sehr für Jazzmusik.
   △ Bitte, ... interessieren Sie sich?
7. □ Im Moment beschäftige ich mich mit einem neuen Projekt.
   △ Wie bitte? .... beschäftigen Sie sich im Moment?
8. □ Im Sommer möchten wir an einem Kurs über Kräuter teilnehmen.
   △ Wie bitte? .... möchtet ihr teilnehmen?
9. □ Ich möchte mit Karla tanzen.
   △ Bitte? .... möchtest du tanzen?
10. □ Die Musik ist zu laut. Ich kann nicht mit dir reden!
    △ Was hast du gesagt? .... kannst du nicht reden?

9) **Klatsch und Tratsch. Ergänzen Sie die Fragewörter. Manchmal gibt es mehrere Lösungen.** 32
Aussprachehilfe: Hören Sie die Lösungen auf CD.
Gossip. Fill in the question words. Sometimes more than one answer is possible. Pronunciation help: Check your answers with the CD.

bei wem *(2 x)* • wofür • mit wem *(2 x)* • auf wen • worüber *(3 x)* • in wen

1. Habt ihr schon gehört? Martha hat sich beschwert. – Nein! *Bei wem* denn?
2. Habt ihr schon gehört? Peter hat sich verliebt. – Wirklich? .... denn?
3. Klaus hat sich entschuldigt. – .... denn?
4. Gestern hat sich Georg sehr geärgert. – Wirklich? .... denn?
5. Christa hat sich bei ihrem Nachbarn bedankt. – Hmm, ... denn?
6. Luise hat sich gestritten. – .... denn?
7. Habt ihr gesehen? Meine Nachbarin hat sich heute Morgen so gefreut! – Ja? .... denn?
8. Maria hat heute Morgen eine halbe Stunde lang mit Hugo gesprochen. – Wirklich? .... denn?
9. Habt ihr gesehen? Daniel hat wieder mal eine Stunde im Café „Kranzler" gewartet. – Wirklich? .... denn?
10. Johanna hat wieder mal zwei Stunden telefoniert. – Wirklich? .... denn?

1.6.3 Verben mit lokalen Ergänzungen Verbs with an adverbial of place

▶ **Das Verb regiert im Satz!** The verb determines the sentence structure.

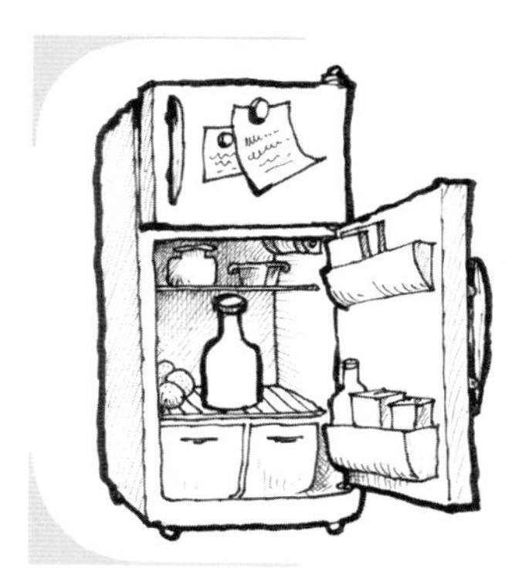

Die Flasche steht *im Kühlschrank.*
↓ Subjekt ↓ Lokalangabe im Dativ

Ich stelle *die Flasche in den Kühlschrank.*
↓ Subjekt ↓ Akkusativergänzung ↓ Lokalangabe im Akkusativ

▶ **Formen** Forms

wo? → Präposition + Dativ Where? → preposition + dative (location)		wohin? → Präposition + Akkusativ Where to? → preposition + accusative (direction, motion)	
stehen:	ich stehe – ich stand – ich habe gestanden Ich stehe an der Wand.	stellen:	ich stelle – ich stellte – ich habe gestellt Ich stelle den Stuhl an die Wand.
liegen:	ich liege – ich lag – ich habe gelegen Ich liege im Bett.	legen:	ich lege – ich legte – ich habe gelegt Ich lege das Buch auf den Tisch.
sitzen:	ich sitze – ich saß – ich habe gesessen Ich sitze auf dem Stuhl.	setzen:	ich setze – ich setzte – ich habe gesetzt Ich setze mich auf den Stuhl.
hängen:	die Jacke hängt – die Jacke hing – die Jacke hat gehangen Die Jacke hängt an der Garderobe.	hängen:	ich hänge – ich hängte – ich habe gehängt Ich hänge die Jacke an die Garderobe.

▶ **Hinweise** Rules

→ *Stehen, liegen* und *sitzen* sind unregelmäßige Verben. Sie treten in der Regel mit einer lokalen Ergänzung im Dativ auf.
Stehen (stand), *liegen* (lie) and *sitzen* (sit) are irregular verbs. They are usually used with an adverbial of place. The noun that follows the preposition is in the dative case.

→ *Stellen, legen* und *setzen* sind regelmäßige Verben. Sie stehen immer mit einem Akkusativ und haben eine lokale Ergänzung im Akkusativ.
Stellen (place, put), *legen* (lay) and *setzen* (place, put) are regular verbs. They require an accusative complement. The noun of the adverbial of place is also in the accusative case.

→ *Hängen* kann regelmäßig oder unregelmäßig sein. Wenn es mit einem Akkusativ gebraucht wird, ist es regelmäßig und hat die lokale Ergänzung im Akkusativ.
Hängen (hang) can be either regular or irregular. The verb is regular when it requires an accusative complement. In this case, the noun of the adverbial of place is also in the accusative.

→ Sogenannte Wechselpräpositionen *(an – auf – hinter – in – neben – über – unter – vor – zwischen)* können mit dem Dativ oder dem Akkusativ auftreten. (➤ Seite 121)
So-called „two-way prepositions" *(an – auf – hinter – in – neben – über – unter – vor – zwischen)* can be used with both the dative or the accusative case depending on the context. (➤ page 121)

▶ **Satzbau** Sentence structure

→ Bei Ergänzungen mit Akkusativ und Lokalangabe steht die Akkusativergänzung vor der lokalen Ergänzung.
If the verb requires both an accusative complement and an adverbial of place, the complement precedes the adverbial of place.

I.	II.	III.
Ich	stelle	den Stuhl **an die Wand.**

Verben

Ergänzungen: Lokale Ergänzungen

■ ■ ■ Übungen

1) **Ergänzen Sie *stehen, liegen* oder *hängen* und antworten Sie.**
Fill in *stehen, liegen* or *hängen* and answer the questions.

- Wo *liegt* der Teppich? *(unter – Sofa)* — *Der Teppich liegt unter dem Sofa.*
1. Wo .... das neue Bild? *(über – Bett)* ....
2. Wo .... der Sessel? *(in – Wohnzimmer)* ....
3. Wo .... die grüne Vase? *(auf – Tisch)* ....
4. Wo .... die Dokumente? *(in – Schreibtischschublade)* ....
5. Wo .... das Handtuch? *(in – Bad)* ....
6. Wo .... das schmutzige Geschirr? *(in – Geschirrspülmaschine)* ....
7. Wo .... meine Brille? *(auf – Fernseher)* ....
8. Wo .... mein Laptop? *(unter – Sessel)* ....

2) **Ergänzen Sie die Verben *hängen, sitzen, setzen, liegen, legen, stehen* oder *stellen*.**
Fill in *hängen, sitzen, setzen, liegen, legen, stehen* or *stellen*.

- Auf dem Schreibtischstuhl *sitze* ich nicht gern.
1. .... Sie Ihre Jacke bitte an den Kleiderständer.
2. Das Denkmal .... auf dem Mozartplatz.
3. .... ihr bitte die Milch in den Kühlschrank?
4. .... du noch immer im Bett?
5. Bei mir .... viele Bilder an der Wand.
6. Wo .... die drei alten Windmühlen?
7. Die Mutter .... ihre Tochter in den Kinderwagen.
8. Bitte .... Sie sich!
9. Wohin willst du dieses Regal ....?
10. Oma .... in ihrem Sessel.

3) **Otto sucht seine Sachen. Helfen Sie ihm. Beschreiben Sie die Position von zehn Gegenständen. Benutzen Sie *stehen, liegen* und *hängen*.**
Otto is looking for his things. Describe the position of ten objects of your choice. Use the verbs *stehen, liegen* and *hängen*.

2 Nomen und Artikel *Nouns and articles*

2.1 Genus *The grammatical gender*

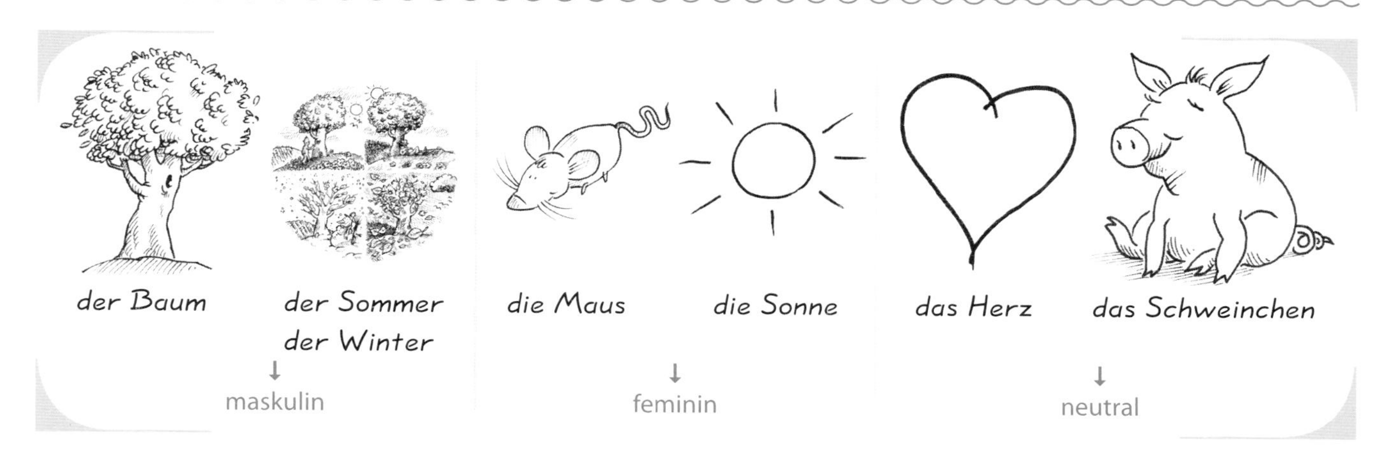

▶ Hinweise *Rules*

→ Jedes Nomen hat ein festes Genus. Man erkennt das Genus am Artikel: der, die, das.
Every noun has a gender. The gender is indicated by the definite article: *der – masculine, die – feminine, das – neuter.*

→ Warum ist *der Baum* maskulin, *die Maus* feminin und *das Herz* neutral? Das wissen wir nicht. Dafür gibt es keine Regeln. Am besten ist es, Nomen immer mit dem Artikel zusammen zu lernen.
Why is the tree masculine, the mouse feminine and the heart neuter? We don't know. There are no rules for that. Therefore it is always recommended to learn the nouns together with their article.

→ Aber: Bei einigen Nomen gibt es Regeln, z. B.:

der Sommer	Jahreszeiten, Monate und Tage sind immer maskulin.
die Sonne	Viele Nomen, die auf *-e* enden, sind feminin.
das Schweinchen *(kleines Schwein)*	Alle Nomen auf *-chen* und *-lein* sind neutral.

But: In a few cases however, there are rules, e. g.: *Der Sommer* (the summer) – Names for seasons, months and days are always masculine. *Die Sonne* (the sun) – Many nouns ending in *-e* are feminine. *Das Schweinchen* (the piglet) – All nouns ending in *-chen* or *-lein* are neuter.

▶ Einige Regeln *A few rules*

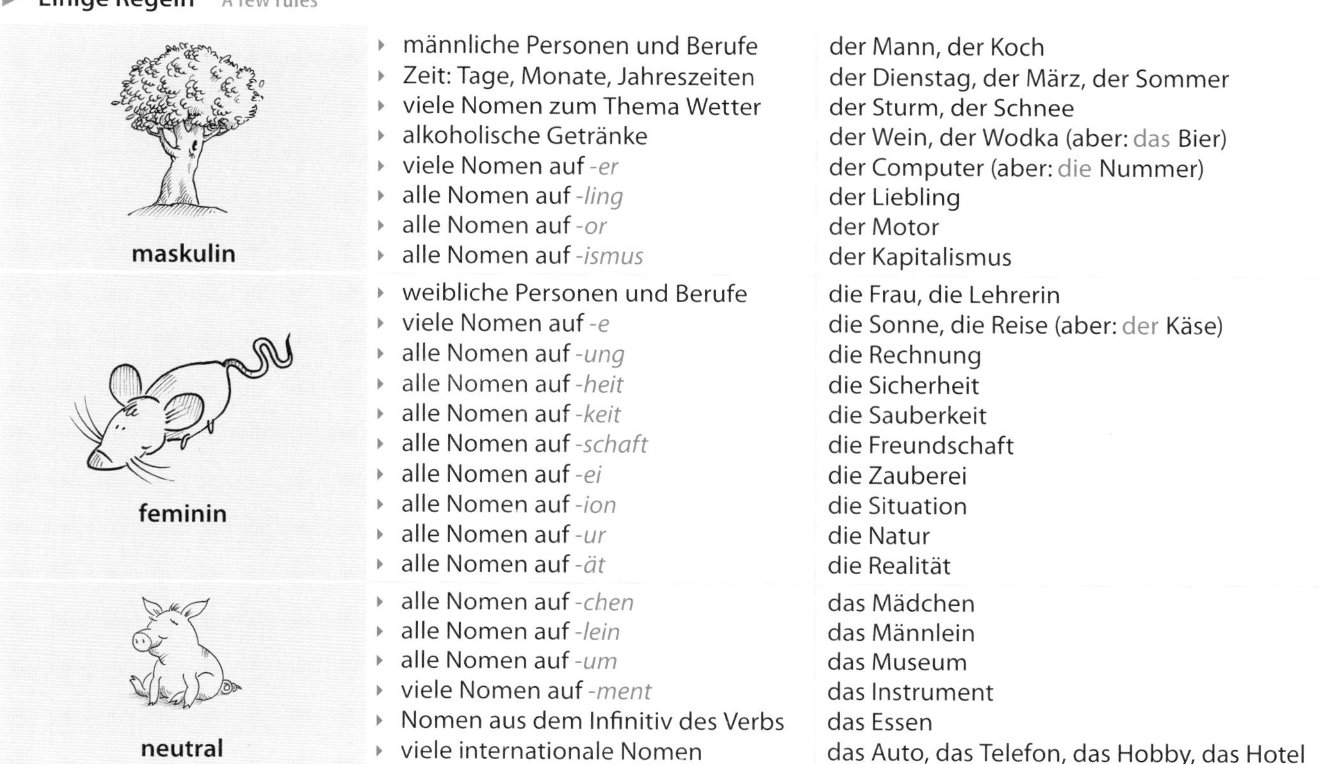

maskulin	männliche Personen und Berufe	der Mann, der Koch
	Zeit: Tage, Monate, Jahreszeiten	der Dienstag, der März, der Sommer
	viele Nomen zum Thema Wetter	der Sturm, der Schnee
	alkoholische Getränke	der Wein, der Wodka (aber: das Bier)
	viele Nomen auf *-er*	der Computer (aber: die Nummer)
	alle Nomen auf *-ling*	der Liebling
	alle Nomen auf *-or*	der Motor
	alle Nomen auf *-ismus*	der Kapitalismus
feminin	weibliche Personen und Berufe	die Frau, die Lehrerin
	viele Nomen auf *-e*	die Sonne, die Reise (aber: der Käse)
	alle Nomen auf *-ung*	die Rechnung
	alle Nomen auf *-heit*	die Sicherheit
	alle Nomen auf *-keit*	die Sauberkeit
	alle Nomen auf *-schaft*	die Freundschaft
	alle Nomen auf *-ei*	die Zauberei
	alle Nomen auf *-ion*	die Situation
	alle Nomen auf *-ur*	die Natur
	alle Nomen auf *-ät*	die Realität
neutral	alle Nomen auf *-chen*	das Mädchen
	alle Nomen auf *-lein*	das Männlein
	alle Nomen auf *-um*	das Museum
	viele Nomen auf *-ment*	das Instrument
	Nomen aus dem Infinitiv des Verbs	das Essen
	viele internationale Nomen	das Auto, das Telefon, das Hobby, das Hotel

■ ■ ■ Übungen

1) **Ergänzen Sie die Nomen mit Artikel. Formulieren Sie auch die Regeln.**
Fill in the nouns with articles. Formulate the rules.

a) .... b) .... c) .... d) ....

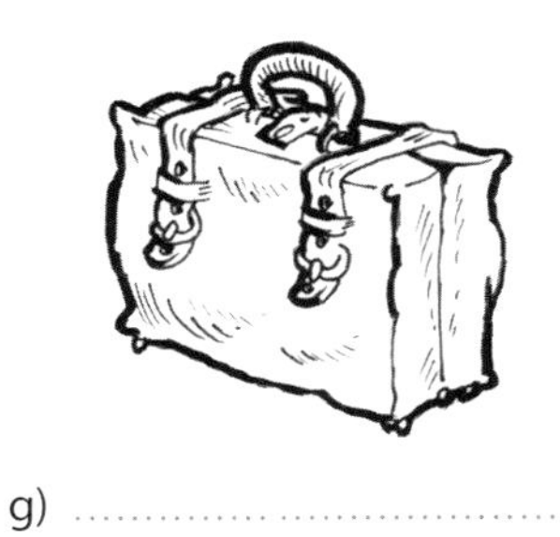

e) .... f) .... g) .... h) ....

i) .... j) .... k) .... l) ....

2) **Ergänzen Sie den Artikel. Formulieren Sie auch die Regeln.**
Fill in the articles. Formulate the rules.

● *die* Tasche
1. .... Drucker
2. .... Essen
3. .... Bäckerei
4. .... Studium
5. .... Fotografieren
6. .... Lotto
7. .... Hotel
8. .... Adresse
9. .... Wohnung
10. .... Information
11. .... Kellnerin
12. .... Mittwoch
13. .... Informatiker
14. .... Universität
15. .... Frühling

3) **Maskulin, feminin oder neutral? Finden Sie die richtigen Artikel. Welches Nomen passt nicht in die Reihe?**
Are these nouns masculine, feminine or neuter? Fill in the correct article for each noun. Which noun does not fit the group?

●	*der*	Wein – Abend – Elektriker – Auto	*das Auto*
1.	....	Besprechung – Universität – Gymnasium – Vorlesung	....
2.	....	Kollegin – Kultur – Faulheit – Internet	....
3.	....	Hobby – Liebe – Telefon – Kino	....
4.	....	Außenminister – Organisator – Fernseher – Ehrlichkeit	....
5.	....	Mädchen – Essen – Torte – Restaurant	....
6.	....	Schönheit – Arzt – Operation – Krankenschwester	....
7.	....	Lernen – Übung – Unterrichtsstunde – Hausaufgabe	....

4) Ergänzen Sie den Artikel. Suchen Sie eventuell den Artikel im Wörterbuch.
Fill in the articles. Look them up in a dictionary if necessary.

1. Das sind Möbel: *der* Tisch, ... Schrank, ... Kommode, ... Stuhl, ... Spiegel, ... Bücherregal
2. Das benutzt man beim Essen oder Trinken: .... Glas, ... Tasse, ... Flasche, ... Teller, ... Löffel, ... Gabel, ... Messer, ... Serviette
3. Das kann man in einem Buchladen kaufen: .... Zeitung, ... Magazin, ... Kochbuch, ... Lexikon, ... Wörterbuch, ... Reiseführer
4. Das sind Kleidungsstücke: .... Pullover, ... Hemd, ... Hose, ... Rock
5. Das sind Lebensmittel: .... Brot, ... Suppe, ... Fleisch, ... Fisch, ... Gemüse, ... Obst, ... Salat, ... Apfel, ... Birne, ... Tomate
6. Das sind Gebäude: .... Schule, ... Universität, ... Theater, ... Post, ... Bibliothek, ... Polizeirevier, ... Bahnhof, ... Museum, ... Kino, ... Geschäft
7. Das sind Verkehrsmittel: .... Auto, ... Zug, ... Straßenbahn, ... Fahrrad, ... Flugzeug, ... Motorroller, ... Bus, ... Schiff, ... Fähre

5) Was sehen Sie in diesem Haus? Ordnen Sie die Wörter nach Artikel.
What can you see in this house? Put the words in the appropriate column, according to their article.

~~Zimmer~~ • Bad • Dach • Toilette • Treppe • Küche • Flur • Dusche • Bett • Tür • Tisch • Schrank • Lampe • Blume • Vase • Spielzeug • Sessel • Bild • Regal • Teppich • Gardine • Fenster • Kommode • Schüssel • Balkon • Foto • Computer • Stuhl • Badewanne

der ....

die ....

das *Zimmer,* ....

Komposita (Zusammengesetzte Nomen) Compound nouns

der Wein + das Glas = das Weinglas
der Wein + die Flasche = die Weinflasche

Hinweise Rules

→ Bei zusammengesetzten Nomen richtet sich das Genus nach dem letzten Nomen.
The article of a compound noun is determined by the gender of the last noun.

Übungen

6) **Was passt? Bilden Sie Komposita und ergänzen Sie den Artikel.**
Find the matching ending and make compound nouns. Fill in the articles.

●	der Kaffee	....	Schlüssel	*die Kaffeemaschine*
1.	das Zimmer	....	Zentrum	....
2.	das Hotel	*die*	Maschine	....
3.	der Computer	....	Kalender	....
4.	der Kredit	....	Instrument	....
5.	die Stadt	....	Restaurant	....
6.	der Termin	....	Gewinn	....
7.	die Musik	....	Urlaub	....
8.	das Lotto	....	Problem	....
9.	der Arzt	....	Karte	....
10.	der Sommer	....	Praxis	....

7) **Bilden Sie Komposita und ergänzen Sie den Artikel.**
Make compound nouns and fill in the articles.

1.	....	Schreibtisch	+	....	Lampe	=	....
2.	....	Kaffee	+	....	Tasse	=	....
3.	....	Bier	+	....	Flasche	=	....
4.	....	Buch	+	....	Laden	=	....
5.	....	Foto	+	....	Museum	=	....
6.	....	Stadt	+	....	Theater	=	....
7.	....	Lebensmittel *(Pl.)*	+	....	Geschäft	=	....
8.	....	Bücher *(Pl.)*	+	....	Regal	=	....
9.	....	Büro	+	....	Arbeit	=	....
10.	....	Lehrer	+	....	Zimmer	=	....
11.	....	Daten *(Pl.)*	+	....	Verarbeitung	=	....
12.	....	Computer	+	....	Zeitalter	=	....

8) **Bilden Sie Komposita und ergänzen Sie den Artikel.** 33
Aussprachehilfe: Hören Sie die Lösungen auf CD.
Make compound nouns and fill in the articles. Pronunciation help: Check your answers with the CD.

- Bei manchen Komposita steht zwischen den beiden Nomen ein *-s-*, oft nach femininen Nomen auf *-ät, -heit, -keit, -schaft, -ung* oder nach maskulinen Nomen wie *Beruf* oder *Unterricht*.
- Certain compound nouns have a connecting *-s-* between the two words. In such cases the first word is often feminine and ends in *-ät, -heit, -keit, -schaft* or *-ung* or is a masculine noun such as *Beruf* (profession) or *Unterricht* (lesson).

●	*die*	Universität	+	*die*	Bibliothek	=	*die Universitätsbibliothek*
1.	....	Abteilung	+	....	Leiter	=	....
2.	....	Geburtstag	+	....	Feier	=	....
3.	....	Wohnung	+	....	Suche	=	....
4.	....	Liebe	+	....	Lied	=	....
5.	....	Sicherheit	+	....	Training	=	....
6.	....	Vorlesung	+	....	Saal	=	....
7.	....	Besprechung	+	....	Protokoll	=	....
8.	....	Datenverarbeitung	+	....	Maschine	=	....
9.	....	Beruf	+	....	Bezeichnung	=	....
10.	....	Unterricht	+	....	Vorbereitung	=	....

9) **Ergänzen Sie den richtigen Artikel: *der, die* oder *das*.** 34
Aussprachehilfe: Hören Sie die Lösungen auf CD.
Fill in the correct article: *der, die* or *das*. Pronunciation help: Check your answers with the CD.

Das (0) Wort *Computer* ist ein lateinisch-englisches Wort. Es bedeutet: ....(1) Rechenmaschine oder: ....(2) Rechenapparat. Früher war ....(3) Wort *Computer* ....(4) Berufsbezeichnung für Menschen, die Kalkulationen machten. *Computer* waren Leute, die zum Beispiel für einen Astronomen ....(5) Berechnung durchführten. Später waren es Arbeiter, die mechanische Rechenmaschinen bedienten. Heute steht ....(6) Wort für eine Maschine, die Daten verarbeitet. Mitte des 17. Jahrhunderts haben ....(7) deutsche Gelehrte Wilhelm Schickard und ....(8) Franzose Blaise Pascal unabhängig voneinander ....(9) erste Rechenmaschine entwickelt. Mit der Industrialisierung im 19. Jahrhundert machte ....(10) Entwicklung und ....(11) Produktion von Rechenmaschinen weitere Fortschritte. ....(12) Einsatzgebiet dieser Maschinen war hauptsächlich ....(13) Büroarbeit. ....(14) *Computer* als elektromechanische und später als voll elektronische Datenverarbeitungsmaschine ist eine Erfindung des 20. Jahrhunderts. ....(15) erste Großrechner war eine herausragende Ingenieurleistung. ....(16) deutsche Forscher Konrad Zuse hat mit seinem Rechner Z1 den Grundstein für das moderne Computerzeitalter gelegt.

Rechenmaschine: computing machine • Berechnung: calculation • Gelehrte: scolar • Einsatzgebiet: area of application • Grundstein: foundation stone

10) **Bilden Sie aus den vorgegebenen Wörtern Sätze im Präteritum.**
Use the given words to build sentences in the preterite.

1. Computer – auch – Entwicklung des Buches – beeinflussen
   ....
2. in den 1990-er Jahren – elektronisch, Buch – entwickelt werden
   ....
3. Gerät – am Anfang – sehr groß – sein – und – Batterie – nicht lange – halten
   ....
4. auch – Lesbarkeit – und – Schwarz-Weiß-Kontrast – früher – nicht optimal – sein
   ....

2.2 Numerus: Plural The grammatical number: Plural

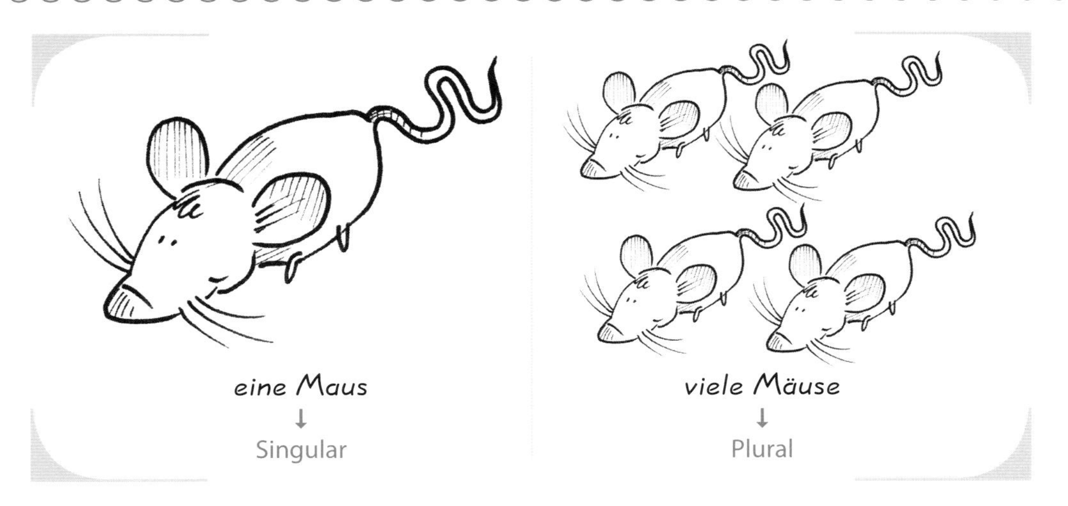

▶ Formen Forms

Endung	Singular	Plural	
– (+ Umlaut)	das Zimmer der Kuchen das Mädchen der Apfel der Vater	die Zimmer die Kuchen die Mädchen die Äpfel die Väter	vor allem maskuline und neutrale Nomen mit den Endungen: *-er, -el, -en* und neutrale Nomen auf *-chen* und *-lein*. Einige Pluralformen bekommen einen Umlaut *(ä, ö, ü, äu)*. Mainly masculine and neuter nouns ending in *-er, -el, -en* and neuter nouns ending in *-chen* or *-lein*. A few nouns receive an umlaut in their plural forms *(ä, ö, ü, äu)*.
-e (+ Umlaut)	die Maus die Kuh der Ball das Gerät	die Mäuse die Kühe die Bälle die Geräte	viele einsilbige Nomen. Viele maskuline und alle femininen Nomen bilden den Plural mit Umlaut *(ä, ö, ü, äu)*. Many one-syllable words. Most masculine and all feminine nouns receive an umlaut in their plural forms *(ä, ö, ü, äu)*.
-er (+ Umlaut)	das Bild das Rad der Mann der Wald	die Bilder die Räder die Männer die Wälder	viele neutrale und einige maskuline Nomen. Die Pluralformen bekommen einen Umlaut *(ä, ö, ü, äu)*. Many neuter and a few masculine nouns. The nouns receive an umlaut in their plural forms *(ä, ö, ü, äu)*.
-(e)n	die Tasse die Wohnung der Student der Kollege	die Tassen die Wohnungen die Studenten die Kollegen	sehr viele feminine Nomen, maskuline Nomen der n-Deklination A large number of feminine nouns. Masculine n-nouns.
-s	das Auto das Hobby das Taxi das Hotel	die Autos die Hobbys die Taxis die Hotels	viele Fremdwörter Many words of foreign origin.

▶ Hinweise Rules

→ Der bestimmte Artikel im Plural ist immer: die.
The plural definite article is always *die* (regardless of the original gender).

→ Einige Nomen haben Sonderformen: das Museum – die Muse**en**, das Risiko – die Risik**en**.
A few nouns have special plural forms: *das Museum – die Muse**en**, das Risiko – die Risik**en***.

→ Einige Nomen gibt es nur im Singular: das Gemüse, das Obst, die Milch, der Verkehr, das Internet.
A few nouns are always used in the singular: *das Gemüse, das Obst, die Milch, der Verkehr, das Internet.*

→ Einige Nomen gibt es nur im Plural: die Eltern, die Geschwister, die Möbel.
A few nouns are always used in the plural: *die Eltern, die Geschwister, die Möbel.*

Übungen

1) Was sehen Sie?
What can you see here?

1 
2 
3 
4 

5 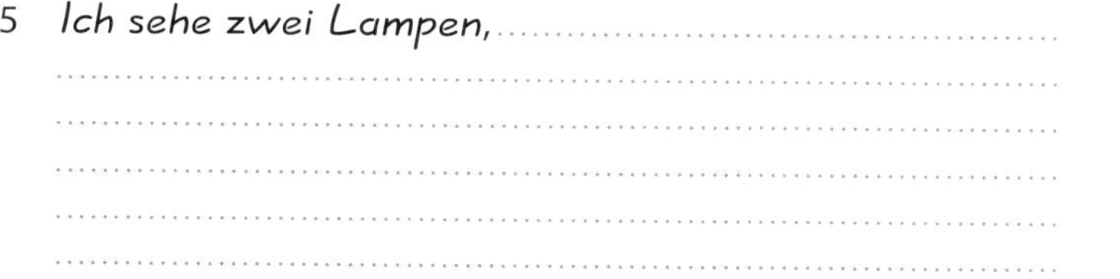
Ich sehe zwei Lampen, ...
....
....
....
....
....
....

6 

7 
8 
9 

10 

2) Körperteile: Ergänzen Sie die Pluralformen.
Parts of the body. Put the nouns in the plural.

Gustav ist ein schöner Mann. Er hat:

schwarze .... *(das Haar)*
blaue .... *(das Auge)*
große .... *(das Ohr)*
lange .... *(der Finger)*
runde .... *(das Knie)*
gesunde .... *(der Zahn)*
starke .... *(der Arm)*
kräftige .... *(die Hand)*
gerade .... *(das Bein)*
schöne .... *(der Fuß)*

3) Beim Gemüsehändler. Ergänzen Sie die Nomen im Plural.
At the greengrocer's. Put the nouns in the plural.

Verkäufer: Guten Tag, Sie wünschen?
Frau Meyer: Guten Tag, ich hätte gern vier *Karotten* *(Karotte)*, zwei .... *(Tomate)*, drei .... *(Zwiebel)*, drei .... *(Apfel)*, zwei schöne .... *(Birne)* und fünf .... *(Orange)*. Haben Sie auch .... *(Gurke)*?
Verkäufer: Ja, hier. Sie sind ganz frisch.
Frau Meyer: Dann nehme ich auch zwei .... *(Gurke)*.
Verkäufer: Bitte schön.

4) Wie heißt die Pluralendung? Ergänzen Sie.
Plural endings. Complete the sentences.

- das Wort, das Buch, das Rad, das Bad, das Haus — *-er + Umlaut*
1. das Foto, das Auto, das Radio, die Mango, das Kino, das Baby, die Kiwi ....
2. die Zeitung, die Meinung, die Universität, die Bibliothek ....
3. der Computer, der Ausländer, der Maler, das Zimmer ....
4. die Suppe, die Tomate, das Auge, die Lampe, die Familie ....
5. der Vater, die Mutter, die Tochter, der Apfel ....

5) **Welche Wörter stehen im Singular, welche im Plural? Kreuzen Sie an.**
Which words are in the singular and which are in the plural? Mark the right answer.

	Singular	Plural
● die Zimmer	○	✕
1. die Kollegen	○	○
2. die Kollegin	○	○
3. die Computer	○	○
4. der Drucker	○	○
5. das Büro	○	○
6. die Schlüssel	○	○
7. die Besprechung	○	○
8. die Arbeitszeit	○	○
9. das Angebot	○	○
10. das Passwort	○	○
11. der Preis	○	○

6) **Frau Müller hat es nicht leicht. Ihr Chef ruft an. Ergänzen Sie die Nomen im Plural.** 35
Aussprachehilfe: Hören Sie die Lösungen auf CD.
Mrs. Müller has a difficult life. She receives a phone call from her boss. Put the nouns in the plural. Pronunciation help: Check your answers with the CD.

Chef: Frau Müller, haben Sie die Besprechung heute um 15.00 Uhr vorbereitet? .... *(der Gast)* aus Rom kommen gleich.
Frau Müller: Ja, Chef, es ist alles fertig.
Chef: Haben Sie auch .... *(die Kaffeetasse)*, ... *(das Brötchen)* und .... *(das Glas)* für den Champagner hingestellt?
Frau Müller: Ja, Chef, alles steht schon im Besprechungszimmer.
Chef: Und .... *(das Dokument)*? Haben Sie die kopiert?
Frau Müller: Ich habe .... *(die Unterlage)* kopiert, ... *(die Mappe)* hingelegt und .... *(das Fenster)* geöffnet.
Chef: Gut, dann bin ich beruhigt.
Frau Müller: Und Sie, Chef? Haben Sie .... *(der Praktikant)* über die Ankunft der Geschäftspartner informiert? Sie sollen doch .... *(der Herr)* vom Bahnhof abholen.
Chef: Oh nein, das habe ich vergessen!

7) **Singular oder Plural? Ergänzen Sie die Nomen in der richtigen Form.**
Singular or plural? Complete the text by adding the nouns in the correct form.

~~Urlaub~~ • Prospekt • Stern • Urlaubstag • Erwartung • Zimmer • Getränk • Fernseher • Bett • Problem • Stunde • Liegestuhl • Gast • Hotelpersonal • Service • Hälfte

Berlin, den 5. Juni

Sehr geehrte Damen und Herren,

ich habe vom 22. bis zum 29. Mai in Ihrem Hotel „Meeresbrise" *Urlaub* (0) gemacht. Im .... (1) stand, dass Ihr Hotel vier .... (2) hat, und ich habe mich auf die .... (3) an der Nordsee sehr gefreut. Leider wurden meine .... (4) nicht erfüllt. Die .... (5) waren klein und dunkel. Es gab keine .... (6) in der Minibar und der .... (7) war kaputt. Nachts konnte ich nicht schlafen, weil die .... (8) so hart waren. Ich habe immer noch Rückenschmerzen! Auch in anderen Bereichen des Hotels gab es .... (9). Im Hotelrestaurant mussten wir manchmal zwei .... (10) auf das Essen warten. Am Swimmingpool standen nur zehn .... (11), im Hotel wohnten aber über 100 .... (12). Das .... (13) war unfreundlich oder überhaupt nicht vorhanden. Ich habe für unser Doppelzimmer 150 Euro bezahlt – das ist für den schlechten .... (14) viel zu viel. Ich erwarte von Ihnen, dass Sie mir die .... (15) des Geldes zurückzahlen. Meine Kontonummer finden Sie im Briefkopf.

Mit freundlichen Grüßen
Fritz Freundlich

2.3 Kasus The grammatical case

Der Gemüsehändler gibt der Frau den Apfel.
↓ Nominativ ↓ Dativ ↓ Akkusativ

Die Frau geht gerne zum Stand des Gemüsehändlers.
↓ Genitiv

▶ Formen Forms

Kasus	Singular maskulin		Singular feminin		Singular neutral		Plural	
Nominativ	der	Baum	die	Maus	das	Auto	die	Bücher
Akkusativ	den	Baum	die	Maus	das	Auto	die	Bücher
Dativ	dem	Baum	der	Maus	dem	Auto	den	Büchern
Genitiv	des	Baumes	der	Maus	des	Autos	der	Bücher

▶ Hinweise Rules

→ Den Kasus erkennt man hauptsächlich an der Endung des Artikels.
The case is usually indicated by the article ending.

→ Im Genitiv Singular bekommen maskuline und neutrale Nomen die Endung *-(e)s*: der Baum – des Baum**es**, der Kuchen – des Kuchen**s**, das Auto – des Auto**s**.
Masculine and neuter nouns receive an *-(e)s* in the genitive singular: *der Baum – des Baumes, der Kuchen – des Kuchens, das Auto – des Autos.*

→ Im Dativ Plural bekommen die Nomen die Endung *-n*: die Bäume – den Bäume**n**, die Mäuse – den Mäuse**n**, die Bücher – den Bücher**n**.
Ausnahme: Nomen mit der Pluralendung *-s*: die Autos – den Autos.
All nouns receive an *-n* in the dative plural: *die Bäume – den Bäumen, die Mäuse – den Mäusen, die Bücher – den Büchern.*
The only exceptions are nouns with the plural ending *-s*: *die Autos – den Autos.*

■ Wer oder was bestimmt den Kasus? Who or what determines the case?

A Verben Verbs

▶ Das Verb regiert im Satz! The verb determines the sentence structure.

→ **Verben mit direktem Kasus** Verbs with a direct case ➤ Seite 59
Das Verb bestimmt den Kasus. The case is determined by the verb.

Der Hausmeister schreibt dem Direktor eine E-Mail.
↓ Nominativ ↓ Dativ ↓ Akkusativ

→ **Verben mit präpositionalem Kasus** Verbs with a prepositional case ➤ Seite 62
Das Verb bestimmt die Präposition und die Präposition bestimmt den Kasus.
The preposition is determined by the verb and the case is determined by the preposition.

Die Kollegen reden über das Projekt.
↓ Nominativ ↓ *über* + Akkusativ

B Präpositionen in freien Angaben (z. B. lokale, temporale oder modale Angaben)

Prepositions in optional complements (e.g. adverbs of place, time, or manner)

Wir kommen zu <u>dir</u>.	→	Lokalangabe	*zu* + Dativ	
Wir kommen nach <u>dem Abendessen</u>.	→	Temporalangabe	*nach* + Dativ	
Wir kommen mit <u>dem Auto</u>.	→	Modalangabe	*mit* + Dativ	
Wir kommen ohne <u>die Kinder</u>.	→	Modalangabe	*ohne* + Akkusativ	➤ Seite 117

C Nomen mit Genitivattribut   Nouns with a genitive attribute

Das ist das Büro <u>meines Chefs</u>.
<u>Ottos</u> Drucker ist kaputt. → Bei Namen steht das Genitivattribut vor dem Bezugswort.
If the genitive attribute (possessor) is a name, it precedes the possessed noun.

■ ■ ■ Übungen

1) Ergänzen Sie die Nomen im Akkusativ Singular.
Put the nouns in the accusative singular.

a) In der Firma: Ich suche ...

- ● *den Brief* (der Brief)
- 1. .... *(das Dokument)*
- 2. .... *(das Wörterbuch)*
- 3. .... *(der Chef)*
- 4. .... *(der Kopierer)*
- 5. .... *(die Personalabteilung)*
- 6. .... *(der Schlüssel)*
- 7. .... *(der Bleistift)*

b) Zu Hause: Ich lese ...

- 1. .... *(der Krimi)* von Dona Leon
- 2. .... *(der Artikel)* über das Leben auf dem Mond
- 3. .... *(das Fernsehprogramm)*
- 4. .... *(die Leipziger Volkszeitung)*

2) Ergänzen Sie die Nomen im Akkusativ Plural.
Put the nouns in the accusative plural.

Auf der Straße: Siehst du ...

- ● *die Bäume?* *(der Baum)*
- 1. ....? *(die Blume)*
- 2. ....? *(das Kind)*
- 3. ....? *(das Verkehrsschild)*
- 4. ....? *(das Taxi)*
- 5. ....? *(das Kaufhaus)*

3) Ergänzen Sie die Nomen im Dativ Singular.
Put the nouns in the dative singular.

a) Wem gehört das gelbe Auto? Das Auto gehört ...

- ● *der Deutschlehrerin* *(die Deutschlehrerin)*
- 1. .... *(der Fußballspieler)*
- 2. .... *(die Firma)*
- 3. .... *(der Finanzminister)*
- 4. .... *(der Filmstar)*
- 5. .... *(das Mädchen)*

b) Womit seid ihr gekommen? Mit ...

- 1. .... *(das Taxi)*
- 2. .... *(der Zug)*
- 3. .... *(die U-Bahn)*
- 4. .... *(das Fahrrad)*

4) Ergänzen Sie die Nomen im Dativ Plural.
Put the nouns in the dative plural.

Wem helfen die neuen Gesetze? Sie helfen ...

- ● *den Arbeitern* *(der Arbeiter)*
- 1. .... *(der Politiker)*
- 2. .... *(das Kind)*
- 3. .... *(die Frau)*
- 4. .... *(der Künstler)*
- 5. .... *(der Hausbesitzer)*
- 6. .... *(der Manager)*
- 7. .... *(der Bauer)*

5) **Ergänzen Sie die Nomen im Genitiv Singular.**
Put the nouns in the genitive singular.

Hast du die Adresse …

- *der Firma?* (die Firma)
1. ……………………? *(das Restaurant)*
2. ……………………? *(der Detektiv)*
3. ……………………? *(die Sprachschule)*
4. ……………………? *(das Hotel)*
5. ……………………? *(die Autowerkstatt)*

6) **Was passt nicht in die Reihe? Achten Sie auf die Verben und den Kasus.**
Which noun does not fit? Pay attention to the verb and the grammatical case.

● Wir möchten gerne	a) das Museum c) das Konzert	b) die Ausstellung d) ~~dem Fußballspiel~~	besuchen.
1. Hast du	a) der Sekretärin c) den Projektmitarbeitern	b) die Kollegin d) dem Chef	schon geantwortet?
2. Hast du	a) das Essen c) der Reise	b) die Rechnung d) die Fahrtkosten	schon bezahlt?
3. Hast du	a) die E-Mail c) die Fotos	b) den Dokumenten d) die Excel-Tabelle	schon gespeichert?
4. Ich möchte gerne	a) die Tomatensuppe c) die Spaghetti	b) der Pudding d) das Schnitzel	essen.
5. Gratulierst du	a) der Direktor c) der Nachbarin	b) dem Kunden d) der Lehrerin	zum Geburtstag?

7) **In welchem Kasus stehen die Nomen?**
In which grammatical case is the underlined word?

- Hast du die Zeitung gelesen? *Akkusativ*
1. Leihst du mir das Wörterbuch? ……………………
2. Der Rezeptionist gibt den Hotelgästen den Schlüssel. …………………… ……………………
3. Die Eltern von Ulrike wohnen in Hamburg. ……………………
4. Siehst du das Gebäude dort? ……………………
5. Das ist das Rathaus. ……………………
6. Dem Kind schmeckt das Essen nicht. …………………… ……………………
7. Ich nehme den blauen Rock. ……………………
8. Kennst du das Passwort für diesen Computer? ……………………
9. Darf ich das Telefon des Chefs benutzen? …………………… ……………………
10. Ich muss den Kindern helfen. ……………………

8) **Beantworten Sie die Fragen.**
Answer the questions.

1. □ Womit fahren Sie zur Arbeit? *(die Straßenbahn, der Zug, das Fahrrad, das Auto, die U-Bahn)*
   △ *Ich fahre mit der Straßenbahn,* ……………………………………
2. □ Woran denken Sie? *(der Urlaub, das Konzert von gestern, die Probleme im Büro, die Arbeit)*
   △ ……………………………………
3. □ Mit wem haben Sie gerade gesprochen? *(der Chef, die Sekretärin, das Mädchen dort)*
   △ ……………………………………
4. □ Worüber ärgern Sie sich? *(die E-Mail von Sabine, der Fotokopierer, das Wochenendprogramm, die Besprechungen)*
   △ ……………………………………
5. □ Wofür geben Sie viel Geld aus? *(das Studium, die Kinder, der Management-Kurs, die Miete)*
   △ ……………………………………
6. □ Worauf freuen Sie sich? *(die Ferien, die Geburtstagsparty, der Theaterbesuch, das Wochenende)*
   △ ……………………………………

Besondere maskuline Nomen: Die n-Deklination

Particular masculine nouns: n-nouns

Formen Forms

Kasus	Singular maskulin		Plural	
Nominativ	der	Kollege	die	Kollegen
Akkusativ	den	Kollegen	die	Kollegen
Dativ	dem	Kollegen	den	Kollegen
Genitiv	des	Kollegen	der	Kollegen

Hinweise Rules

→ Einige maskuline Nomen haben eine besondere Endung: Sie enden außer im Nominativ Singular immer auf *-n*. Dazu gehören:

- die meisten maskulinen Nomen auf *-e*: der Kollege, der Junge, der Kunde
- Angehörige bestimmter Nationalitäten (auf *-e*): der Brite, der Bulgare, der Chinese, der Däne, der Finne, der Franzose, der Grieche, der Pole, der Russe, der Schwede usw.
- Nomen auf *-ant, -ent, -ist*: der Diamant, der Praktikant, der Patient, der Journalist, der Polizist (Endung in Singular und Plural: *-en*)
- Nomen wie: der Herr (Singular: Herrn, Plural: Herren)
  der Mensch (Singular: Menschen, Plural: Menschen)
  der Nachbar (Singular: Nachbarn, Plural: Nachbarn)

A few masculine nouns have a special ending: They receive an *-n* in all grammatical cases, except for the nominative singular.
To this group belong:

- Most masculine nouns ending in *-e*: *der Kollege, der Junge, der Kunde*
- Many names for nationalities (ending in *-e*): *der Brite, der Bulgare, der Chinese, der Däne, der Finne, der Franzose, der Grieche, der Pole, der Russe, der Schwede* etc.
- Nouns ending in *-ant, -ent, -ist*: *der Diamant, der Praktikant, der Patient, der Journalist, der Polizist* (the ending is *-en* for both the singular and the plural)
- Nouns such as: *der Herr* (singular: *Herrn*, plural: *Herren*)
  der Mensch (singular: *Menschen*, plural: *Menschen*)
  der Nachbar (singular: *Nachbarn*, plural: *Nachbarn*)

Übungen

9) **Welche Nomen gehören zur n-Deklination? Wählen Sie aus.**
List the n-nouns.

1. Tiere: der Hund, ~~der Löwe~~, der Affe, der Elefant, der Kater der Tiger, der Fisch, der Hase, der Vogel
   der Löwe, ...
2. Nationalitäten: der Belgier, der Chinese, der Norweger, der Franzose, der Engländer, der Spanier, der Russe, der Amerikaner, der Japaner, der Inder
   ....
3. Berufe: der Biologe, der Jurist, der Sekretär, der Journalist, der Informatiker, der Politiker, der Assistent, der Lehrer
   ....
4. Menschen: der Herr, der Junge, der Mann, der Kollege, der Kunde, der Vater, der Sohn
   ....

10) **Markieren Sie die Nomen der n-Deklination. Unterstreichen Sie die Endung, wenn nötig.** 36
Aussprachehilfe: Hören Sie die Lösungen auf CD.
Mark all n-nouns in the text. Underline the endings where necessary. Pronunciation help: Check your answers with the CD.

Was Sie schon immer über Diamanten wissen wollten ...

Der Diamant ist das Symbol der ewigen Liebe, weil er als unzerstörbar gilt. Weltweit beurteilen Experten Diamanten nach dem Zusammenspiel von Schliff, Gewicht (Karat), Farbe und Reinheit.
Der perfekte Schliff verleiht dem Diamanten seine Brillanz. Der Schliff wird von Menschen gemacht und der Mensch kann damit den Diamanten direkt beeinflussen. Denn erst der Schliff bringt den Diamanten zum Leuchten.
Die Farbe eines Diamanten spielt auch eine große Rolle. Je weißer ein Diamant ist, desto seltener ist er. Diamanten werden in fast allen Farben des Regenbogens gefunden.
Die Reinheit eines Diamanten kann man daran erkennen, ob und wie viele Einschlüsse er hat. Diese Merkmale geben dem Stein eine eigene Signatur. Ein Diamant gilt dann als rein, wenn selbst unter zehnfacher Vergrößerung keine Einschlüsse sichtbar sind. Das Gewicht und damit auch die Größe eines Diamanten wird in Karat gemessen. Ein Karat entspricht 0,2 Gramm. Ein Diamant von fünf Karat wiegt also ein Gramm.

Schliff: cut • Gewicht: weight • Farbe: colour • Reinheit: purity • Einschlüsse: imperfections, inclusions • Merkmal: feature • Vergrößerung: blow-up

11) **Ergänzen Sie die Endungen der maskulinen Nomen, wenn nötig.**
Fill in the ending of the masculine nouns where necessary.

- Andreas schenkte Gudrun zum Geburtstag einen Diamant*en*.

1. Hast du die Telefonnummer des Kunde......?
2. Nein, der Kunde...... hat mir die Nummer nicht gegeben.
3. Der Arzt sprach mit dem Patient.......
4. Was ist mit dem neuen Kollege......? Kommt er nicht zur Sitzung?
5. An dem Wettkampf nahmen Teilnehmer aus verschiedenen Nationen teil, darunter auch Chinese...... und Grieche.......
6. Über die Reise des Politikers berichteten viele Journalist.......
7. Heute gab es Auseinandersetzungen zwischen Polizist...... und Demonstrant.......
8. Ein Polizist...... wurde verletzt.

12) **Ergänzen Sie das Wort *Kollege* im Singular oder Plural in der richtigen Form.**
Put the word *Kollege* in the correct singular or plural form.

Einladung zum Männertag
Liebe ....(1),
hiermit möchten wir alle männlichen ....(2) zu einer Kutschenfahrt am Donnerstag, dem 15. Mai einladen. Die Fahrt beginnt um 10.00 Uhr und dauert ca. drei Stunden. Für die Getränke ist gesorgt: ....(3) Müller bringt zwei Fässer Bier mit. Wir suchen noch einen hilfsbereiten ....(4), der etwas zu Essen vorbereitet. Nach der Fahrt mit der Pferdekutsche haben wir zwei Bowlingbahnen im Sportzentrum „Bleib fit" reserviert. Dort findet unser Bowling-Firmenwettkampf statt. Der Sieger erhält eine Prämie von 100 Euro. Bowlingmeister im letzten Jahr war Friedrich Kuhn aus der Personalabteilung. Wir sind gespannt, ob dieses Jahr mal ein ....(5) aus einer anderen Abteilung gewinnt.
Ich bitte alle ....(6), die teilnehmen möchten, sich bis zum 5. Mai bei mir zu melden.
Noch ein letzter Hinweis: Alle Teilnehmer müssen für diesen Tag Urlaub beantragen.

Mit kollegialen Grüßen
Kurt Ganz

2.4 Bestimmter, unbestimmter und negativer Artikel
Definite, indefinite and negative articles

Das ist *eine* Katze.
↓
unbestimmter Artikel

Die Katze gehört meiner Nachbarin.
↓
bestimmter Artikel

Das ist *keine* Katze.
↓
negativer Artikel

Das ist eine Maus.

▶ **Hinweise** Rules

→ Artikelwörter sind Begleiter des Nomens. Sie stehen vor dem Nomen. Man kann die grammatischen Formen des Nomens (Genus, Numerus, Kasus) an den Formen des Artikels erkennen.
Nouns are usually preceded by an article. The role of the article is to indicate the grammatical properties (gender, number, case) of the noun.

A Bestimmter Artikel The definite article

▶ **Formen** Forms

Kasus	Singular maskulin		Singular feminin		Singular neutral		Plural	
Nominativ	der	Baum	die	Maus	das	Auto	die	Bücher
Akkusativ	den	Baum	die	Maus	das	Auto	die	Bücher
Dativ	dem	Baum	der	Maus	dem	Auto	den	Büchern
Genitiv	des	Baumes	der	Maus	des	Autos	der	Bücher

▶ **Hinweise** Rules

→ Der bestimmte Artikel zeigt an, dass
- das Nomen schon bekannt ist bzw. genannt wurde: Die Katze gehört meiner Nachbarin.
- etwas allgemein bekannt ist: die Erde, der Mond.

The definite article is used when
- The noun has already been introduced: *Die Katze gehört meiner Nachbarin.*
- Something is part of the general knowledge: *die Erde, der Mond.*

B Unbestimmter und negativer Artikel Indefinite and negative articles

▶ **Formen** Forms

Kasus	Singular maskulin		Singular feminin		Singular neutral		Plural	
Nominativ	ein kein	Baum	eine keine	Maus	ein kein	Auto	– keine	Bücher
Akkusativ	einen keinen	Baum	eine keine	Maus	ein kein	Auto	– keine	Bücher
Dativ	einem keinem	Baum	einer keiner	Maus	einem keinem	Auto	– keinen	Büchern
Genitiv	eines keines	Baumes	einer keiner	Maus	eines keines	Autos	– keiner	Bücher

▶ **Hinweise** Rules

→ Im Nominativ maskulin und neutral sowie im Akkusativ neutral haben der unbestimmte und der negative Artikel keine Endung: ein Baum, ein Auto, kein Auto.
Indefinite and negative articles do not have a special ending for the nominative of masculine and neuter nouns and for the accusative of neuter nouns: *ein Baum, ein Auto, kein Auto.*

→ Der unbestimmte Artikel zeigt etwas Neues, Unbekanntes an: Im Keller war **eine** Katze.
The indefinite article is used to introduce new information: *Im Keller war eine Katze.*

→ Der negative Artikel signalisiert Verneinung: Es war **keine** Katze, es war eine Maus.
The negative article indicates negation: *Es war keine Katze, es war eine Maus.*

→ Der unbestimmte Artikel hat keine Pluralform: Vor dem Nomen im Plural steht kein Artikel: In der Küche war eine Maus. In der Küche waren Mäuse.
The indefinite article does not have a plural form: The noun is used in the plural without an article.

→ Außerdem steht kein Artikel (= „Nullartikel") bei:
Other cases where no article („Nullartikel") is used are the following:

- abstrakten Nomen: Abstract nouns: — Was ist ␣ Glück?
- Materialbenennungen: Names for materials: — Der Ring ist aus ␣ Gold.
- Mengenangaben und unbestimmten Mengen: Exact and undefined quantities: — Zwei Tassen ␣ Kaffee, bitte. Wir brauchen noch ␣ Zwiebeln.
- Städten, Kontinenten und den meisten Ländern: Cities, continents and most countries: — Wir fahren nach ␣ Berlin, ␣ Australien, ␣ Schweden.
- Nationalitäten und Berufen: Nationalities and professions: — Ich bin ␣ Italiener. Er ist ␣ Arzt.
- vielen festen Verbindungen: Many idiomatic expressions: — Ich fahre ␣ Auto. Ich habe ␣ Angst.
- Namen und Anreden: Names and forms of address: — Heute singt ␣ Gustav. Guten Tag, ␣ Frau Müller.

■ ■ ■ Übungen

1) **Ergänzen Sie den bestimmten oder unbestimmten Artikel und das Nomen.**
Fill in the noun and the definite or indefinite article.

● Das ist *ein Baum*. *Der Baum* steht vor meinem Fenster.

1. Das ist .... liegt auf meinem Schreibtisch.

2. Das ist .... gehört Frau Müller.

3. Das ist .... steht auf dem Schreibtisch.

4. Das ist .... Leider ist .... schon geschmolzen.

5. Das ist .... steht im Klassenzimmer.

6. Das ist .... benutzt man zum Nachschlagen.

7. Das ist .... lebt im Stall von Bauer Hagen.

2) Unbestimmter und negativer Artikel
Ergänzen Sie die Endungen in den Dialogen, wenn nötig.
Indefinite and negative articles. Complete the endings in the dialogue where necessary.

1. Im Deutschkurs
   □ Hast du ein......... Kugelschreiber für mich?
   △ Nein, ich habe leider nur ein......... Bleistift.
   Kein......... Problem. Ich schreibe auch mit ein......... Bleistift.
2. Im Büro
   □ Brauchen Sie noch etwas?
   △ Ja, ich brauche noch ein......... Lampe, ein......... Bürostuhl und ein......... Telefon.
3. Im Hotel
   □ Möchten Sie ein......... Einzelzimmer oder ein......... Doppelzimmer?
   △ Ein......... Einzelzimmer, bitte. Hat das Zimmer ein......... Internetanschluss?
   Nein, leider haben wir im Haus kein......... Internetzugang.
4. An der Museumskasse
   □ Ich möchte ein......... Eintrittskarte für die Van-Gogh-Ausstellung.
   △ Acht Euro, bitte.
   □ Haben Sie auch ein......... Katalog zur Ausstellung?
   △ Nein, wir haben leider kein......... Katalog. Wir haben aber ein......... Bildband mit Gemälden von Vincent van Gogh.

3) Ergänzen Sie den bestimmten oder unbestimmten Artikel.
Achten Sie auf den Kasus.
Fill in the definite or indefinite article for each word. Pay attention to the case.

1. Herr Schneider, wir haben doch für heute *einen* Termin vereinbart. Leider muss ich .... Termin verschieben.
2. Ich habe .... neuen Drucker bekommen. .... Drucker funktioniert schon nach einer Woche nicht mehr.
3. .... Chef hat für morgen .... Besprechung geplant. .... Besprechung fällt aus, ... Chef muss nach Paris fliegen.
4. Wir haben Ihnen vor zwei Wochen .... Angebot geschickt. Haben Sie .... Angebot schon gelesen?
5. Du wolltest doch Klaus .... E-Mail schreiben? Hast du .... E-Mail schon abgeschickt?
6. Es gibt nur noch .... freie Stelle in der Verwaltung. .... freie Stelle in der Personalabteilung ist schon besetzt.

4) Neues von Katzen und Mäusen 37
Ergänzen Sie den bestimmten, unbestimmten oder negativen Artikel.
Aussprachehilfe: Hören Sie die Lösungen auf CD.
News about cats and mice. Fill in the definite, indefinite or negative article for each word. Pronunciation help: Check your answers with the CD.

~~das~~ • einem • keinen • die *(4 x)* • der *(2 x)* • eine • einer • den *(3 x)*

a)

Das beliebteste deutsche Haustier ist .... Katze. In Deutschland leben rund 8,2 Millionen Katzen und Kater. An zweiter Stelle folgen .... Nagetiere, auf dem dritten Platz kommen .... Hunde. Der Grund für .... Beliebtheit liegt im Verhalten .... Katzen. Sie gelten als sozial, manchmal auch als seltsam. .... Zeitung in Großbritannien berichtete kürzlich von .... besonderen Kater. Der Kater wartete jeden Morgen alleine an .... Bushaltestelle auf .... Bus, stieg in .... Bus ein und fuhr eine Runde.

Nagetier: rodent • Verhalten: behaviour • eine Runde fahren: make a tour

b)

Denken Sie immer noch, Mäuse lieben Käse? Falsch. Mäuse mögen .... Käse: Sie mögen Süßspeisen. Mäuse reagieren nur auf .... Geruch von Käse, weil .... Geruch in ihrer natürlichen Umgebung nicht vorkommt.

5) **Weitere Neuigkeiten**
Ergänzen Sie die Endungen der Artikel, wenn nötig. Achten Sie auf den Kasus. 38
Aussprachehilfe: Hören Sie die Lösungen auf CD.
More news. Fill in the ending of the article where necessary. Pay attention to the case.
Pronunciation help: Check your answers with the CD.

1

Die Textkurzmitteilung SMS ist in Deutschland feminin: *die* SMS. Aber in Österreich benutzt man d.......... Neutrum: d.......... SMS.

2

Haben Sie kein.......... Geld und brauchen Sie ein.......... Kredit? Dann müssen Sie zu ein.......... Bank gehen. Aber alle Banken wollen von ihren Kunden ein.......... Sicherheit, wenn sie Geld verleihen. Normalerweise akzeptieren Banken zum Beispiel ein.......... Wohnung oder ein.......... Auto.
Doch in Italien ist alles ganz anders. Bei einigen Banken im Norden d.......... Landes kann man auch Geld gegen Parmesan-Käse leihen. In d.......... Region Emilia Romagna akzeptieren vier Geldinstitute d.......... beliebten Hartkäse als Sicherheit.
Allein d.......... Bank Credito Emiliano hat 400 000 Parmesan-Käse eingelagert: 16 000 Tonnen Parmesan bedeuten 120 Millionen Euro. D.......... Bank hat für d.......... Käse ein Lagerhaus und Experten überwachen d.......... Reifeprozess.

3

Heute findet man in d.......... guten Hotels auch ein.......... „Wasser-Sommelier". Er arbeitet in d.......... Hotel-Restaurants. Er empfiehlt d.......... Gästen aber nicht d.......... besten Wein, sondern d.......... beste Wasser.

4

Ein.......... Experiment aus Amerika zeigte:
Ein.......... heiße Tasse Kaffee spielt im Umgang mit anderen Menschen ein.......... positive Rolle.
Wer ein.......... warme Tasse Kaffee in der Hand hatte, reagierte auf andere Menschen positiv, Menschen mit ein.......... Eiskaffee in den Händen waren nicht so freundlich.

6) **Ergänzen Sie den negativen Artikel in der richtigen Form.**
Put the negative articles in the correct form.

- Kommst du heute mit ins Kino? – Nein, ich habe heute *keine* Lust.
1. Kannst du mal schnell die Dokumente für mich kopieren? – Tut mir leid, ich habe im Moment .... Zeit.
2. Weißt du, mit wem der Chef gerade telefoniert hat? – Ich habe .... Ahnung.
3. Wie war deine Präsentation? – Schrecklich, es war .... Mensch da.
4. Kannst du mich vom Flughafen abholen? – Tut mir leid, ich habe zurzeit .... Auto.
5. Kommst du mit in die Kantine? – Nein, ich habe noch gar .... Hunger.
6. Wollen wir mal in den neuen Schuhladen gehen? – Nein, ich habe im Moment .... Geld.
7. Du hast doch gerade dein Studium beendet, arbeitest du schon? – Nein, ich habe noch .... Job gefunden.
8. Willst du mal einen Management-Kurs besuchen? – Nein, daran habe ich .... Interesse.
9. Kannst du das Bild aufhängen? – Nein, ich habe leider .... Nagel.
10. Möchtest du ein Glas Wasser? – Nein danke, ich habe .... Durst.
11. Kannst du diese Wörter ins Spanische übersetzen? – Nein, ich habe leider .... Wörterbuch.
12. Kannst du meine Wäsche waschen? – Nein, ich habe leider .... Waschmaschine.

2.5 Possessivartikel Possessive articles

Gehört das Handy mir oder dir?
Ist das mein Handy oder dein Handy?
↓ Possessivartikel ↓ Possessivartikel

Der Fotoapparat gehört Herrn Roth.
Es ist sein Fotoapparat.
↓ Possessivartikel

Die Katze gehört der Nachbarin.
Es ist ihre Katze.
↓ Possessivartikel

Wir haben einen Fernseher gekauft.
Es ist unser Fernseher.
↓ Possessivartikel

Liebt ihr die Musik von Bruno?
Ist das eure Lieblingsmusik?
↓ Possessivartikel

Das ist die Lehrerin der Schüler von Klasse 5.
Es ist ihre Lehrerin.
↓ Possessivartikel

▶ Formen Forms

Kasus	Singular: maskulin		Singular: feminin		Singular: neutral		Plural	
Nominativ	mein dein	Computer	meine ihre	Katze	mein unser	Auto	meine eure	Bücher
Akkusativ	meinen deinen	Computer	meine ihre	Katze	mein unser	Auto	meine eure	Bücher
Dativ	meinem deinem	Computer	meiner ihrer	Katze	meinem unserem	Auto	meinen euren	Büchern
Genitiv	meines deines	Computers	meiner ihrer	Katze	meines unseres	Autos	meiner eurer	Bücher

▶ Hinweise Rules

→ Possessivartikel werden wie unbestimmte Artikel dekliniert.
Im Nominativ maskulin und neutral sowie im Akkusativ neutral haben sie keine Endung: mein Computer, mein Auto, unser Auto.
The declension of possessive articles is the same as the declension of indefinite articles. Possessive articles do not have a special ending for the nominative of masculine and neuter nouns, and for the accusative of neuter nouns: *mein Computer, mein Auto, unser Auto.*

→ Die 2. Person Plural hat zwei Formen: *euer* (ohne Endung) und *eur-* (vor einer Endung): euer Haus, in eurem Haus.
The second person plural has two forms: *euer* (without an ending) and *eur-* (with an ending): *euer Haus, in eurem Haus.*

Übungen

1) **Welcher Possessivartikel passt zu welchem Personalpronomen bzw. zu welchen Personen?**
Find the matching possessive article for each personal pronoun and person.

Ihr • unser • ihr • euer • mein • sein • dein

- ich: *mein* Haus
1. du: .... Haus
2. er: .... Haus
3. sie *(Sg.)*: .... Haus
4. das Kind: .... Ball
5. wir: .... Haus
6. ihr: .... Haus
7. Sie: .... Haus
8. Otto und Marie: .... Haus
9. der Chef: .... Büro

2) **Viele Katastrophen. Ergänzen Sie die Possessivartikel.**
Many catastrophes. Build possessive structures.

a) **Ach du Schreck! Alles weg!**
O dear! Everything is gone.

- ich – der Schmuck: *Mein* Schmuck
1. du – das Auto: .... Auto
2. er – das Fahrrad: .... Fahrrad
3. sie – die Handtasche: .... Handtasche
4. wir – der Koffer: .... Koffer
5. ihr – der Fotoapparat: .... Fotoapparat ... wurde gerade gestohlen!

b) **Alles vergessen!**
We forgot everything.

1. Ich habe *meinen* Pass *(m)*, ... Handy *(n)* und .... Lippenstift *(m)* vergessen.
2. Otto hat .... Portemonnaie *(n)*, ... Autoschlüssel *(m)* und .... Badehose *(f)* vergessen.
3. Wir haben .... Reiseunterlagen *(Pl.)*, ... Bademäntel *(Pl.)* und .... Sonnencreme *(f)* vergessen.
4. Habt ihr .... Reservierungsbestätigung *(f)* für das Hotel, ... Eintrittskarten *(Pl.)* für das Museum und .... Geld *(n)* vergessen?
5. Kathrin hat .... Sonnenbrille *(f)*, ... Krimi *(m)* und .... Wecker *(m)* vergessen.
6. Die Kinder haben .... Gameboys *(Pl.)*, ... Fußball *(m)* und .... Sportschuhe *(Pl.)* vergessen.
7. Und du? Hast du wieder .... Laptop *(m)* vergessen?

3) **Ursachen und Folgen. Ergänzen Sie die Sätze.**
Causes and effects. Complete the sentences.

- Erik hat gestern viel getrunken. Heute tut *sein Kopf* sehr weh. *(Kopf)*
1. Die Kinder haben gestern keine Mützen getragen. .... tun jetzt weh. *(Ohren)*
2. Ich kann kaum sprechen. Seit gestern tut .... sehr weh! *(Hals)*
3. Ihr habt den ganzen Tag vor dem Computer gesessen? Tut .... nicht weh? *(Rücken)*
4. Wir haben heute eine lange Wanderung gemacht. Jetzt tun .... weh. *(Füße)*
5. Du hast sehr viel gegessen. .... tut jetzt bestimmt weh. *(Bauch)*
6. Ingo isst sehr viel Schokolade. Deshalb tun .... weh. *(Zähne)*
7. Laura hat heute fünf Briefe geschrieben. .... tut jetzt weh. *(Hand)*
8. Ich habe heute viele Dokumente am Computer-Bildschirm gelesen. .... tun jetzt weh. *(Augen)*

4) Im Deutschkurs. Stellen Sie Fragen. Achten Sie auf die Endungen.
In the German lesson. Ask questions. Pay attention to the endings.

	informelle Fragen an einen Kursteilnehmer *(du)*	formelle Fragen an einen Kursteilnehmer *(Sie)*	informelle Fragen an mehrere Kursteilnehmer *(ihr)*
●	Wie ist *dein* Name?	Wie ist *Ihr* Name?	Wie ist *euer* Name?
1.	Was isst man in .... Heimatland zum Frühstück?	....	....
2.	Was machen .... Kinder?	....	....
3.	Was machst du in .... Freizeit?	....	....
4.	Arbeitest du oft in .... Garten?	....	....
5.	Schreibst du oft an .... Freunde?	....	....
6.	Wo hast du in .... Kindheit gewohnt?	....	....

5) Ergänzen Sie in der folgenden Reservierungsbestätigung die Possessivartikel.
Fill in the possessive articles in the following confirmation of reservation.

Ihre *(3 x)* • Ihren • unser *(2 x)* • unserer • unserem • unsere

Sehr geehrte Frau Hagenmüller,

herzlichen Dank für .... Zimmerbestellung. Gerne bestätigen wir Ihnen .... Reservierung für die Zeit vom 9. bis zum 15. August in .... Hotel. .... Zimmer sind alle mit Balkon und Terrasse ausgestattet und verfügen über eine Badewanne und WC.
Eine Besonderheit ist .... Gourmet-Restaurant, das kulinarische Spezialitäten der Insel Rügen bietet. .... Beauty-SPA-Team nimmt .... Buchungswünsche gerne entgegen (Telefon-Durchwahl: 03 83 93/1 55 69). Wenn Sie mit dem Auto anreisen, empfehlen wir Ihnen, vorab einen Platz in .... Tiefgarage zu reservieren.
Wir freuen uns auf .... Besuch und wünschen Ihnen eine gute Anreise.

Mit freundlichen Grüßen von der Insel Rügen …

6) Gesehen und gehört. Gestern war in der Galerie *Künstlich* eine Vernissage. Ergänzen Sie die Possessivartikel.
Seen and heard. Yesterday a vernissage took place in the gallery *Künstlich*. Fill in the possessive articles.

1. Die Schauspielerin Gudrun Schön kam mit .... Freund. Sie trug .... rotes Kleid von Armani.
2. Der Sänger Bruno war auch da. Er kam mit .... Kollegin Sandra. Viele fragten sich, ob .... Freundin Yvonne das gut findet. Bruno berichtete über .... neue CD. .... Fans wollten auch an diesem Abend Autogramme.
3. Der Maler Friedrich Grün sprach mit den Journalisten über .... Bilder, ... Farben, ... Hund und .... Ansicht über Kunst.
4. Auch Marie und Otto Sander waren bei der Vernissage. Sie sind bekannt für .... Gemäldesammlung. Otto Sander kaufte ein Bild von .... Lieblingsmaler Leo Qualm.
5. Der Bildhauer Karl Hammer stritt sich mit Sänger Bruno. .... Aggressionen sind bei vielen Galeristen schon bekannt. Man sagt, dass sich .... Kunstwerke zurzeit sehr schlecht verkaufen.
6. Am Ende hielt der Direktor der Kunsthochschule eine Rede. Er findet es positiv, dass junge Maler .... Werke in Galerien ausstellen können.

2.6 Demonstrativ- und Frageartikel *Demonstrative articles and interrogative articles*

□ Liebling, ich brauche noch ein neues Kleid.

△ Was für ein Kleid brauchst du denn? Du hast doch schon so viele.

□ Ich brauche ein neues Sommerkleid.

△ Du weißt doch, ich schenke dir alles, was du willst. Welches Kleid gefällt dir am besten?

□ Dieses Kleid dort, das blaue. Das kostet auch nur die Hälfte.

Was für ein Kleid ...?
↓
Frageartikel

Ein neues Sommerkleid.
↓
unbestimmter Artikel

Welches Kleid ...?
↓
Frageartikel

Dieses Kleid dort.
↓
Demonstrativartikel

▶ Formen *Forms*

Kasus	Singular						Plural	
	maskulin		feminin		neutral			
Nominativ	dieser welcher	Anzug	diese welche	Bluse	dieses welches	Auto	diese welche	Schuhe
Akkusativ	diesen welchen	Anzug	diese welche	Bluse	dieses welches	Auto	diese welche	Schuhe
Dativ	diesem welchem	Anzug	dieser welcher	Bluse	diesem welchem	Auto	diesen welchen	Schuhen
Genitiv	dieses welches	Anzugs	dieser welcher	Bluse	dieses welches	Autos	dieser welcher	Schuhe

▶ Hinweise *Rules*

→ Der Frageartikel *was für ein/eine* steht bei der Frage nach der Entscheidung zwischen allgemeinen Möglichkeiten. Die Antwort darauf erfolgt mit einem unbestimmten Artikel:
Was für eine Bluse möchtest du denn? Eine Baumwollbluse. ➤ Seite 82
The interrogative article *was für ein/eine* (what kind of) is used when one has to choose among several vaguely-defined options. In the answer to this question the indefinite article is used: *Was für eine Bluse möchtest du denn? Eine Baumwollbluse.*

→ Der Frageartikel *welcher/welche/welches* steht bei der Frage nach der Entscheidung zwischen konkreten Möglichkeiten. Die Antwort darauf erfolgt mit einem Demonstrativartikel oder einem bestimmten Artikel. Frageartikel und Demonstrativartikel werden wie der bestimmte Artikel dekliniert:
Welche Bluse möchtest du denn? Diese Bluse dort. Die rote Bluse mit den gelben Punkten. ➤ Seite 82
The interrogative article *welcher/welche/welches* (which) is used when one has to choose between two or more well-defined options. In the answer to this question the demonstrative article or the definite article is used. The declension of interrogative and demonstrative articles is the same as the declension of definite articles: *Welche Bluse möchtest du denn? Diese Bluse dort. Die rote Bluse mit den gelben Punkten.*

Übungen

1) Was passt zusammen? Ordnen Sie zu.
Find the matching answer for each question.

1. Was für ein Auto haben Sie gesehen?
2. Welche Schuhe meinten Sie?
3. Welches Buch kannst du mir empfehlen?
4. Was für ein Haustier hat Oma jetzt?
5. Was für ein Typ ist der neue Kollege?
6. Welche Zeitung hast du gelesen?

a) Ein sehr netter! Ich mag ihn.
b) Die Süddeutsche.
c) Lies dieses mal, es ist sehr spannend.
d) Ein grünes mit einem roten Dach.
e) Die blauen mit der roten Schleife.
f) Wieder eine Katze.

2) Ergänzen Sie den Demonstrativartikel oder den Frageartikel in der richtigen Form. 39
Aussprachehilfe: Hören Sie die Lösungen auf CD.
Put the demonstrative article or the interrogative article in the correct form. Pronunciation help: Check your answers with the CD.

1. Im Geschäft
□ Könnten Sie mir bitte mal *diese* Tasche dort zeigen?
△ .... Tasche meinen Sie?
□ Die blaue Tasche.
△ ....?
□ Nein, nicht die rechte, die linke Tasche. Ja, genau .... Tasche meine ich.

2. Bei der Polizei
□ Sie waren zur Tatzeit vor dem Juweliergeschäft?
△ Ja, und ich habe einen Mann gesehen, der in das Geschäft hineingegangen ist.
□ .... Mann haben Sie denn gesehen?
△ Einen großen Mann, etwa 1,90 Meter. Er war kräftig und trug einen Mantel.
□ .... Mantel trug der Mann?
△ Einen langen schwarzen Mantel.
□ .... Haarfarbe hatte der Mann? War er blond oder hatte er dunkle Haare?
△ Er war blond.
□ Schauen Sie sich mal .... Fotos hier an. Vielleicht erkennen Sie den Mann wieder.
△ Also, ... Mann hier könnte es sein. ... Ich bin mir jetzt ganz sicher, das ist er. .... Mann habe ich gesehen.

3. In der Kunstausstellung
□ Hast du das neue Bild von Leo Qualm schon gesehen?
△ .... Bild meinst du?
□ Na das dort. Wie findest du das Bild?
△ Na ja, ehrlich gesagt finde ich gerade .... Bild nicht so toll. Die anderen Bilder gefallen mir besser.

3) Fragen im Hotel. Ergänzen Sie *welch-* oder *was für ein* in der richtigen Form.
Questions in a hotel. Put *welch-* or *was für ein* in the correct form.

● *Welches* Zimmer nimmst du? Das linke oder das rechte? – Das linke.
1. .... Zimmer möchten Sie? – Ein Doppelzimmer.
2. In .... Stock befindet sich mein Zimmer? – Im ersten.
3. .... Schlüssel ist für den Zimmertresor? – Der gelbe.
4. In .... Bett willst du schlafen? – Im rechten.
5. An .... Tagen ist der Botanische Garten geschlossen? – Nur am Montag.
6. .... Tür führt zur Tiefgarage? – Die erste Tür links.
7. Mit .... Karte möchten Sie zahlen? – Mit einer Kreditkarte von VISA.
8. Unter .... Telefonnummer kann ich die Hotelbar erreichen? – 984.
9. .... Museum können Sie mir empfehlen? – Wir haben hier in der Stadt ein bekanntes Puppenmuseum.

3 Pronomen *Pronouns*
3.1 Personalpronomen *Personal pronouns*

Georg **schreibt** seine Masterarbeit.
Er **muss** sie **bald abgeben.**
↓ ↓
Personal-pronomen Personal-pronomen

Max und Moritz **helfen heute im Haushalt.**
Sie **waschen Tassen und Teller ab.**
↓
Personalpronomen

▶ Formen Forms

	Singular					Plural			formell
	1.	2.	3.			1.	2.	3.	
Nominativ	ich	du	er	sie	es	wir	ihr	sie	Sie
Akkusativ	mich	dich	ihn	sie	es	uns	euch	sie	Sie
Dativ	mir	dir	ihm	ihr	ihm	uns	euch	ihnen	Ihnen

▶ Hinweise Rules

→ Pronomen sind Stellvertreter der Nomen.
Pronouns substitute nouns.

→ Man kann alle Nomen durch ein Personalpronomen ersetzen, auch Nomen, die keine Personen sind. In der 3. Person Singular richtet sich das Personalpronomen nach dem Genus des Nomens:
der Baum = er • die Masterarbeit = sie • das Mädchen = es
Every noun can be replaced by a personal pronoun, including those which do not refer to a person. The personal pronoun of the third person singular is determined by the gender of the noun: *der Baum = er • die Masterarbeit = sie • das Mädchen = es.*

→ **Bei der Anrede von Personen** gebraucht man:
- die informelle Anrede *(du, ihr)* bei Kindern, Verwandten, Freunden und guten Bekannten
- die formelle Anrede *(Sie)* bei allen anderen Personen.

Die Anrede im Büro ist branchenabhängig. Meistens verwendet man die formelle Anrede, die informelle Anrede ist eher in kreativen Berufen zu finden.
German has two forms of address:
- The informal form of address *(du, ihr)* is used when talking with children, relatives, friends or good acquaintances.
- The formal form of address *(Sie)* is used when talking with any other person.

The form of the address at the workplace depends on the business sector. The most common form of address is the formal *Sie*. The informal form of address is mainly used in creative professions.

→ Man schreibt die formelle Anrede *(Sie, Ihnen, Ihre E-Mail* usw.*)* groß, z. B. in E-Mails oder Briefen.
Die informelle Anrede *(du/Du, dir/Dir, deine/Deine E-Mail* usw.*)* kann man klein oder groß schreiben.
The formal form of address *(Sie, Ihnen, Ihre E-Mail* etc.*)* is always written with a capital first letter, e. g. in e-mails or letters. The informal form of address *(du/Du, dir/Dir, deine/Deine E-Mail* etc.*)* may be written with or without a capital first letter.

3 Pronomen
3.1 Personalpronomen

Satzbau Sentence structure

→ Bei Ergänzungen mit einem Pronomen und einem Nomen steht das Pronomen vor dem Nomen.
If one of two complements is a pronoun and the other is a noun, the pronoun precedes the noun.

I.	II.	III.
Kathrin	schenkt	**ihm ein Fahrrad.**

→ Wenn beide Ergänzungen Pronomen sind, steht der Akkusativ vor dem Dativ.
If both complements are pronouns, the accusative pronoun precedes the dative pronoun.

I.	II.	III.
Kathrin	schenkt	**es ihm.**

Übungen

1) Ersetzen Sie die unterstrichenen Nomen durch ein Personalpronomen.
Replace each underlined noun by a personal pronoun.

a) Nominativ

- Der Kopierer ist kaputt. *er*

1. Das Dokument liegt auf dem Tisch. ……………………
2. Meine Kollegin und ich waren auf Dienstreise. ……………………
3. Das Haus gehört meinem Freund. ……………………
4. Das Mädchen hat geweint. ……………………
5. Meine Mutter und meine Tante haben mich besucht. ……………………
6. Der Chef hat schlechte Laune. ……………………

b) Akkusativ

1. Marie mag den neuen Kollegen. ……………………
2. Gustav singt nur für seine Fans. ……………………
3. Der Kunstsammler kaufte das Bild für drei Millionen Euro. ……………………
4. Ich habe den Termin schon abgesagt. ……………………
5. Wir konnten das Hotel im Internet nicht finden. ……………………
6. Frau Müller hat die Rechnungen gestern bezahlt. ……………………

c) Dativ

1. Das Auto gehört meinem Freund. ……………………
2. Ich gehe heute Abend mit meinen Kollegen ins Restaurant. ……………………
3. Max hat seiner Nachbarin beim Einkaufen geholfen. ……………………
4. Was hast du dem Mädchen zum Geburtstag geschenkt? ……………………
5. Der Direktor dankte der Praktikantin für ihre Arbeit. ……………………
6. Hast du deinen Eltern die Wahrheit gesagt? ……………………

d) Sätze mit zwei Pronomen. Antworten Sie wie im Beispiel. Achten Sie auf den Satzbau.
Sentences with two pronouns. Answer the questions by following the example. Pay attention to the sentence structure.

- Hast du ihm die Geschichte schon erzählt? – *Ja, ich habe sie ihm erzählt.*

1. Hast du ihr die Rechnung schon gezeigt? – ……………………………………………
2. Hast du ihnen die Maschine erklärt? – ……………………………………………
3. Hast du ihr den Ring gekauft? – ……………………………………………
4. Hast du ihm das Fahrrad geschenkt? – ……………………………………………
5. Hast du ihr die Fahrkarte gegeben? – ……………………………………………
6. Hast du ihr das Geld gestohlen? – *Nein, ich habe* …………………… *ihr nicht gestohlen.*

2) **Smalltalk vor der Geschäftsverhandlung. Ergänzen Sie das passende Personalpronomen.** 40
Aussprachehilfe: Hören Sie die Lösungen auf CD.
Smalltalk before a business meeting. Fill in the personal pronouns. Pronunciation help: Check your answers with the CD.

mir • mich • Ihnen • Sie

□ Guten Tag, Frau Klein.
△ Guten Tag, Herr Krumm. Wie geht es *Ihnen*?
□ Oh, danke gut, und ....? Haben .... meine E-Mail noch bekommen?
△ Ja, vielen Dank. Ich habe Ihre Vorschläge auch gleich ausgedruckt.
□ Möchten .... erst mal einen Kaffee?
△ Nein danke, Kaffee trinke ich nicht so gerne, Tee schmeckt .... besser.
□ Dann macht .... Frau Müller einen Tee, kein Problem. Sind .... zum ersten Mal in unserer Firma? Haben .... den Weg leicht gefunden?
△ Ja, mein Navigationssystem hat .... sicher hierher gebracht. Es ist eine wunderbare Erfindung der Technik!
□ Ah, der Tee kommt. Darf ich .... gleich unseren Katalog geben? Hier sind unsere neuen Produkte genau beschrieben.
△ Ich danke ....

3) **Fragen am Telefon. Ergänzen Sie *Sie* oder *Ihnen*.** 

Aussprachehilfe: Hören Sie die Lösungen auf CD.
Questions on the telephone. Fill in *Sie* or *Ihnen*. Pronunciation help: Check your answers with the CD.

● Was kann ich für *Sie* tun?
1. Könnten .... mich bitte mit Frau Ebershagen verbinden?
2. Könnte ich mit .... einen Termin vereinbaren?
3. Wann hätten .... Zeit?
4. Passt es .... am Donnerstag um 15.00 Uhr?
5. Kommen .... bei uns vorbei oder soll ich bei .... vorbeikommen?
6. Habe ich .... das neue Angebot schon geschickt?
7. Soll ich .... noch eine Bestätigung senden?
8. Soll ich .... am Bahnhof abholen?

4) **Ein Brief von Paul. Ergänzen Sie das richtige Personalpronomen.**
A letter from Paul. Fill in the personal pronouns.

ich • mich • mir • du • dich • dir

Liebe Julia,

wie geht es ....? Ich habe .... lange nicht mehr gemeldet, ich weiß. Bei .... gibt es nicht viel Neues zu berichten. Ich wohne immer noch in meiner kleinen Wohnung in der Innenstadt und studiere an der Uni. Nun bin .... schon im vierten Semester. .... gefällt das Studium jetzt besser als am Anfang. Ich habe .... an die Dozenten und die vielen Vorlesungen und Seminare gewöhnt. Am Wochenende arbeite .... als Kellner in einem Restaurant. Auf diese Weise kann .... ein bisschen Geld verdienen. Vielleicht komme .... in den Sommerferien mal nach München und besuche .... war schon lange nicht mehr im Deutschen Museum. Über das neue Kunstmuseum habe .... auch schon viel gehört.
Was machst .... eigentlich so? Schreib .... mal. Ich würde .... freuen.

Liebe Grüße
Paul

3.2 Reflexivpronomen Reflexive pronouns

Otto! Zieh dich endlich an!
↓
Reflexivpronomen im Akkusativ

Otto! Zieh dir endlich das Hemd an!
↓ Reflexivpronomen im Dativ ↓ Ergänzung im Akkustativ

Otto zieht sich an.
↓
Reflexivpronomen im Akkusativ

Otto zieht sich das Hemd an.
↓ Reflexivpronomen im Dativ ↓ Ergänzung im Akkustativ

▶ **Formen** Forms

	Singular					Plural			formell
	1.	2.		3.		1.	2.	3.	
Akkusativ	mich	dich	sich	sich	sich	uns	euch	sich	sich
Dativ	mir	dir	sich	sich	sich	uns	euch	sich	sich

➤ Seite 45: *Reflexive Verben*

▶ **Hinweise** Rules

→ Die Reflexivpronomen in der 1. und 2. Person Singular und Plural entsprechen den Personalpronomen.
Reflexive pronouns for the first and second person singular and plural are the same as personal pronouns.

→ In der 3. Person Singular und Plural und in der formellen Form ist das Reflexivpronomen im Dativ und Akkusativ immer *sich*.
The reflexive pronoun for the third person singular and plural and the formal *Sie* is *sich* in both the dative and the accusative cases.

→ Unterschiedliche Formen zwischen Akkusativ und Dativ gibt es nur in der 1. und 2. Person Singular: mich – mir, dich – dir.
There are only two differences between accusative and dative pronouns: the first and second person singular: *mich – mir, dich – dir.*

■ ■ ■ Übungen

1) **Was passt zusammen? Ordnen Sie zu.**
Find the matching ending for each sentence.

1. Wir haben → c)
2. Martina hat
3. Hast du
4. Ich habe
5. Habt ihr
6. Bitte beeilt
7. Max und Moritz haben

a) mich verliebt.
b) euch den neuen Film schon angesehen?
c) uns gestern in der Kneipe getroffen.
d) euch doch ein bisschen!
e) sich mal wieder über das Thema Fußball gestritten.
f) sich noch nicht geschminkt.
g) dich gestern geärgert?

2) **Bilden Sie Fragen im Perfekt und antworten Sie.**
Ask questions in the perfect tense and answer them.

● du – auf den Urlaub – sich freuen
Hast du dich auf den Urlaub gefreut? – Ja, ich habe mich auf den Urlaub gefreut.

1. ihr – über das Urlaubsland – sich informieren
....

2. Sie – nach dem Weg vom Flughafen zum Hotel – sich erkundigen
....

3. du – beim Reisebüro – über die schlechte Beratung – sich beschweren

....

4. du – eine neue Badehose – für die Reise – sich kaufen

....

5. ihr – im Hotel – für den Golfkurs – sich anmelden

....

6. Sie – mit dem Reiseleiter – sich unterhalten

....

3) **Was machst du gerade? Beantworten Sie die Frage in der Ich-Form.**
What are you doing? Give answers in the first person singular *(ich)*.

sich einen Kaffee bestellen • sich schminken • sich mit dem Nachbarn streiten • sich ein neues Sommerkleid kaufen • ~~sich über ein Computerproblem ärgern~~ • sich eine Suppe kochen • sich über das Fußballergebnis freuen • sich die Hände waschen

1 *Ich ärgere mich gerade über ein Computerproblem.*

2 Ich ....

3 ....

4 ....

5 ....

6 ....

7 ....

8 ....

4) **Konrad erzählt über seinen Tag. Ergänzen Sie die Reflexivpronomen.** 42
Aussprachehilfe: Hören Sie die Lösungen auf CD.
Konrad is telling about his day. Fill in the reflexive pronouns. Pronunciation help: Check your answers with the CD.

Ich bin spät aufgewacht, deshalb musste ich *mich* beeilen. Ich habe .... schnell gewaschen und .... meinen schönsten Anzug angezogen, aber ich konnte .... nicht mehr rasieren, dafür hatte ich keine Zeit.
Der Chef hat .... darüber ein bisschen geärgert, denn wir hatten heute ein wichtiges Geschäftsessen. Wir haben .... mit koreanischen Geschäftspartnern getroffen. Zum Glück ist alles gut gelaufen, obwohl der Dolmetscher zu spät kam. 30 Minuten lang mussten wir .... mit Händen und Füßen unterhalten! Die Koreaner sprachen natürlich kein Wort Deutsch und wir kein Koreanisch. Kannst du .... das vorstellen? Zum Glück gab es ein gutes Essen, so ging das Gespräch einfacher.
Am Abend habe ich .... mit Katja getroffen, wir wollten .... eine Komödie im Kino anschauen, aber der Film war ausverkauft. Wir haben .... in ein nettes Café gesetzt und ein bisschen gequatscht. Ich bin spät nach Hause gegangen und habe .... erst um 1.00 Uhr ins Bett gelegt. Ich freue .... schon auf das Wochenende. Dann kann ich .... erholen.

3.3 Possessivpronomen Possessive pronouns

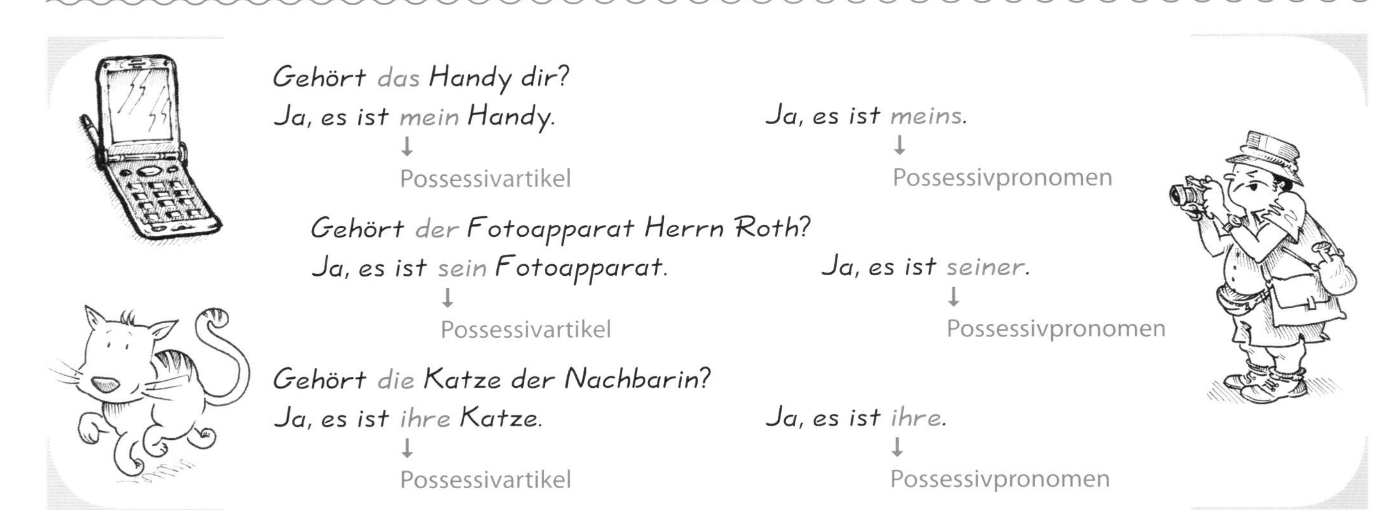

▶ Formen Forms

Kasus	Singular maskulin	Singular feminin	Singular neutral	Plural
Nominativ	meiner	meine	mein(e)s	meine
Akkusativ	meinen	meine	mein(e)s	meine
Dativ	meinem	meiner	meinem	meinen
Genitiv	meines	meiner	meines	meiner

➤ Seite 86: *Possessivartikel*

▶ Hinweise Rules

→ Possessivpronomen sind wie alle Pronomen Stellvertreter des Nomens. Ihre Deklination unterscheidet sich im Nominativ maskulin und neutral und im Akkusativ neutral von der Deklination des Possessivartikels:
mein Computer – meiner • mein Auto – mein(e)s
Possessive pronouns, like all other pronouns, substitute a noun. Their declension is different from the declension of possessive articles for the nominative case of masculine and neuter nouns, and for the accusative of neuter nouns: *mein Computer – meiner, mein Auto – mein(e)s.*

■ ■ ■ Übungen

1) **Antworten Sie mit einem Possessivpronomen.**
Answer the question with a possessive pronoun.

- ● Ist das das Büro vom Chef? – Ja, das ist *seins.*
1. Ist das dein Haus? – Ja, das ist ....
2. Ist das eure Wohnung? – Ja, das ist ....
3. Sind das alles deine Bilder? – Ja, das sind ....
4. Ist das der Artikel von Claudia? – Ja, das ist ....
5. Ist das euer Auto? – Ja, das ist ....
6. Ist das dein Laptop? – Ja, das ist ....
7. Ist das dein Autoschlüssel? – Ja, das ist ....

2) **Im Büro liegt viel herum. Bilden Sie Fragen mit einem Possessivpronomen.**
Many things are laying around in the office. Ask questions about them by using the appropriate possessive pronoun.

- ● In meinem Büro … liegt eine Brille. *(du)* – *Ist das deine?*
1. liegt ein Wörterbuch. *(du)* – ....?
2. liegt ein Handy. *(du)* – ....?
3. liegt ein Terminkalender. *(du)* – ....?
4. liegen Prospekte. *(ihr)* – ....?
5. steht eine Tasse mit Tee. *(du)* – ....?
6. liegt ein Projektbericht. *(ihr)* – ....?
7. liegt eine Praline. *(ich)* – ....?

3.4 Indefinitpronomen *Indefinite pronouns*

3.4.1 *Einer, keiner …* *One, none …*

□ *Martha, ich brauche noch ein Ei.*
△ *Ich habe kein Ei mehr.* → negativer Artikel
Ich habe keins mehr. → Indefinitpronomen

□ *Martha, ich brauche noch einen Topf.*
△ *Im Schrank steht noch ein Topf.* → unbestimmter Artikel
Im Schrank steht noch einer. → Indefinitpronomen

▶ Formen Forms

Kasus	Singular						Plural
	maskulin		feminin		neutral		
Nominativ	einer	keiner	eine	keine	ein(e)s	kein(e)s	keine
Akkusativ	einen	keinen	eine	keine	ein(e)s	kein(e)s	keine
Dativ	einem	keinem	einer	keiner	einem	keinem	keinen
Genitiv	eines	keines	einer	keiner	eines	keines	keiner

➤ Seite 82: *Unbestimmter und negativer Artikel*

▶ Hinweise Rules

→ Die Deklination der Indefinitpronomen unterscheidet sich im Nominativ maskulin und neutral und im Akkusativ neutral von der Deklination des unbestimmten und negativen Artikels:
ein Computer – einer/keiner • ein Auto – ein(e)s/kein(e)s
The declension of indefinite pronouns is the same as the declension of indefinite and negative articles. The only exceptions are the nominative case of masculine and neuter nouns, and the accusative of neuter nouns: *ein Computer – einer/keiner • ein Auto – ein(e)s/kein(e)s.*

■■■ Übungen

1) **Bilden Sie Fragen. Ergänzen Sie die Nomen und Artikel im Akkusativ.**
Ask questions. Complete each sentence by adding the noun with article in the accusative case.

a) **Ergänzen Sie in der Antwort das Indefinitpronomen im Akkusativ.**
Give answers with the indefinite pronoun in the accusative case.

● □ Hast du *einen Stift/Kugelschreiber?*
△ Ja, *ich habe einen.*

1. □ Hast du …………………………?
△ Ja, …………………………

2. □ Hast du …………………………?
△ Ja, …………………………

3. □ Hast du …………………………?
△ Nein, …………………………

4. □ Hast du …………………………?
△ Nein, …………………………

5. □ Hast du …………………………?
△ Nein, …………………………

6. □ Hast du …………………………?
△ Nein, …………………………

7. □ Hast du …………………………?
△ Ja, …………………………

b) **Ergänzen Sie in der Antwort das Indefinitpronomen im Nominativ.**
Give answers with the indefinite pronoun in the nominative case.

1. □ Hast du ....?
   △ Ja, in meinem Büro steht ....
2. □ Hast du ....?
   △ Ja, vor dem Haus steht ....
3. □ Hast du ....?
   △ Ja, im Bad liegt ....
4. □ Hast du ....?
   △ Ja, im Bücherregal steht ....
5. □ Hast du ....?
   △ Ja, neben dem Computer steht ....
6. □ Hast du ....?
   △ Ja, im Wohnzimmer liegt noch ....

3.4.2 *Jemand, niemand, alle, etwas, nichts, alles*
Somebody, nobody, everybody/all people, something, nothing, everything

□ *Guten Tag, Frau Klein. Was machen Sie denn hier?*
△ *Ich suche jemand(en).*
□ *Wen suchen Sie denn?*
△ *Otto, Otto Klein.*
□ *Tut mir leid, die Kollegen sind alle in der Kantine Mittag essen. Hier ist zurzeit niemand. Kommen Sie doch in einer Stunde wieder.*
△ *Dann gehe ich in die Kantine, vielleicht finde ich Otto dort.*

□ *Hallo Otto, ich habe dich gesucht. Weißt du schon etwas über das neue Projekt?*
△ *Nein, ich habe noch nichts gehört. Aber frag doch mal Frau Köhler. Die weiß immer alles.*

▶ **Formen** Forms

Kasus	etwas	nichts	jemand	niemand	alle	alles
Nominativ	etwas	nichts	jemand	niemand	alle	alles
Akkusativ			jemand(en)	niemand(en)		
Dativ			jemand(em)	niemand(em)	allen	alle(m)

▶ **Hinweise** Rules

→ *Etwas* und *nichts* werden nicht dekliniert. Bei *jemand* und *niemand* sind die Endungen im Akkusativ und Dativ nicht obligatorisch. *Alle* und *alles* werden wie bestimmte Artikel dekliniert.
Etwas (something) and *nichts* (nothing) cannot be declined. The accusative and dative endings for *jemand* (somebody) and *niemand* (nobody) are optional. The declension of *alle* (everybody, all people) and *alles* (everything) is the same as the declension of definite articles.

Übungen

1) **Ergänzen Sie *etwas, nichts, jemand, niemand, alle, alles.***
Fill in *etwas, nichts, jemand, niemand, alle, alles.*

1. □ Haben Sie *etwas* gesehen?
   △ Nein, ich habe .... gesehen.
2. □ Weißt du .... über die Pläne des Chefs?
   △ Keine Ahnung. Ich weiß ....
3. □ Meine Dokumente sind durcheinander. .... war in meinem Büro!
   △ Quatsch. Das Büro war doch abgeschlossen. Da war ....
4. □ Ist .... passiert? Hast du ein Problem?
   △ Nein, es ist .... Es ist .... in Ordnung.
5. □ Ich schaffe das nicht alleine! Da muss mir .... helfen.
6. □ .... muss das Protokoll von der Sitzung schreiben.
   △ Protokollschreiben ist schrecklich, das will doch freiwillig .... machen.
7. □ Wer war denn bei der Sitzung?
   △ .... waren da.
8. □ Kennst du hier tatsächlich keinen Menschen?
   △ Nein, ich kenne ....
9. □ Hast du wirklich keine Ahnung mehr von der französischen Grammatik?
   △ Nein, ich weiß absolut .... mehr. Ich habe .... vergessen.

2) **Ergänzen Sie in dem folgenden Interview *alles, alle, jemand, nichts, etwas.*** 43
Aussprachehilfe: Hören Sie die Lösungen auf CD.
Fill in *alles, alle, jemand, nichts, etwas* in the following interview. Pronunciation help: Check your answers with the CD.

□ Herr Minister, stimmt das Gerücht, dass die Steuern erhöht werden?

△ Tja, dazu kann ich konkret noch .... sagen. Dazu sagen wir .... nach der Wahl.

□ Aber dass der Staat kein Geld mehr hat, das stimmt doch?

△ Sehen Sie, wir .... müssen sparen. Das ist beim Staat genauso wie in der Familie. ...., der viel Geld hat, kann auch viel Geld ausgeben. ...., der kein Geld hat, kann .... ausgeben. Und der Staat hat im Moment kein Geld.

□ Wie wollen Sie denn dann regieren – ohne Geld?

△ Wir müssen sparen, sparen, sparen. Es gibt natürlich Leute in der Opposition, die immer .... besser wissen – aber auch die haben keine Lösung.

3) **Bilden Sie Sätze im Perfekt.**
Build sentences in the perfect tense.

1. Diebe – nachts – kommen – und – sie – alles – mitnehmen
   Die Diebe sind nachts gekommen und ....
2. Polizei – im Haus – alle – befragen
   ....
3. Frau – im ersten Stock – nichts – hören
   ....
4. Herr – im zweiten Stock – niemand – sehen
   ....
5. Hausmeister – jemand – beobachten
   ....

3.5 Fragepronomen Interrogative pronouns

Herr Roth fotografiert den Sonnenuntergang.
Wer hat diesen wunderbaren Sonnenuntergang fotografiert?
↓
Fragepronomen (für Personen)

Was hat Herr Roth fotografiert?
↓
Fragepronomen (für Sachen)

Hm, der Kuchen sieht gut aus!
Was für einen Kuchen möchten Sie denn?
↓
Frageartikel

Was für einen möchten Sie denn?
↓
Fragepronomen

Ich nehme ein Stück Obstkuchen.
Welchen Obstkuchen meinen Sie? Pflaumenkuchen oder Kirschkuchen?
↓
Frageartikel

Welchen meinen Sie? Pflaumenkuchen oder Kirschkuchen?
↓
Fragepronomen

▶ Formen Forms

Kasus	Wer?	Was?
Nominativ	wer	was
Akkusativ	wen	was
Dativ	wem	(was)
Genitiv	wessen	wessen

▶ Hinweise Rules

→ Die Fragepronomen *wer, wen, wem* können sich auf weibliche oder männliche Personen beziehen.
The interrogative pronouns *wer, wen, wem* (who/whom) can refer to both female and male persons.

→ Das Fragepronomen *was* bezieht sich auf eine Sache.
The interrogative pronoun *was* (what) refers to a topic.

→ Die Deklination des Fragepronomens *welcher/welche/welches* ist identisch mit der Deklination der Frageartikel: Welchen Obstkuchen meinen Sie? → Welchen meinen Sie?
The declension of the interrogative pronouns *welcher/welche/welches* is the same as the declension of interrogative articles: *Welchen Obstkuchen meinen Sie? → Welchen meinen Sie?*
➤ Seite 89

→ Die Deklination des Fragepronomens *was für ein/eine/ein(e)s* ist identisch mit der Deklination der Indefinitpronomen: Was für ein Bier möchten Sie? → Was für eins möchten Sie?
The declension of the interrogative pronouns *was für ein/eine/eines* is the same as the declension of indefinite pronouns: *Was für ein Bier möchten Sie? → Was für eins möchten Sie?*
➤ Seite 97

Übungen

1) Bilden Sie Fragen. Fragen Sie nach den unterstrichenen Nomen.
Ask questions about the underlined nouns.

- *Wem gehört das Auto?* – Das Auto gehört dem Chef.
1. ....? – Wir haben Spaghetti gegessen.
2. ....? – Deine Mutter hat angerufen.
3. ....? – Ich treffe mich heute Abend mit Karl.
4. ....? – Das ist Ottos Büro.
5. .... *gemacht?* – Wir haben Schach gespielt.
6. ....? – Ich habe Gustav den Schlüssel gegeben.
7. ....? – Alle Kollegen sind zu meiner Party gekommen.
8. ....? – Ich habe im Urlaub einen Krimi gelesen.
9. ....? – Ich möchte gern Herrn Müller sprechen.
10. ....? – Otto hat die Fenster geöffnet.
11. ....? – Die Einbrecher haben ein wertvolles Bild gestohlen.
12. ....? – Die Polizei hat den Hausmeister verhaftet.

2) Ergänzen Sie das passende Fragepronomen.
Complete each question by adding the appropriate question word.

- Ich möchte gerne eine Kette. – *Was für eine* hätten Sie denn gern? Eine Goldkette oder lieber eine Perlenkette?
1. Gibst du mir den Mantel dort? – .... meinst du? Den blauen oder den roten?
2. Bringst du mir vom Bäcker ein Brötchen mit? – .... willst du denn? Ein normales oder ein Vollkornbrötchen?
3. Diese Schuhe finde ich schön. – .... meinst du? Die grünen Stiefel da?
4. Siehst du den Mann da? – .... meinst du denn? Den mit dem großen Auto?
5. Ich möchte gerne einen Pullover. – .... hätten Sie denn gern? Einen Wollpullover oder einen aus Baumwolle?
6. Kaufst du mir diese Handtasche? – ....? Die teure? Vergiss es!

3) Ergänzen Sie das passende Fragepronomen.
Fill in the appropriate interrogative pronouns.

		a)	b)	c)
●	*Was* soll ich heute Abend kochen?	Wessen	Wer	~~Was~~
1.	Ich habe zwei T-Shirts für dich. .... findest du schöner?	Welcher	Welches	Wen
2.	.... war zuletzt am Kopierer?	Wen	Wem	Wer
3.	Mit .... hast du so lange telefoniert?	was	wem	welchem
4.	Ich habe verschiedene Stückchen Kuchen gekauft. .... möchtest du?	Welches	Welchen	Welcher
5.	.... habt ihr am Wochenende gemacht?	Wen	Was	Wessen
6.	.... hast du gesagt?	Wer	Wen	Was
7.	.... hat Eduard heute Abend zum Essen eingeladen?	Welcher	Wem	Wen
8.	.... hat diese Rechnung geschrieben?	Wer	Welcher	Wessen
9.	Es fahren heute vier Züge nach Frankfurt. .... nimmst du?	Was	Welcher	Welchen
10.	In .... hat sich Kerstin verliebt?	wem	wen	was
11.	Du bist ja so aufgeregt! .... war denn los?	Was	Wer	Welches
12.	.... hat heute das Essen in der Kantine geschmeckt?	Wer	Was	Wem

3.6 Relativpronomen Relative pronouns

Das ist der Koch, der jetzt eine Kochshow im Fernsehen macht.
↓
Relativpronomen im Nominativ

Das ist der Koch, dem das Restaurant „Lecker" gehört.
↓
Relativpronomen im Dativ

Das ist der Koch, über den ich etwas in einer Zeitschrift gelesen habe.
↓
Relativpronomen im Akkusativ

▶ Formen Forms

Kasus	Singular maskulin	feminin	neutral	Plural
Nominativ	der	die	das	die
Akkusativ	den	die	das	die
Dativ	dem	der	dem	**denen**

▶ Hinweise Rules

→ Das Relativpronomen leitet einen Relativsatz ein. Mit einem Relativsatz beschreibt man Personen oder Sachen näher.
Relative pronouns are used to introduce relative clauses. Relative clauses give additional information about a person or a thing.

→ Das Relativpronomen richtet sich in Genus und Numerus nach dem Bezugswort im Hauptsatz, im Kasus nach der Stellung im Relativsatz.
The gender and the number of the relative pronoun are determined by the noun in the main clause about which the relative clause gives additional information. The case is determined by the grammatical function of the pronoun in the relative clause.

▶ Satzbau Sentence structure

→ Der Relativsatz ist ein Nebensatz. Er steht rechts vom Nomen. Das konjugierte Verb steht im Relativsatz an letzter Stelle.
Relative clauses are subordinate clauses. They always follow the noun that they describe. The conjugated verb is placed at the end of the relative clause.

Hauptsatz Main Clause			Nebensatz Subordinate Clause		
I.	**II.**	**III.**	**I.**	**II.**	**Satzende**
	konjugiertes Verb		**Relativ-pronomen**		**konjugiertes Verb**
Das	ist	der Koch,	**dem**	das Restaurant „Lecker"	gehört.
Das	ist	der Koch,	**über den**	ich etwas in einer Zeitschrift gelesen	habe.

➤ Seite 165

Übungen

1) Ergänzen Sie die Relativpronomen.
Fill in the relative pronouns.

a) **Anna** träumt von einem Mann, ...
- *der* gut tanzen kann.
1. .... ihre Eltern mögen.
2. mit .... sie über Kunst reden kann.
3. .... Karriere macht und viel Geld verdient.
4. .... ihr jeden Wunsch erfüllt.

b) **Paul** träumt von einer Frau, ...
5. .... lange Beine hat.
6. .... sich für Autos interessiert.
7. mit .... er ins Fußballstadion gehen kann.
8. .... ihre Schuhe selbst bezahlt.
9. .... ihm jeden Wunsch erfüllt.

2) Ergänzen Sie die Relativpronomen.
Fill in the relative pronouns.

Wo ist/sind denn ...
- die Schuhe, *die* ich gerade hierhin gestellt habe?
1. der Brief, ... ich auf deinen Schreibtisch gelegt habe?
2. die Dokumente, ... ich kopiert habe?
3. die Gäste, ... gerade gekommen sind?
4. der Chef, bei .... die ganze Zeit das Telefon klingelt?
5. der Hausmeister, ... endlich das Licht in meinem Büro reparieren soll?
6. meine Schlüssel, ... ich in meine Handtasche gesteckt habe?
7. mein Auto, ... ich gestern Abend hier irgendwo geparkt habe?
8. die Rechnung, ... ich heute bezahlen muss?

3) Esperanto – eine Weltsprache? Markieren Sie das passende Relativpronomen.
Esperanto – A world language? Mark the correct relative pronoun.

		a)	b)	c)
●	Esperanto ist eine Sprache, *die* neu erfunden wurde.	a) der	b) <u>die</u>	c) den
1.	Esperanto sollte die internationale Kommunikation, ... manchmal schwierig ist, verbessern.	a) die	b) der	c) dem
2.	Der Begründer der Sprache war Ludwig Zamenhof, ... sein Projekt 1887 vorstellte.	a) den	b) dem	c) der
3.	Heute gibt es ca. 3 000 000 Menschen, ... diese Sprache sprechen.	a) der	b) die	c) denen
4.	Polen, Ungarn, Bulgarien, China und Brasilien sind Länder, in .... besonders viele Menschen Esperanto lernen.	a) denen	b) der	c) die
5.	Es gibt für Esperantisten einen Weltkongress, ... einmal im Jahr stattfindet.	a) den	b) dem	c) der
6.	Das ist ein Festival mit vielen Veranstaltungen, an .... 4 000 Menschen teilnehmen.	a) die	b) denen	c) der
7.	Es gibt viele Bücher, ... in Esperanto übersetzt wurden.	a) denen	b) die	c) das
8.	Esperanto ist leicht zu erlernen: Es hat eine einfache Grammatik. Die Zeit, ... man zum Erlernen der Sprache braucht, ist geringer als bei anderen Sprachen.	a) der	b) die	c) dem
9.	Es gibt viele Kurse, in .... man sich einschreiben kann.	a) denen	b) die	c) der
10.	Man kann sich auch ein Lehrbuch kaufen, mit .... man die Sprache alleine lernt.	a) dem	b) der	c) denen

3.7 Das Wort *es* The word *es* (it)

Es regnet.
↓
Es steht bei bestimmten Verben und Wendungen als Subjekt.
With certain verbs and idiomatic expressions *es* is the subject of the sentence.

Was ist das Geheimnis des Würfels?
Ich weiß es nicht.
↓
es als Pronomen im Text
Es can also be used as a pronoun in texts.

Viele Leute waren auf der Party.
Es waren viele Leute auf der Party.
↓
es als Platzhalter auf Position 1
Damit betont man das Subjekt: *viele Leute*.
Es can also be a simple placeholder when it is placed at the beginning of the sentence. In such cases the real subject receives more emphasis: *viele Leute* (many people).

▶ Formen Forms

es als festes Subjekt *Es* as the subject of impersonal expressions	**Wetter-Verben** Verbs related to the weather	Es regnet. Heute regnet es. Es hat heute geregnet. Es schneit, blitzt, donnert …
	Wetter-Adjektive Adjectives related to the weather	Es ist heiß, warm, kalt …
	Uhrzeit Time expressions	Wie spät ist es? Es ist 10.00 Uhr.
	feste Wendungen Idiomatic expressions	Wie geht es Ihnen? – Danke, mir geht es gut. Worum geht es? – Es geht um die neuen Produkte. Wie viele Lösungen gibt es? – Es gibt gar keine Lösung. Das gibt es doch nicht! – Es gibt immer eine Lösung!

■ ■ ■ Übungen

1) **Beschreiben Sie das Wetter in Ihrem Heimatland im Januar, April, Juli und Oktober.**
Describe the weather in your home country in January, April, July and October.

heiß sein • kalt sein • sonnig sein • neblig sein • stürmisch sein • windig sein …
regnen • schneien • stürmen • donnern • blitzen …

2) **Ergänzen Sie *es*, wo nötig.** 44
Aussprachehilfe: Hören Sie die Lösungen auf CD.
Fill in *es* where necessary. Pronunciation help: Check your answers with the CD.

Es ist 20.00 Uhr. Hier sind .... die Nachrichten von Bayern 1. Heute gab .... auf der Autobahn München–Salzburg kilometerlange Staus. In den Morgenstunden hatte .... geschneit. Die Schneedecke war fast einen Meter hoch. Viele Autofahrer waren .... auf den Schnee nicht vorbereitet. .... kam zu vielen Unfällen. Eine Frau wurde ins Krankenhaus gefahren. In den nächsten Tagen erwarten .... die Experten noch mehr Schnee. Sicher kommt .... wieder zu langen Staus.

Der französische Ministerpräsident ist heute in Berlin gelandet. In den Gesprächen geht .... hauptsächlich um Sicherheitspolitik. Morgen sind Gespräche .... mit dem Innenminister geplant.

4 Adjektive Adjectives
4.1 Deklination Declension

Ist diese Katze nicht süß?
↓
undekliniertes Adjektiv

→ Das Adjektiv bezieht sich auf das Verb. Es hat keine Endung.
This adjective is a complement to the verb. It does not take an ending.

Ist das nicht ein schöner Schneemann?
↓
dekliniertes Adjektiv

Das kleine Schwein ist mein Glücksschwein.
↓
dekliniertes Adjektiv

Bittere Schokolade mag ich nicht.
↓
dekliniertes Adjektiv

→ Diese Adjektive stehen vor einem Nomen. Sie haben eine Endung.
These adjectives are complements to a noun. They take endings.

■ Deklination nach bestimmtem Artikel Declension after the definite article

Das kleine Schwein ist mein Glücksschwein.

▶ Formen Forms

Kasus	Singular maskulin			Singular feminin			Singular neutral			Plural		
Nominativ	der	alte		die	kleine		das	große		die	neuen	Bücher
Akkusativ	den	alten	Baum	die	kleine	Maus	das	große	Auto	die	neuen	
Dativ	dem	alten		der	kleinen		dem	großen		den	neuen	Büchern
Genitiv	des	alten	Baumes	der	kleinen		des	großen	Autos	der	neuen	Bücher

‣ Auch nach: *dieser, jeder, alle*

▶ Übersicht: Adjektivendungen nach bestimmtem Artikel Overview of the adjective endings after the definite article

Kasus	Singular maskulin	Singular feminin	Singular neutral	Plural
Nominativ	-e	-e	-e	-en
Akkusativ	-en	-e	-e	-en
Dativ	-en	-en	-en	-en
Genitiv	-en	-en	-en	-en

Deklination nach unbestimmtem Artikel Declension after the indefinite article

▶ **Formen** Forms

Kasus	Singular									Plural		
	maskulin			feminin			neutral					
Nominativ	ein	alter	Baum	eine	kleine	Maus	ein	großes	Auto	keine	neuen	Bücher
Akkusativ	einen	alten		eine	kleine		ein	großes		keine	neuen	
Dativ	einem	alten		einer	kleinen		einem	großen		keinen	neuen	Büchern
Genitiv	eines	alten	Baumes	einer	kleinen		eines	großen	Autos	keiner	neuen	Bücher

‣ Auch nach: *kein, mein, dein, sein, ihr, unser, euer*

▶ **Übersicht: Adjektivendungen nach unbestimmtem Artikel** Overview of the adjective endings after the indefinite article

Kasus	Singular			Plural
	maskulin	feminin	neutral	
Nominativ	-er	-e	-es	-en
Akkusativ	-en	-e	-es	-en
Dativ	-en	-en	-en	-en
Genitiv	-en	-en	-en	-en

Deklination ohne Artikel Declension without an article

Bittere Schokolade mag ich nicht.

▶ **Formen** Forms

Kasus	Singular						Plural	
	maskulin		feminin		neutral			
Nominativ	alter	Wein	frische	Milch	kühles	Bier	süße	Äpfel
Akkusativ	alten		frische		kühles		süße	
Dativ	altem		frischer		kühlem		süßen	Äpfeln
Genitiv	alten	Wein(e)s	frischer		kühlen	Bier(e)s	süßer	Äpfel

▶ Übersicht: Adjektivendungen ohne Artikel
Overview of the adjective endings without an article

Kasus	Singular maskulin	Singular feminin	Singular neutral	Plural
Nominativ	-er	-e	-es	-e
Akkusativ	-en	-e	-es	-e
Dativ	-em	-er	-em	-en
Genitiv	-en	-er	-en	-er

▶ Hinweise
Rules

→ Adjektive ohne Artikel übernehmen die Endungen der Artikel als Kasus-Signal.
Ausnahme: Genitiv Singular maskulin und neutral.
Adjectives without an article receive the endings of definite articles in order to indicate the grammatical case of the noun that follows them. The only exception is the genitive singular of masculine and neuter nouns (where they receive the ending *-en* instead of *-es*).

■ ■ ■ Übungen

1) **Ergänzen Sie die Endungen der Adjektive im Nominativ.**
Put the adjectives in the nominative case by adding the correct ending.

a) **Was ist in diesen Paketen?**

Vielleicht ein neu....... Fernseher, ein modern....... Computer, eine schön....... Wanduhr, ein alt....... Gemälde oder eine neu....... Waschmaschine?

b) **Es sind …**

der neu....... Fernseher, der modern....... Computer, die schön....... Wanduhr, das alt....... Gemälde, die neu....... Waschmaschine für Oma aus dem Onlineversandhaus.

2) **Weihnachten. Wer bekam was? Ergänzen Sie die Endungen der Adjektive im Akkusativ.**
Christmas. Who got what? Put the adjectives in the accusative case by adding the correct ending.

1. Peter bekam ein neu*es* Fahrrad. Er hat sich über das neu....... Fahrrad sehr gefreut.
2. Cornelia bekam ein bunt....... Kleid. Sie fand das bunt....... Kleid schrecklich.
3. Konrad bekam ein spanisch....... Kochbuch. Er findet das spanisch....... Kochbuch sehr interessant.
4. Fiona bekam einen gelb....... Pullover. Sie fand den gelb....... Pullover toll.
5. Laura bekam eine klein....... Katze. Sie liebt die klein....... Katze jetzt sehr.
6. Richard bekam eine neu....... Uhr. Er mag die neu....... Uhr nicht.
7. Gabi bekam eine elegant....... Hose. Sie hat sich über die elegant....... Hose gefreut.

3) **Im Restaurant. Ergänzen Sie die Endungen der Artikel und Adjektive, wenn nötig.** **45**
Aussprachehilfe: Hören Sie die Lösungen auf CD.
In the restaurant. Fill in the article and adjective endings where necessary. Pronunciation help: Check your answers with the CD.

Regine: Guten Abend. Haben Sie noch ein*en* frei....... Tisch?
Kellner: Ja, natürlich. Kommen Sie bitte mit. Was möchten Sie trinken?
Regine: Ich möchte ein....... gut....... Rotwein und ein....... Glas Mineralwasser.
Theodor: Und ich nehme ein....... kühl....... Bier. Wir möchten auch gleich das Essen bestellen. Ich hätte gern ein....... französisch....... Zwiebelsuppe und ein....... saftig....... Steak mit Kartoffeln.
Regine: Ich nehme nur ein....... klein....... Käseplatte und danach ein....... groß....... Obstsalat.
Kellner: Kommt sofort.

4) **Viele schöne Sachen**
Many beautiful things

a) **Antworten Sie auf die Fragen mit jedem Wort.**
Answer the questions with every word.

elegant — rot — schön — modern — warm

Was gibt es alles in diesem Geschäft?
Da ist ein großer Koffer, eine ....
....

Was kann Rudolf im Geschäft kaufen?
Er kann einen großen Koffer, ...
.... *kaufen.*

Rudolfs Freundin hat Geburtstag. Womit kann er sie überraschen?
Er kann sie mit einem großen Koffer, ...
.... *überraschen.*

b) **Rudolf ist noch im Geschäft. Er möchte eine Tasche kaufen.**
Ergänzen Sie die Endungen der Artikel und Adjektive, wenn nötig.
Rudolf is still in the shop. He wants to buy a bag. Fill in the article and adjective endings where necessary.

□ Guten Tag, kann ich Ihnen helfen?
△ Guten Tag. Ich suche ein....... neu....... Handtasche für mein....... Freundin. Ihr....... alt....... Tasche ist kaputt. Können Sie mir einige Modelle zeigen?
□ Ja, sehr gerne. Was für ein....... Tasche möchten Sie?
△ Mein....... Freundin mag kein....... modisch....... Sachen. Die veralten so schnell. Haben Sie auch ein klassisch....... Modell?
□ Ja, natürlich. Das hier ist ein....... sehr schön....... und praktisch....... Modell. Die Tasche hat auch ein....... klein....... Fach für das Handy.
△ Die Handtasche ist sehr schön. Ich nehme sie.

5) **Was trägt man in diesem Sommer? Ergänzen Sie die Endungen der Adjektive im Akkusativ und Dativ.**
Summer fashion. Put the adjectives in the accusative and dative cases by adding the correct ending.

Man trägt
1. grün....... T-Shirts,
2. groß....... Sonnenbrillen,
3. kurz....... Röcke,
4. bunt....... Hüte,
5. eng....... Hosen

und 6. golden....... Sportschuhe.

Mit
7. weiß....... Blusen,
8. weit....... Hosen,
9. lang....... Röcken,
10. schwarz....... Pullovern,
11. weiß....... Schuhen

und 12. rot....... Handtaschen

sollte man auf keinen Fall auf die Straße gehen!

6) **Was essen und trinken Sie gern? Ergänzen Sie die Endungen der Adjektive im Akkusativ.**
What do you like to eat and drink? Put the adjectives in the accusative case by adding the correct ending.

Essen Sie gern …

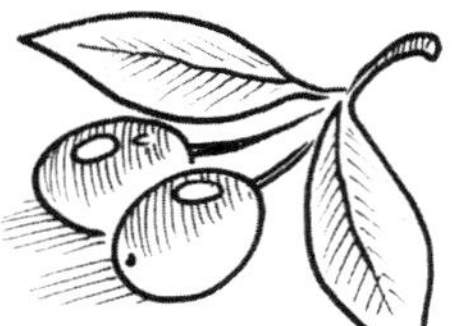

1. weiß....... Schokolade?
2. frisch....... Gemüse?
3. saur....... Äpfel?
4. einheimisch....... Kräuter?
5. roh....... Schinken?
6. reif....... Pflaumen?

Trinken Sie gern …

7. stark....... Kaffee?
8. grün....... Tee?
9. hell....... Bier?
10. kalt....... Limonade?
11. gut....... Rotwein?
12. gesund....... Obstsaft?

7) **Grüße aus dem Urlaub. Ergänzen Sie die passenden Adjektive.**
Holiday greetings. Complete the sentences with the appropriate adjectives.

heftigen • kühles • interessante • ~~liebe~~ • hohe • schlechtes • schöne • weißen • kalten • lange • teuren • alten

Lieber Gustav,

liebe (0) Grüße aus dem Urlaub sendet Dir Otto.
Wir haben seit einigen Tagen ....(1) Wetter und sitzen im Moment in unserem ....(2) Hotelzimmer – die Heizung ist nicht an. Gestern gab es einen ....(3) Sturm. Das war eine sehr ....(4) Erfahrung, denn die Ostsee hatte ganz ....(5) Wellen. Ich habe ein paar ....(6) Fotos davon gemacht. An dem ....(7) Sandstrand haben wir uns noch nicht viel gesonnt, aber wir haben ....(8) Spaziergänge gemacht. Gestern waren Susanne und ich im Dorf, das heißt, Susanne war hauptsächlich in den ....(9) Geschäften. Von unserem Urlaubsgeld ist jetzt nicht mehr viel übrig. Aber für einen ....(10) Whisky und ein ....(11) Bier reicht das Geld noch.

Bis bald! Otto

8) **Werners erste Arbeitsstelle. Ergänzen Sie die Endungen der Artikel und Adjektive, wenn nötig.**
Werner's first job. Fill in the article and adjective endings where necessary.

Werner erzählt von sein*em* erst*en* Job:

Ich arbeite bei ein.......... klein.......... Firma. Ich habe ein.......... normal.......... Gehalt und bekomme 30 Urlaubstage. Zurzeit habe ich noch kein.......... eigen.......... Büro und kein.......... eigen.......... Computer. Mein.......... Kollegen sind sehr nett und hilfsbereit. Wir trinken oft zusammen d.......... dünn.......... Kaffee aus dem Kaffeeautomaten oder wir gehen nach der Arbeitszeit in ein.......... gemütlich.......... Kneipe. Mein.......... neu.......... Chef ist auch okay.

9) **Aus Geschäftsbriefen. Ergänzen Sie die Endungen der Artikel und Adjektive, wenn nötig.**
Sentences from business letters. Fill in the article and adjective endings where necessary.

Wir bitten um …

1. ein....... schnell....... Bearbeitung.
2. ihr....... neu....... Katalog.
3. d....... aktuell....... Preisliste.
4. ein....... sofortig....... Reparatur.
5. ein....... baldig....... Termin.
6. ein....... pünktlich....... Lieferung.

4.2 Komparation Comparison

Gestern war Sportfest und es gab viele Wettkämpfe.

Anne schwamm schnell. Sie belegte den 3. Platz.
Marie schwamm schneller. Sie belegte den 2. Platz.
Martina schwamm am schnellsten. Sie belegte den 1. Platz.

↓

Das Adjektiv bezieht sich auf das Verb.
The adjective is a complement to the verb.

Georg ist ein schneller Läufer. Er gewann die Bronzemedaille.
Klaus ist der schnellere Läufer. Er gewann die Silbermedaille.
Martin ist der schnellste Läufer. Er gewann die Goldmedaille.

↓

Das Adjektiv steht vor einem Nomen. Es wird dekliniert und bekommt eine Endung.
The adjective is a complement to a noun. It is therefore declined and receives an ending.

▶ Formen Forms

		Positiv	Komparativ	Superlativ
1. **Normalform**		billig	billiger	am billigsten/der billigste
2. **a → ä**	warm – lang – arm – alt – kalt – hart – scharf	warm kalt	wärmer kälter	am wärmsten/der wärmste am kältesten/der kälteste
o → ö	groß	groß	größer	am größten/der größte
u → ü	kurz – jung – dumm – klug	jung	jünger	am jüngsten/der jüngste
3. **Adjektive auf:**	**-er** **-el**	teuer dunkel	teurer dunkler	am teuersten/der teuerste am dunkelsten/der dunkelste
4. **Adjektive auf:**	**-sch/-s/-ß/-z** **-d/-t**	frisch intelligent	frischer intelligenter	am frischesten/der frischeste am intelligentesten/der intelligenteste
5. **Sonderformen**		gut viel gern hoch nah	besser mehr lieber höher näher	am besten/der beste am meisten/der meiste am liebsten/der liebste am höchsten/der höchste am nächsten/der nächste

▶ Hinweise Rules

→ Der **Komparativ** der Adjektive wird mit *-er* gebildet: schnell – schneller, der schnelle Läufer – der schnellere Läufer.
The comparative is formed by adding *-er* to the adjective: *schnell – schneller, der schnelle Läufer – der schnellere Läufer.*

→ Der **Superlativ** der Adjektive wird mit *am ...-sten* bzw. *-st-* gebildet: schnell – **am** schnell**sten**, der schnelle Läufer – der schnellste Läufer.
The superlative is formed by adding *am ...-sten* or *-st-* to the adjective (depending on its function in the sentence): *schnell – am schnellsten, der schnelle Läufer – der schnellste Läufer.*

→ Einige Adjektive mit den Vokalen *a, o* und *u* bekommen im Komparativ und Superlativ einen Umlaut: alt – älter, am ältesten (aber nicht alle!)
A few (but not all) adjectives with an *a, o* or *u* in their stem receive an umlaut for the comparative and superlative forms: *alt – älter, am ältesten.*

→ Adjektive auf *-er* und *-el* verlieren im Komparativ ein *e*: teuer – teurer.
The *-e* of adjectives ending in *-er* or *-el* is omitted in the comparative: *teuer – teurer.*

→ Adjektive auf *-sch/-s/-ß/-z* und *-d/-t* bekommen im Superlativ ein *e*: frisch – am frischesten.
Adjectives ending in *-sch/-s/-ß/-z* or *-d/-t* receive a connecting *-e* in the superlative: *frisch – am frischesten.*

Übungen

1) Komparativ: Joseph ist unzufrieden mit sich selbst. Was schreibt er in sein Tagebuch?

Joseph is unhappy with himself. What is he writing in his diary?

- Ich bin nicht aufmerksam genug. *Ab morgen bin ich aufmerksamer.*
1. Ich bin nicht höflich genug. *Ab morgen* ....
2. Ich bin nicht fleißig genug. ....
3. Ich bin nicht ordentlich genug. ....
4. Ich bin nicht freundlich genug. ....
5. Ich bin nicht geduldig genug. ....
6. Ich bin nicht schnell genug. ....
7. Ich bin nicht hilfsbereit genug. ....

2) Komparativ: Was wünscht sich Anna? Bilden Sie Sätze. Achten Sie auf die Adjektivendungen.

What would Anna like? Build sentences. Pay attention to the adjective endings.

- Anna hat einen niedrigen Lohn. *(hoch)* — *Sie möchte einen höheren Lohn.*
1. Anna hat eine monotone Arbeit. *(abwechslungsreich)* — *Sie möchte eine* ....
2. Anna hat einen unfreundlichen Chef. *(nett)* ....
3. Anna hat eine unzuverlässige Sekretärin. *(zuverlässig)* ....
4. Annas Büro ist sehr dunkel. *(hell)* ....
5. Annas Computerbildschirm ist klein. *(groß)* ....

3) Ergänzen Sie die Adjektive im Komparativ und im Superlativ.

Put the adjectives in the comparative and superlative forms.

	Komparativ	Superlativ
● Christoph hat viel trainiert. Er läuft jetzt schnell.	*schneller*	*am schnellsten*
1. Karl hat auch viel trainiert. Er springt jetzt hoch.	....	....
2. Es ist Sommer. Die Produkte sind jetzt billig.	....	....
3. Es ist kurz vor Weihnachten. Spielzeug ist jetzt teuer.	....	....
4. Im Urlaub lese ich viel.	....	....
5. Der Wein hat lange gelagert. Er schmeckt jetzt gut.	....	....
6. Das Messer wurde neu geschliffen. Es ist jetzt scharf.	....	....
7. Im Winter sind die Nächte lang.	....	....
8. Im Sommer sind die Nächte kurz.	....	....

4) Superlative: Alles über Tiere. Fragen und antworten Sie wie im Beispiel.

Superlatives: All about animals. Ask questions and answer them by following the example.

- Welches Tier wird am *ältesten*? *(alt)* — Das *älteste* Tier ist die Riesenschildkröte. Sie kann 220 Jahre alt werden.
1. Welches Tier ist am ....? *(lang)* — Das .... Tier ist der Blauwal. Er kann 33 Meter lang werden.
2. Welches Tier ist am ....? *(schnell)* — Das .... Tier ist der Gepard. Er kann 105 km/h laufen.
3. Welches Tier ist am ....? *(groß)* — Das .... Tier ist die Giraffe. Sie kann 5,88 Meter groß werden.
4. Welches Tier ist am ....? *(giftig)* — Das .... Tier ist eine Seeanemone. Ihr Gift ist das tödlichste Gift der Welt.
5. Welches Tier ist für den Menschen am ....? *(gefährlich)* — Das .... Tier für den Menschen ist eine Schlange. Die Sandotter tötet jedes Jahr viele Tausend Menschen.
6. Welches Säugetier ist am ....? *(klein)* — Das .... Säugetier ist eine Fledermaus. Die Hummelfledermaus ist nur drei Zentimeter lang.
7. Welches Insekt ist am ....? *(schwer)* — Das .... Insekt ist ein Käfer. Der Goliathkäfer wiegt 110 Gramm.

5) **Superlativ: Rekorde. Ergänzen Sie das passende Adjektiv in der richtigen Form.**
Superlatives: Records. Complete each sentence with the appropriate adjective in the correct form.

alt *(2 x)* • hart • schnell • klein • lang

- Ulm hat das *älteste* Brotmuseum der Welt. Es wurde 1955 gegründet. Die Sammlung umfasst 14 000 Objekte. Nur eines fehlt: echtes Brot.

1. Die .... Teile des menschlichen Körpers sind die Zähne.
2. Deutschland hat es auch ins Guinnessbuch der Rekorde geschafft: Im April 1990 warteten etwa 18 Millionen Autos an der innerdeutschen Grenze in dem .... Stau des Jahrhunderts.
3. Das .... bekannte gedruckte Buch stammt aus China. Es wurde 868 hergestellt.
4. Das .... Buch der Welt erschien in einem Leipziger Verlag. Es misst 2,4 mal 2,9 Millimeter und hat 32 Seiten.
5. Die .... Aufzüge der Welt befinden sich im Gebäude Taipei 101 in Taiwan. Sie fahren mit einer Spitzengeschwindigkeit von etwa 60 Stundenkilometern in den 89. Stock.

Vergleiche Comparisons

Martina schwamm am schnellsten.
Sie schwamm schneller als Marie.
↓
Adjektiv im Komparativ → *als*

Franzi und Gabi kamen zeitgleich ins Ziel.
Franzi schwamm genauso schnell wie Gabi.
↓
Adjektiv im Positiv → *wie*

Satzbau Sentence structure

→ In Vergleichssätzen können Angaben mit *als* und *wie* nach der Satzklammer stehen.
In comparative sentences the clause beginning with *als* or *wie* may be placed after the second part of the verb (Satzklammer).

I.	II.	III.	Satzende	Nachfeld
Franzi	ist	beim Wettkampf genauso schnell	geschwommen	wie Gabi.
Martina	ist	viel schneller	geschwommen	als Marie.

Übungen

6) **Was passt? Ordnen Sie zu.**
Find the matching ending for each sentence.

1. Zitronen sind saurer
2. Ich sehe Krimis genauso gern
3. Berlin hat mehr Einwohner
4. Otto hat genauso hart trainiert
5. Doch Otto ist langsamer gelaufen
6. Selbst gekochtes Essen schmeckt besser

a) wie im letzten Jahr.
b) als Äpfel.
c) wie romantische Filme.
d) als im letzten Jahr.
e) als Fertignahrung.
f) als Hamburg.

7) **Vergleichen Sie. Bilden Sie Sätze.**
Make comparisons. Build sentences.

- Flughafen in Frankfurt – Flughafen in Leipzig *(groß)*
  Der Flughafen in Frankfurt ist größer als der Flughafen in Leipzig.

1. Brücken: in Hamburg – in München *(viel)*
   In Hamburg gibt es ....
2. Einwohner: Dresden – Berlin *(wenig)*
   Dresden hat ....
3. Universität Heidelberg – Universität Jena *(alt)*
   ....
4. der Berg „die Zugspitze" – „der Watzmann" *(hoch)*
   ....
5. der Bodensee – der Königssee *(tief)*
   ....

8) **Hier sehen Sie die Liste von Europas sichersten Städten. Beschreiben Sie die Statistik.**
Here is a list of the most secure cities in Europe. Describe the statistics.

- Die Statistik gibt Informationen über die *sichersten* europäischen Großstädte. *(sicher)*

1. Auf Platz 1 steht Kopenhagen: Das ist die .... Großstadt in Europa. *(sicher)*
2. München ist genauso .... Helsinki. *(sicher)*
3. Helsinki ist .... Wien und Rennes. *(sicher)*
4. Rennes ist .... Kopenhagen. *(gefährlich)*
5. Von den fünf Großstädten ist Wien .... *(gefährlich)*
6. Diese Städte sind alle .... Berlin. *(sicher)*

1. Kopenhagen
2. München, Helsinki
3. Rennes
4. Wien

9) **Ergänzen Sie den Komparativ und bilden Sie Vergleichssätze mit *nicht so wie*.**
Put the adjective in the comparative and build sentences using *nicht so wie*.

- Der Pfeilgiftfrosch ist *giftiger* als die Sandotter. *(giftig)*
  Die Sandotter *ist nicht so giftig wie der Pfeilgiftfrosch.*

1. In Afrika ist es .... als in Europa. *(warm)*
   In Europa ....
2. Eine Flasche Champagner ist .... als eine Flasche Wasser. *(teuer)*
   Eine Flasche Wasser ....
3. Eine Zugfahrkarte für die erste Klasse kostet .... als eine Fahrkarte für die zweite Klasse. *(viel)*
   Eine Zugfahrkarte für die zweite Klasse ....
4. Das neue Buch von Dan Brown finde ich .... als seine alten Bücher. *(langweilig)*
   Die alten Bücher von Dan Brown ....
5. Deutsch spreche ich .... als Koreanisch. *(gut)*
   Koreanisch ....
6. Otto isst Fisch .... als Fleisch. *(gern)*
   Otto isst Fleisch ....
7. Indisches Essen ist normalerweise .... als deutsches Essen. *(scharf)*
   Deutsches Essen ist normalerweise ....

4.3 Zahlwörter Numerals

Das sind drei (3) Mäuse.
↓
Kardinalzahl

Gustav isst heute schon den dritten (3.) Hamburger.
↓
Ordinalzahl

▶ **Formen** Forms

Kardinalzahl			Ordinalzahl		
1	eins	(ein Mann, eine Maus)	1.	erste	(der erste Januar, die erste Hausaufgabe, das erste Mal)
2	zwei	(zwei Männer, zwei Mäuse)	2.	zweite	(der zweite Januar, die zweite Hausaufgabe, das zweite Mal)
3	drei	(drei Männer, drei Mäuse)	3.	dritte	(der dritte Januar, die dritte Hausaufgabe, das dritte Mal)

Kardinalzahl		Ordinalzahl		Kardinalzahl		Ordinalzahl	
4	vier	4.	vierte	21	einundzwanzig	21.	einundzwanzigste
5	fünf	5.	fünfte	22	zweiundzwanzig	22.	zweiundzwanzigste
6	sechs	6.	sechste	23	dreiundzwanzig	23.	dreiundzwanzigste
7	sieben	7.	siebte/siebente	24	vierundzwanzig	24.	vierundzwanzigste
8	acht	8.	achte	30	dreißig	30.	dreißigste
9	neun	9.	neunte	31	einunddreißig	31.	einunddreißigste
10	zehn	10.	zehnte	40	vierzig	40.	vierzigste
11	elf	11.	elfte	50	fünfzig	50.	fünfzigste
12	zwölf	12.	zwölfte	60	sechzig	60.	sechzigste
13	dreizehn	13.	dreizehnte	70	siebzig	70.	siebzigste
14	vierzehn	14.	vierzehnte	80	achtzig	80.	achtzigste
15	fünfzehn	15.	fünfzehnte	90	neunzig	90.	neunzigste
16	sechzehn	16.	sechzehnte	100	hundert	100.	hundertste
17	siebzehn	17.	siebzehnte	125	hundertfünfundzwanzig	125.	hundertfünfundzwanzigste
18	achtzehn	18.	achtzehnte	1000	(ein)tausend	1000.	(ein)tausendste
19	neunzehn	19.	neunzehnte	3000	dreitausend	3000.	dreitausendste
20	zwanzig	20.	zwanzigste	4573	viertausendfünfhundert-dreiundsiebzig	4573.	viertausendfünfhundert-dreiundsiebzigste

▶ **Hinweise** Rules

→ **Kardinalzahlen** benennen eine genaue Menge. Sie haben in der Regel keine Endung:
Wir haben **vier** neue Mitarbeiter.
Eine Ausnahme ist die Zahl *eins*. Sie wird wie ein unbestimmter Artikel dekliniert:
Ich habe **einen** Mann, **ein** Kind und **eine** Katze.
Cardinal numbers indicate exact quantities. They do not take endings: *Wir haben vier neue Mitarbeiter.*
The only exception to this rule is the number „eins" (one). Its declension is the same as the declension of the indefinite article: *Ich habe einen Mann, ein Kind und eine Katze.*

→ **Ordinalzahlen** bezeichnen einen Rang in einer Reihe. Sie werden wie normale Adjektive dekliniert:
Das ist schon der **dritte** Versuch. Martina belegte den **ersten** Platz.
When objects are placed in order, we use ordinal numbers to tell their position. The declension of these numbers is the same as the declension of any other adjective: *Das ist schon der dritte Versuch. Martina belegte den ersten Platz.*

Übungen

1) **Schreiben Sie die Kardinalzahlen als Wörter.**
Write the cardinal numbers in words.

Unsere Firma hat:

- *zwei* (2) Direktoren
1. .... (55) Mitarbeiter insgesamt
2. .... (11) Sekretärinnen
3. .... (1) Praktikantin
4. .... (1) Hauptdirektor
5. .... (20) kleine Büroräume
6. .... (3) Großraumbüros
7. .... (5) Firmenwagen
8. .... (46) Computer
9. .... (39) Drucker
10. .... (4) Kopierer
11. .... (7) Kaffeemaschinen
12. .... (259 876) Euro Ausgaben im Monat

2) **Datum. Was für ein Tag ist heute? Nennen Sie das Datum im Nominativ.**
What is today's date? Write the dates. Use the nominative case.

Heute ist der:

- *einunddreißigste* (31.) Januar
1. .... (29.) Februar
2. .... (27.) März
3. .... (17.) April
4. .... (8.) Mai
5. .... (3.) Juni
6. .... (15.) Juli
7. .... (18.) August
8. .... (1.) September
9. .... (7.) Oktober
10. .... (11.) November
11. .... (24.) Dezember

3) **Wann wurden diese Leute geboren? Bilden Sie Sätze. Die Ordinalzahl steht im Dativ.**
When were these people born? Build sentences. The ordinal numbers are used in the dative case.

- Albert Einstein (Physiker): 14. März 1879
Der Physiker Albert Einstein wurde am vierzehnten März achtzehnhundertneunundsiebzig geboren.
1. Thomas Mann (Schriftsteller): 6. Juni 1875
....
2. Werner Herzog (Regisseur): 5. September 1942
....
3. Kaiserin Elisabeth (Sissi): 24. Dezember 1837
Kaiserin Elisabeth, genannt Sissi, wurde ....
4. Sigmund Freud (Arzt): 6. Mai 1856
....
5. Albrecht Dürer (Maler): 21. Mai 1471
....
6. Rudolf Diesel (Erfinder): 18. März 1858
....

4) **Wann finden die nächsten Sprachkurse statt? Bilden Sie Sätze wie im Beispiel.**
When will the next language courses take place? Build sentences by following the example.

- Französischkurs: 12.4.–15.6.
  a) *Der Französischkurs beginnt am zwölften April/Vierten und endet am sechzehnten Juni/Sechsten.*
  b) *Der Französischkurs läuft vom zwölften April/Vierten bis zum sechzehnten Juni/Sechsten.*

1. Deutschkurs: 2.5.–22.11.
   a) ....
   b) ....
2. Italienischkurs: 21.4.–10.7.
   a) ....
   b) ....
3. Spanischkurs: 9.5.–3.9.
   a) ....
   b) ....
4. Polnischkurs: 1.6.–10.10.
   a) ....
   b) ....
5. Englischkurs: 30.5.–12.11.
   a) ....
   b) ....
6. Japanischkurs: 24.4.–31.8.
   a) ....
   b) ....

5) **Die Reise um die Erde in 80 Tagen. Bilden Sie Sätze über Phileas Foggs Reise.**
Around the world in 80 days. Write sentences about Phileas Fogg's journey.

2. Oktober: England → 9. Oktober: Ägypten → 20. Oktober: Indien → 31. Oktober: Indonesien → 6. November: Hongkong → 11. November: China → 14. November: Japan → 3. Dezember: Amerika → 22. Dezember: England

Am zweiten Oktober war Phileas Fogg noch in England. Am neunten Oktober erreichte er Ägypten/kam er in Ägypten an/war er schon in Ägypten. ....

....

6) **Schreiben Sie die Ordinalzahlen als Wörter.**
Write the ordinal numbers in words.

- Anne schwamm nicht schnell genug. Sie belegte nur den *dritten* (3.) Platz.

1. Anton ist ein guter Schüler. Er geht jetzt in die .... (5.) Klasse.
2. Martin studiert im .... (4.) Semester Medizin. Er hat die Zwischenprüfung leider nicht bestanden. Vielleicht schafft er es beim .... (2.) Versuch.
3. Ich habe noch nie Austern gegessen. Das ist das .... (1.) Mal.
4. Wir waren schon sehr oft in Frankreich. Das ist unsere .... (8.) Reise nach Paris.

5 Präpositionen *Prepositions*

Wir fahren mit dem Zug.
↓
Präposition mit dem Dativ

Frau Kunkel kann ohne ihre Brille nicht mehr gut lesen.
↓
Präposition mit dem Akkusativ

Das Glas steht neben der Weinflasche.
Ich habe das Glas neben die Weinflasche gestellt.
↓
Präposition mit Dativ oder Akkusativ

▶ Hinweise *Rules*

→ Präpositionen bestimmen den Kasus der nachfolgenden Nomen oder Pronomen.
Prepositions determine the grammatical case of the noun or pronoun that follows them.

- Es gibt Präpositionen, nach denen immer derselbe Kasus folgt:
  Wir fahren **mit** dem Zug. Nach *mit* folgt immer der Dativ.
  Frau Kunkel kann **ohne** ihre Brille nicht lesen. Nach *ohne* folgt immer der Akkusativ.
  Some prepositions always require the same case: *Wir fahren mit dem Zug.* The preposition *mit* (with) always requires the dative case. *Frau Kunkel kann ohne ihre Brille nicht lesen.* The preposition *ohne* (without) always requires the accusative case.
- Einige Präpositionen können den Fall wechseln. Sie können mit dem Dativ oder dem Akkusativ auftreten:
  Das Glas steht **neben** der Weinflasche. Ich habe das Glas **neben** die Weinflasche gestellt.
  There are a few prepositions which do not always require the same case. They are used with the dative or the accusative case depending on the context: *Das Glas steht neben der Weinflasche* (indicating location). *Ich habe das Glas neben die Weinflasche gestellt* (indicating direction).

5.1 Präpositionen mit dem Dativ *Prepositions with the dative case*

Martina fährt
bei schönem Wetter
mit dem Motorroller
von Oberschleißheim
nach Unterschleißheim
zu ihrer Tante.

▶ Formen *Forms*

Präposition	Kurzform	Beispielsätze	
ab *(oft ohne Artikel)*		Das Flugzeug fliegt **ab** Frankfurt. **Ab** nächster Woche habe ich Urlaub.	*(lokal)* *(temporal)*

5 Präpositionen

5.1 Präpositionen mit dem Dativ

Präposition	Kurzform	Beispielsätze	
aus *(bei Modal- und Kausalangaben ohne Artikel)*		Ich komme aus der Türkei. Die Tür ist aus Holz. Er heiratete sie aus Liebe.	*(lokal)* *(modal)* *(kausal)*
bei	bei + dem = beim	Er wohnt bei seinen Eltern. Er sieht beim Essen fern. Bei schlechtem Wetter gehe ich nicht spazieren.	*(lokal)* *(temporal)* *(konditional)*
mit		Ich fahre mit dem Zug. Sie trinkt Kaffee mit Zucker.	*(modal)* *(modal)*
nach *(bei Lokalangaben ohne Artikel)*		Meiner Meinung nach steigen die Benzinpreise noch. Ich fahre nach Hause. Nach dem Essen gehe ich ins Bett.	*(modal)* *(lokal)* *(temporal)*
seit		Es regnet seit zwei Tagen.	*(temporal)*
von	von + dem = vom	Ich komme gerade vom Zahnarzt. Das ist der Schreibtisch vom Chef.	*(lokal)* *(Genitiversatz)*
zu	zu + dem = zum zu + der = zur	Ich gehe zu Fuß. Zum Einparken sollte man beide Außenspiegel benutzen. Ich gehe zur Bibliothek.	*(modal – feste Wendung)* *(final)* *(lokal)*

Übungen

1) **Lokalangaben**
Adverbials of place

a) **Wohin? Ergänzen Sie die Präposition und den Artikel bzw. die Kurzform, wenn nötig.**
Where to (direction)? Fill in the preposition and the article, or the short form where necessary.

nach → bei Angaben ohne Artikel (Städten, Ländern ohne Artikel, Richtungen wie: *links, rechts, Norden* und *nach Hause*)
Used for expressions without an article: cities and countries without an article, for directions such as *links* (left), *rechts* (right), *Norden* (North), and for the expression *nach Hause* (home).

zu → bei Personen, Veranstaltungen, einigen Institutionen und im Sinne von *in Richtung*
Used for persons, events, a few institutions, and for expressions conveying the idea of *to the direction of, towards.*

Wohin fahrt ihr? Wir fahren …

- die Bibliothek — *zu der/zur Bibliothek.*
1. München ....
2. der Bahnhof ....
3. Portugal ....
4. rechts ....
5. die Polizei ....
6. der Zahnarzt ....
7. Hause ....
8. Otto und Frieda ....
9. die Post ....
10. Deutschland ....
11. der Unterricht ....

b) **Woher? Ergänzen Sie die Präposition und den Artikel bzw. die Kurzform, wenn nötig.**
Where from? Fill in the prepositions and the article, or the short form where necessary.

aus → bei Städten, Ländern und im Sinne von *heraus*
Used for cities and countries with the meaning *from*, and for expressions conveying the idea of *out (of).*

von → bei Personen, Veranstaltungen, einigen Institutionen, Richtungen wie: *links, rechts* und im Sinne von *Ausgangspunkt* (z. B. von Berlin nach Hamburg)
Used for persons, events and a few institutions, for directions such as *links* (left), *rechts* (right), and for expressions conveying the idea of *point of departure, starting point* (e. g. von Berlin nach Hamburg/from Berlin to Hamburg).

Woher kommst du? Ich komme …

- die Küche — *aus der Küche.*
1. Frankreich ....
2. der Bahnhof ....
3. Leipzig ....
4. die Buchmesse ....
5. die Polizei ....
6. der Augenarzt ....
7. der Unterricht ....
8. Tante Else ....
9. die Sauna ....
10. eine Party ....
11. links ....

c) **Wo? Ergänzen Sie die Präposition und den Artikel bzw. die Kurzform, wenn nötig.**
Where? Fill in the prepositions and the article, or the short form where necessary.

bei → bei Personen, Veranstaltungen, einigen Institutionen
Used for persons, events, and a few institutions.

Warst du schon ...

- der Hausarzt *beim Hausarzt?*
1. der Chef ....?
2. das Golfspielen ....?
3. der Anwalt ....?
4. die Polizei ....?
5. der Englischunterricht ....?
6. der Friseur ....?
7. der Einstufungstest ....?

2) **Am Wochenende sind alle unterwegs. Bilden Sie Sätze wie im Beispiel.**
Everyone is travelling at the weekend. Build sentences by following the example.

- Otto, Marie und Gustav – Auto – Berlin
Otto, Marie und Gustav fahren mit dem Auto nach Berlin.

1. Oma – Taxi – ihre Enkelkinder
....
2. Max und Moritz – Schiff über den Rhein – Köln
....
3. Familie Feuerstein – Zug – Frankreich
....
4. Susi Sorglos – Motorrad – Party von Oskar
....
5. mein Nachbar – Fahrrad – Deutschunterricht
....
6. die Kollegen – Flugzeug – London
....
7. Herr Krümel – U-Bahn – Alexanderplatz
....

3) **Ergänzen Sie in dem Dialog die fehlenden Präpositionen *von/vom, zu/zum, mit, nach, seit*.** 46
Aussprachehilfe: Hören Sie den Text auf CD.
Complete the dialogue with the missing prepositions *von/vom, zu/zum, mit, nach, seit*. Pronunciation help: Check your answers with the CD.

Otto:	Hallo, Pauline, lange nicht gesehen! Wie geht es dir?
Pauline:	Grüß dich, Otto. Mir geht es gut. Woher kommst du gerade?
Otto:	Ich komme .... Zahnarzt. Ich hatte schreckliche Zahnschmerzen.
Pauline:	Oh, ich muss auch mal wieder .... Zahnarzt .... einer Kontrolle. Was machst du im Moment? Studierst du noch?
Otto:	Ja, ich studiere noch. Ich gehe aber nicht mehr so oft .... den Vorlesungen und Seminaren. Ich schreibe gerade meine Abschlussarbeit.
Pauline:	Hast du schon eine Stelle gefunden?
Otto:	Nein, aber nächste Woche fahre ich .... einem Vorstellungsgespräch .... Frankfurt.
Pauline:	Ein Freund .... mir wohnt in Frankfurt. Eduard, vielleicht kennst du ihn.
Otto:	Ach ja, du hast doch früher auch in Frankfurt gewohnt. Wie lange lebst du denn schon in München?
Pauline:	.... vier Jahren. Ich bin damals .... meinem Mann .... München gezogen. Erst fand ich die Bayern ein bisschen seltsam, aber jetzt mag ich sie.
Otto:	Pauline, ich habe nicht viel Zeit, ich muss noch .... Bäcker, Kuchen kaufen. Meine Freundin hat heute Geburtstag.
Pauline:	Dann sag ihr schöne Grüße und alles Gute .... Geburtstag.

5.2 Präpositionen mit dem Akkusativ Prepositions with the accusative case

Herr Schmidt ging ohne Gruß durch die Tür.

▶ **Formen** Forms

Präposition	Beispielsätze	
bis *(ohne Artikel)*	Der Zug fährt nur bis München. Ich bleibe bis Sonntag.	*(lokal)* *(temporal)*
durch	Wir fahren durch die Türkei. Die Mannschaft verbesserte sich durch hartes Training.	*(lokal)* *(modal)*
für	Ich brauche das Geld für meine Miete. Die Blumen sind für meine Frau.	*(final)* *(final)*
gegen	Das Auto fuhr gegen einen Baum. Ich komme gegen 8.00 Uhr. Ich nehme die Tabletten gegen Kopfschmerzen.	*(lokal)* *(temporal)* *(kausal)*
ohne *(oft ohne Artikel)*	Ohne Brille kann ich nichts sehen.	*(modal)*
um	Die Besprechung beginnt um 9.00 Uhr. Die Kirche wurde um 1750 gebaut. Wir sind um die Kirche (herum) gegangen.	*(temporal, genaue Zeitangabe)* *(temporal, ungenaue Zeitangabe)* *(lokal)*

■■■ Übungen

1) **Ergänzen Sie die fehlenden Präpositionen. Manchmal sind mehrere Lösungen möglich.**
Fill in the missing prepositions. Sometimes more than one answer is possible.

● Wann kommt ihr heute zum Abendessen? – *Um/Gegen* 20.00 Uhr.
1. Helfen diese Tabletten auch .... Halsschmerzen?
2. Diesmal fahren wir .... die Kinder in Urlaub: nur du und ich.
3. Ich bin .... diesen Plan: Ich glaube, er wird nicht funktionieren.
4. Wie viel hast du .... diese Jacke bezahlt? – 70 Euro.
5. Die Vorlesung von Professor Vetter endet heute .... 12.00 Uhr.
6. Ich will einen Spaziergang .... den Park machen. Kommst du mit?
7. Herr Schmidt kommt heute erst .... 14.00 Uhr zurück. Möchten Sie ihm eine Nachricht hinterlassen?
8. .... deine Hilfe kann ich diese Aufgabe nicht lösen.

2) **Bilden Sie Sätze.**
Build sentences.

Herr Müller

ist	bis	seine Frau in den Supermarkt gegangen.
hat	durch	nächste Woche Urlaub.
kann	für	ein Verkehrsschild gefahren.
	gegen	Computer nicht leben.
	ohne	seinen Sohn einen Fußball gekauft.
	um	die ganze Stadt gelaufen.
		17.00 Uhr in Frankfurt angekommen.
		seine Kopfschmerzen nichts tun.

● *Herr Müller ist ohne seine Frau in den Supermarkt gegangen.*

5.3 Präpositionen mit Dativ oder Akkusativ Dual prepositions

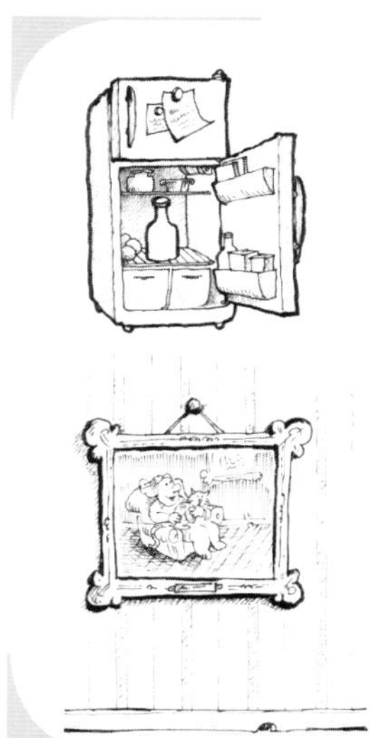

Wo?	Wohin?
Die Flasche steht im Kühlschrank.	Ich habe die Flasche in den Kühlschrank gestellt.
Das Buch liegt auf dem Tisch.	Ich habe das Buch auf den Tisch gelegt.
Das Bild hängt an der Wand.	Ich habe das Bild an die Wand gehängt.
Die Maus sitzt vor der Flasche.	Die Maus hat sich vor die Flasche gesetzt.
↓ Dativ	↓ Akkusativ

▶ Formen Forms

Präposition	Kurzform	Kasus		Beispielsätze	
an	an + dem = am	Wo?	Dativ	Das Bild hängt an der Wand.	*(lokal)*
	an + das = ans	Wohin?	Akkusativ	Ich hänge den Mantel an die Garderobe.	*(lokal)*
		Wann?	Dativ	Ich komme am Montag.	*(temporal)*
auf	auf + das = aufs	Wo?	Dativ	Das Buch liegt auf dem Tisch.	*(lokal)*
		Wohin?	Akkusativ	Ich lege das Buch auf den Tisch.	*(lokal)*
		Wie?	Akkusativ	Er macht es auf seine Art.	*(modal)*
hinter		Wo?	Dativ	Der Brief liegt hinter dem Schreibtisch.	*(lokal)*
		Wohin?	Akkusativ	Der Brief ist hinter den Schreibtisch gefallen.	*(lokal)*
in	in + dem = im	Wo?	Dativ	Ich war in der Schweiz.	*(lokal)*
	in + das = ins	Wohin?	Akkusativ	Ich fahre in die Schweiz.	*(lokal)*
		Wann?	Dativ	Wir haben im August Ferien.	*(temporal)*
		Wie?	Dativ	Er war in guter Stimmung.	*(modal)*
neben		Wo?	Dativ	Der Tisch steht neben dem Bett.	*(lokal)*
		Wohin?	Akkusativ	Ich stelle den Tisch neben das Bett.	*(lokal)*
über		Wo?	Dativ	Das Bild hängt über dem Sofa.	*(lokal)*
		Wohin?	Akkusativ	Otto hängt das Bild über das Sofa.	*(lokal)*
unter		Wo?	Dativ	Die Katze sitzt unter dem Stuhl.	*(lokal)*
		Wohin?	Akkusativ	Die Katze kriecht unter den Stuhl.	*(lokal)*
		Wie?	Dativ	Wir arbeiten unter schlechten Bedingungen.	*(modal)*
vor	vor + dem = vorm	Wo?	Dativ	Die Taxis stehen vor dem (vorm) Bahnhof.	*(lokal)*
		Wohin?	Akkusativ	Die Taxis fahren direkt vor die Tür.	*(lokal)*
		Wann?	Dativ	Treffen wir uns vor dem (vorm) Mittagessen?	*(temporal)*
		Warum?	Dativ	Er sprang vor Freude in die Luft.	*(kausal)*
zwischen		Wo?	Dativ	Vielleicht ist das Foto zwischen den Büchern?	*(lokal)*
		Wohin?	Akkusativ	Hast du das Foto zwischen die Bücher gesteckt?	*(lokal)*
		Wann?	Dativ	Zwischen dem 1. und dem 5. Mai ist das Restaurant geschlossen.	*(temporal)*

▶ **Hinweise** Rules

→ **Lokalangaben**

Die oben genannten Präpositionen nennt man auch Wechselpräpositionen, weil sie bei lokalen Angaben den Fall wechseln: Auf die Frage *Wo?* folgt der Dativ, auf die Frage *Wohin?* folgt der Akkusativ. Die Flasche steht **im** Kühlschrank. (Wo?)
Ich habe die Flasche **in den** Kühlschrank gestellt. (Wohin?)

Adverbials of place

The prepositions above are also called dual prepositions (Wechselpräpositionen) because the grammatical case which they require is determined by the context: If the adverbial of place answers the question *Wo?* (Where?/location) the dative is used. If it answers the question *Wohin?* (Where to?/direction, movement) the accusative is used. *Die Flasche steht im Kühlschrank.* (Where is the bottle?) *Ich habe die Flasche in den Kühlschrank gestellt.* (Where did you put the bottle?)

→ **Temporalangaben**

Bei temporalen Angaben folgt nach *an, in, vor* und *zwischen* immer der Dativ. Wir sehen uns **am** Donnerstag, **in der** Pause, **vor der** Besprechung, **zwischen den** Gesprächen.

Adverbials of time

In adverbials of time the prepositions *an, in, vor* and *zwischen* always require the dative case: *Wir sehen uns am Donnerstag, in der Pause, vor der Besprechung, zwischen den Gesprächen.*

■ ■ ■ Übungen

1) **Beantworten Sie die Fragen.**
Answer the questions.

a) **Wo ist Mizi?**

- ● unter – Tisch — *Mizi ist/liegt unter dem Tisch.*
1. in – Garten ....
2. hinter – Gardine ....
3. unter – Sofa ....
4. zwischen – Kissen *(Pl.)* ....
5. vor – Haustür ....
6. auf – Schrank ....

b) **Wo haben die Bankräuber das Geld versteckt?**
Where did the bank robbers hide the money?

- ● in – ein Tresor – in – Schlafzimmer
Das Geld ist/befindet sich in einem Tresor im Schlafzimmer.
1. in – Keller – in – eine Plastiktüte – hinter – Weinregal ....
2. in – ein Schließfach – auf – Bahnhof ....
3. in – Geheimfach eines Koffers – auf – Dachboden ....
4. unter – ein Grabstein – auf – Friedhof ....

2) **So geht das nicht! In Pauls Zimmer muss sich einiges verändern. Marie gibt Paul Anweisungen zum Umräumen.**
It can't go on like this! Paul's room needs some changes. Marie is giving Paul instructions on how to rearrange it.

Paul, räum endlich dein Zimmer auf! Stell/Leg/Häng …

- ● Bücher – Bücherregal — *Stell die Bücher ins Bücherregal.*
1. Karton mit den Skiern und den Bratpfannen – Keller
....
2. Kaffeemaschine + Mikrowelle – Küche
....
3. Fernseher – Kommode
....
4. Sachen – Kleiderschrank
....
5. Computer + Bildschirm + Tastatur – Schreibtisch
....
6. Socken – Schublade
....

3) **Wo oder wohin? Dativ oder Akkusativ? Ergänzen Sie die Artikel/Endungen in der richtigen Form.**
Where or where to? Dative or accusative? Put the articles/endings in the correct form.

- Wir treffen uns vor *dem* Kino.

1. Ich warte auf dich in d......... Schuhgeschäft in d......... Friedrichstraße.
2. In welch......... Restaurant möchtest du gehen?
3. Ich kenne ein nettes Restaurant direkt neben d......... Theater.
4. Ich hole dich an d......... Bushaltestelle ab.
5. Auf d......... Marktplatz findet heute Abend ein Open-Air-Konzert statt.
6. Kommst du heute Abend mit in d......... neue Schwimmhalle?
7. Nein, ich gehe noch mal in d......... Firma.
8. Was willst du denn abends in d......... Firma noch machen?
9. Ich muss in mein......... Büro nach einem Dokument suchen. Ich hoffe, es liegt auf mein......... Schreibtisch.
10. Vielleicht hat die Sekretärin das Dokument gefunden und in d......... Tresor gelegt.

4) **Im Büro**
Ergänzen Sie die Präpositionen *an, in, vor, zwischen* und die Artikelendung bzw. die Kurzform, wenn nötig.
In the office. Fill in the prepositions *an, in, vor, zwischen* and the article endings, or their short form where necessary.

- Die Besprechung der Informatik-Abteilung findet morgen, *am* 21. März, um 9.30 Uhr statt.

1. Herr Schmidt ist .... Freitag auf Geschäftsreise. Mit dringenden Fragen können Sie sich an Frau Kümmel wenden.
2. Liebe Kollegen, wer möchte am Weihnachtsessen teilnehmen? Bitte geben Sie Frau Haffner noch .... dies......... Wochenende Bescheid.
3. .... letzten Monat waren zwölf Mitarbeiter krank.
4. .... d......... nächsten Besprechung müssen wir über das Projekt diskutieren.
5. Das Protokoll der letzten Besprechung wurde .... ein......... Woche per E-Mail geschickt.
6. .... Montagvormittag empfängt der Chef eine Delegation aus Japan.
7. .... dies......... Sommer nimmt unsere Firma an zwei großen Industrie-Messen teil.
8. .... d......... 4. und d......... 6. November ist die Kantine geschlossen.

5) **Stadtbesichtigung. Ergänzen Sie die fehlenden Präpositionen und Artikel.**
City tour. Complete the text by adding the missing prepositions and articles.

auf • in/im • an

Zuerst besichtigen wir die Altstadt, sie bietet viele interessante Sehenswürdigkeiten. Wenn Sie hinausschauen, dann sehen Sie *auf der* linken Seite die Johanneskirche. Sie ist eine moderne Kirche und wurde .... 18. Jahrhundert gebaut. Diese Kirche gilt heute als Symbol für den Frieden. .... Kirche haben sich Ende der 1980-er Jahre viele Menschen getroffen und miteinander diskutiert.
.... rechten Seite können Sie die Ruinen einer mittelalterlichen Burg sehen. Die Burg wurde .... Krieg von Bomben zerstört und nur teilweise wieder aufgebaut.
So, jetzt suchen wir einen Parkplatz für den Bus, wo wir aussteigen können. Dann besichtigen wir zusammen die Burg. .... Burg befindet sich das Grab des Fürsten Ferdinand August. Außerdem gibt es .... Wänden wunderschöne Gemälde, die .... letzten Jahren restauriert wurden. Nach der Besichtigung haben Sie frei. Sie können noch mit mir .... Johanneskirche kommen oder Sie gehen .... Stadt bummeln.
Wir treffen uns um 18.00 Uhr hier .... Parkplatz. Seien Sie bitte pünktlich!

Ruinen: ruins • Bomben: bombs

Zusammenfassende Übungen

6) **Lokalangaben**
Adverbials of place

Wohin gehen/fahren/fliegen Sie?	Wo waren Sie?	
nach + Dativ (bei Richtungsangaben ohne Artikel)	*in* + Dativ	
nach Deutschland, nach München, nach Europa	in Deutschland, in München, in Europa	Länder ohne Artikel, Städte und Kontinente
nach Norden nach Hause	im Norden zu (!) Hause	Himmelsrichtungen
in + Akkusativ	*in* + Dativ	
im Sinne von *hinein*: in die Kirche, in die Schule, in das Restaurant, in den Park	in der Kirche, in der Schule, im Restaurant, im Park	
in die Schweiz, in den Sudan, in die Niederlande	in der Schweiz, im Sudan, in den Niederlanden	Länder mit Artikel
an + Akkusativ	*an* + Dativ	
im Sinne von *heran*: an das Fenster	am Fenster	
an die Nordsee, an den Strand	an der Nordsee, am Strand	Wasser
auf + Akkusativ	*auf* + Dativ	
im Sinne von *hinauf*: auf den Aussichtsturm	auf dem Aussichtsturm	
auf eine einsame Insel	auf einer einsamen Insel	Inseln
auf den Potsdamer Platz	auf dem Potsdamer Platz	Plätze
zu + Dativ	*bei* + Dativ	
zu meinen Eltern, zum Arzt, zum Friseur	bei meinen Eltern, beim Arzt, beim Friseur	Personen
zur Polizei, zum Unterricht, zu Mercedes	bei der Polizei, beim Unterricht, bei Mercedes	einige Behörden, Veranstaltungen o. ä.

a) ***Zu, nach* oder *in*? Ergänzen Sie die Präpositionen und Artikel bzw. die Kurzformen. Manchmal sind mehrere Lösungen möglich.**
Zu, nach or *in*? Complete each expression by adding the correct preposition and article, or their short form. Sometimes more than one answer is possible.

- Wenn ich Brot kaufen will, gehe ich *zum* Bäcker.

1. Wenn meine Haare zu lang sind, gehe ich .... Friseur.
2. Wenn ich schöne Fotos sehen möchte, gehe ich .... Fotomuseum.
3. Wenn ich das Guggenheim-Museum sehen möchte, fahre ich .... New York.
4. Wenn ich einen Spaziergang machen möchte, gehe ich .... Park.
5. Wenn ich ein nettes Gespräch führen möchte, gehe ich .... meiner Freundin.
6. Wenn ich einen Film sehen möchte, gehe ich .... Kino.
7. Wenn mein Auto kaputt ist, gehe ich .... Autowerkstatt.
8. Wenn ich krank bin, gehe ich .... Arzt.
9. Wenn ich Deutsch lernen möchte, fahre ich .... Deutschland, ... Österreich oder .... Schweiz.
10. Wenn ich ein neues Hemd kaufen will, gehe ich .... Modegeschäft.
11. Wenn ich mich sonnen möchte, gehe ich .... Strand.
12. Wenn ich keine Lust zum Arbeiten mehr habe, gehe ich .... Kneipe.

b) **Ergänzen Sie die Präpositionen und Artikel bzw. die Kurzformen.**
Complete each expression by adding the correct preposition and article, or their short form.

Wohin geht, rennt, fährt, fliegt Otto?
Otto geht, rennt, fährt, fliegt …

1. .... Bett
2. .... Büro
3. .... Berlin
4. .... Supermarkt
5. .... Deutschunterricht
6. .... Polizei
7. .... Oma Jutta
8. .... Griechenland
9. .... Hause
10. .... Aussichtsturm
11. .... Nordsee
12. .... Restaurant
13. .... Niederlande

Wo ist Otto?
Otto ist …

.... Bett
.... Büro
.... Berlin
.... Supermarkt
.... Deutschunterricht
.... Polizei
.... Oma Jutta
.... Griechenland
.... Hause
.... Aussichtsturm
.... Nordsee
.... Restaurant
.... Niederlanden

7) **Temporalangaben**
Adverbials of time

Zeitpunkt: Wann?	Präposition	+ Kasus	Beispiele
Wann treffen wir uns?	*um*	+ Akkusativ	um 8.00 Uhr
	an	+ Dativ	am Montag/8. Januar *(Tag)* am Morgen *(Tagteil)* am Wochenende
	in	+ Dativ	im Januar *(Monat)* im Winter *(Jahreszeit)* im Moment/Augenblick in zwei Wochen
	–		2012 *(Jahr)*
	vor	+ Dativ	vor dem Essen
	nach	+ Dativ	nach dem Essen
	zwischen	+ Dativ	zwischen 9.00 und 10.00 Uhr
	bei	+ Dativ	bei dem (beim) Essen
	zu	+ Dativ	zu deiner Geburtstagsfeier

Zeitdauer: Wie lange?	Präposition + Kasus	
Wie lange haben Sie Zeit?	*von … bis …*	von 9.00 bis 12.00 Uhr
Wie lange dauert das Seminar?	*vom … bis zum …* + Dativ	vom 2.2. bis zum 13.5.
Seit wann arbeiten Sie schon …?	*seit …* + Dativ	seit September

▸ Achtung: Zeitangaben ohne Präposition stehen im Akkusativ! Wann hat sich Eva verliebt? **Letzten** Sommer.
Attention: In adverbials of time without a preposition the accusative case is used. *Wann hat sich Eva verliebt? Letzten Sommer.*

a) **Wann? Ergänzen Sie die Präpositionen und Artikel bzw. die Kurzformen. Manchmal gibt es mehrere Lösungen.**
When? Complete each expression by adding the correct preposition and article, or their short form. Sometimes more than one answer is possible.

Wann hat sich Eva verliebt?

● *am* Freitag
1. .... Urlaub
2. .... Wochenende
3. .... Skifahren
4. .... wenigen Minuten
5. .... Weihnachtsessen

Wann sprechen wir endlich über das Projekt?

6. .... nächsten Sitzung
7. .... 15. Juli
8. .... Mittagspause
9. .... zwei Wochen
10. .... Gespräch mit dem Direktor
11. .... Golfspielen

b) **Antworten Sie wie im Beispiel.**
Answer the questions by following the example.

● Seit wann arbeiten Sie als freischaffender Künstler? *(5 Jahre)*
Ich arbeite seit fünf Jahren als freischaffender Künstler.

1. Wann haben Sie mit dem Malen begonnen? *(20 Jahre)*
....
2. Wann haben Sie studiert? *(1999–2004)*
....
3. Wann haben Sie Ihr erstes Bild verkauft? *(Mai 2005)*
....
4. Seit wann arbeiten Sie in diesem Atelier? *(August 2007)*
....
5. Wann haben Sie den berühmten Maler Leo Qualm kennengelernt? *(einige Wochen)*
....
6. Wann ist die Eröffnung Ihrer Ausstellung? *(14. Mai, 17.00)*
....
7. Wie lange kann man Ihre Ausstellung besuchen? *(14. Mai–7. Juni)*
....
8. Wann treffen Sie sich mit dem New Yorker Galeristen? *(Ausstellungseröffnung)*
....
9. Wann fahren Sie nach New York? *(Winter)*
....

8) **Ergänzen Sie die lokalen und temporalen Präpositionen.**
Complete each adverbial of time or place with the appropriate preposition.

nach *(3 x)* • am • durch • gegen • in *(6 x)* • im *(2 x)* • ab • bis

Kennen Sie Salzburg?

Salzburg ist *in* (0) Österreich und hat heute etwa 150 000 Einwohner. Die kleine Stadt liegt .... (1) Nordrand der Alpen. .... (2) Salzburg fließt der Fluss Salzach. .... (3) den Namen von Stadt und Fluss kommt das Wort „Salz" vor, weil es .... (4) der Region große Salzvorkommen gab. Das „weiße Gold der Berge" sorgte für großen Reichtum: Schon 2 000 Jahre vor Christus wurde .... (5) der Umgebung von Salzburg Salz gewonnen.

.... (6) späten Mittelalter wurde Salzburg als internationaler und regionaler Handelsplatz immer wichtiger. Neben der Salzgewinnung wurde .... (7) 16. Jahrhundert auch Gold zu einer wichtigen Säule des Wohlstands. Das Gold wurde .... (8) der Nähe von Salzburg gefunden.

Weil die Stadt reich war, gab es genügend finanzielle Mittel für Kunst und Kultur. Davon profitierte unter anderem der Komponist und Musiker Wolfgang Amadeus Mozart, der 1756 .... (9) Salzburg geboren wurde. Mozart wurde von Erzbischof Siegismund Graf Schrattenbach, der auch sein guter Freund war, unterstützt. .... (10) dem Tod des Erzbischofs erhielt Mozart weniger finanzielle Hilfe. Er stritt sich mit dem neuen Erzbischof und musste 1781 die Stadt verlassen. Mozart ging .... (11) Wien, wo er 1791 starb.

.... (12) dem Napoleonkrieg gewann die Stadt .... (13) Ende des 19. Jahrhunderts wieder an Wohlstand und Bedeutung. Zur Kulturmetropole von internationalem Ruf wurde Salzburg .... (14) 1920 durch die Einführung der weltbekannten Salzburger Festspiele, die .... (15) heute ein großes Publikum anziehen.

Salzvorkommen: sources of salt • Reichtum: richness • Handelsplatz: emporium, trading centre • Säule des Wohlstandes: pillar of prosperity • Ruf: reputation

9) **Eine zufällige Begegnung. Ergänzen Sie die Präpositionen und Artikel bzw. die Kurzform. Manchmal sind mehrere Lösungen möglich.** 47
Aussprachehilfe: Hören Sie die Lösungen auf CD.
An accidental encounter. Complete the dialogue by adding the correct preposition and article, or their short form. Sometimes more than one answer is possible. Pronunciation help: Check your answers with the CD.

Ingrid: Hallo, Daniel. Was machst du hier *in* Köln?

Daniel: Hallo, Ingrid. .... Februar arbeite ich hier .... ein.......... Möbelfirma. Ich bin .... Berlin weggezogen, weil ich dort keine Arbeit gefunden habe. Hier in Köln fühle ich mich wohl.

Ingrid: Das ist ja super. Sag mal, hast du morgen Abend schon etwas vor? Ich habe zwei Karten .... ein Jazzkonzert. Wir könnten zusammen hingehen. Du magst doch Jazzmusik.

Daniel: Morgen Abend habe ich leider keine Zeit. Ich muss .... mein........ Schwedischkurs.

Ingrid: Du lernst Schwedisch?

Daniel: Ja. Unsere Firma arbeitet eng .... ein........ schwedischen Unternehmen zusammen. Nächstes Jahr muss ich wahrscheinlich öfter .... Stockholm fliegen.

Ingrid: Klingt sehr interessant, aber ich muss jetzt los. .... drei Uhr habe ich eine Besprechung. Wenn du Zeit hast, könnten wir uns .... Wochenende treffen, ... Samstag oder .... Sonntag. Ich möchte gern einen Ausflug .... ein........ Schiff .... d........ Rhein machen.

Daniel: Sehr gerne. Das Wetter ist ja prima und ich wollte auch .... der Stadt raus.

Ingrid: Gibst du mir deine Telefonnummer? Ich rufe dich .... Freitag an, dann können wir alles genau besprechen.

10) **Weitere Angaben**
Other adverbials

Finalangaben Adverbial of reason Wofür? • Wozu?	*für* + Akkusativ	Ich tue das alles nur **für** dich.
	zu + Dativ	**Zum** Einparken sollte man beide Außenspiegel benutzen.
Modalangaben Adverbials of manner Wie? • Womit? • Mit wem?	*aus* + Dativ *(ohne Artikel)*	Das Kleid ist **aus** reiner Seide.
	durch + Akkusativ	Die Mannschaft verbesserte sich **durch** hartes Training.
	mit + Dativ	Wir fahren **mit** dem Zug.
	nach + Dativ *(oft nachgestellt)*	Meiner Meinung **nach** stimmt das Ergebnis nicht.
	ohne + Akkusativ *(oft ohne Artikel)*	**Ohne** Brille kann ich nicht lesen.
	unter + Dativ	Wir arbeiten **unter** schlechten Bedingungen.
	zu + Dativ	Wir gehen **zu** Fuß. *(feste Wendung)*
Kausalangaben Adverbials of cause Warum?	*aus* + Dativ *(ohne Artikel)*	Er heiratete sie **aus** Liebe.
	vor + Dativ *(ohne Artikel)*	Er sprang **vor** Freude in die Luft.
	gegen + Akkusativ	Ich nehme die Tabletten **gegen** Kopfschmerzen.
Konditionalangaben Adverbs of condition Wann?	*bei* + Dativ	**Bei** schlechtem Wetter gehe ich nicht spazieren.

Bilden Sie Sätze. Achten Sie auf den Kasus.
Build sentences. Pay attention to the grammatical case.

- wir – das Geld – zu – Überleben – brauchen
  Wir brauchen das Geld zum Überleben.

1. die Schränke – aus – Holz – sein
   ....
2. Tante Jutta – mit – Auto – ohne – ihr Hund – kommen
   ....
3. Martha – für – ihr Sohn – eine Gitarre – kaufen
   ....
4. meine Meinung – nach – der Abgabetermin – für – der Abschlussbericht – zu früh – sein
   ....
5. ohne – Fleiß – wir – der Wettkampf – nicht – gewinnen können
   ....
6. das Fußballspiel – unter – schlechte Wetterbedingungen – stattfinden
   ....
7. aus – Angst – vor – eine Verletzung – der Stürmer Franz Kaiser – nicht – mitspielen
   ....
8. das ganze Gebäude – aus – Stahl und Glas – sein
   ....
9. ich – die alten Pfannen – von – meine Oma – zu – das Kochen – gerne – nehmen
   ....
10. bei – heftiger Schnee – man – die Bergstraße – nicht – befahren können
    ....
11. er – dir – nur – aus – Mitleid – helfen
    ....
12. die Regierung – jetzt – gegen – das Rauchen – kämpfen
    ....

11) **Ergänzen Sie die Präpositionen in dem folgenden Zeitungsartikel.** 48
Aussprachehilfe: Hören Sie die Lösungen auf CD.
Complete the following newspaper article by adding the correct prepositions. Pronunciation help: Check your answers with the CD.

am *(3 x)* • für • im *(2 x)* • in • mit *(2 x)* • nach • um • zwischen

Mittagsschlaf *im* Büro?

.... Deutschland würde jeder dritte Mitarbeiter gern .... Arbeitsplatz einen Mittagsschlaf machen.

Studien belegen, dass man die Reaktions- und Konzentrationsfähigkeit .... einem kurzen Mittagsschlaf erhöhen kann. .... einer 30-minütigen Siesta erwacht man frisch und man ist leistungsfähiger und kreativer als die Kollegen, die ihre Müdigkeit .... Koffein bekämpfen. Wenn wir unseren Biorhythmus nicht respektieren, können wir zehn Stunden pro Tag .... Büro verbringen, ohne effizient zu arbeiten. .... unsere Leistung ist es besser, wenn wir zum Beispiel komplizierte Aufgaben .... 10.00 und 11.00 Uhr vormittags oder .... späteren Nachmittag erledigen, statt .... frühen Morgen oder .... 13.00 Uhr.

Leistungsfähigkeit: effectiveness • erhöhen: to raise • Müdigkeit: tiredness • bekämpfen: to fight, to overcome • erledigen: to get done • statt: instead of

6 Adverbien und Partikeln Adverbs and particles

6.1 Fragewörter Interrogative (question) words

6.1.1 *Wann, warum, wie* und *wo*? *When, why, how* and *where*?

Wann fährt Martina zu ihrer Tante? Martina fährt morgen zu ihrer Tante.
→ Frage nach dem Zeitpunkt Asking about time

Warum fährt Martina zu ihrer Tante? Martinas Tante ist krank.
→ Frage nach dem Grund Asking about reason

Wie fährt Martina zu ihrer Tante? Martina fährt mit dem Motorroller.
→ Frage nach der Art und Weise Asking about manner

Wie lange fährt Martina zu ihrer Tante? Martina fährt zwei Stunden.
→ Frage nach der Dauer Asking about duration

Wie oft fährt Martina zu ihrer Tante? Martina fährt zweimal in der Woche.
→ Frage nach der Häufigkeit Asking about frequency

Wie viel hat Martinas Motorroller gekostet? Martinas Motorroller hat 800 Euro gekostet.
→ Frage nach einer Menge/Anzahl Asking about quantity/number

Wo wohnt Martinas Tante? Martinas Tante wohnt in Unterschleißheim.
→ Frage nach dem Ort Asking about place, location

Woher kommt Martina und *wohin* fährt sie?
Martina kommt aus Oberschleißheim und fährt nach Unterschleißheim.
→ Frage nach der Richtung Asking about direction

▶ **Hinweise** Rules

→ Fragewörter leiten Fragesätze ein. Die Fragewörter: *wann, warum, wie, wie lange, wie oft, wie viel, wo, woher, wohin* werden nicht dekliniert, sie bleiben unverändert.
Question words introduce wh- questions. The following question words cannot be declined: *wann, warum, wie, wie lange, wie oft, wie viel, wo, woher, wohin*. They are invariable.

Übungen

1) **Am Fahrkartenschalter. Ergänzen Sie in dem folgenden Dialog die Fragewörter.** 49
Aussprachehilfe: Hören Sie die Lösungen auf CD.
At the ticket counter. Complete the following dialogue by adding the correct question words. Pronunciation help: Check your answers with the CD.

Kunde:	Ich hätte gern eine Fahrkarte nach München.
Bahnmitarbeiter:	Eine einfache Fahrt oder Hin- und Rückfahrkarte?
Kunde:	Hin- und Rückfahrkarte bitte.
Bahnmitarbeiter:	*Wann* möchten Sie fahren? Heute noch?
Kunde:	Nein, morgen. .... fährt der Zug ab?
Bahnmitarbeiter:	Der Zug fährt um 9.44 Uhr hier in Senftenberg ab und ist um 18.50 Uhr in München.
Kunde:	.... muss ich umsteigen?
Bahnmitarbeiter:	Sie müssen zweimal umsteigen, einmal in Priestewitz und einmal in Leipzig.

→

Kunde:	.... Zeit habe ich in Leipzig zum Umsteigen?
Bahnmitarbeiter:	Sie haben 13 Minuten Zeit. Der Zug kommt um 12.03 Uhr an und um 12.16 Uhr geht es weiter.
Kunde:	Und .... kostet die Fahrkarte?
Bahnmitarbeiter:	.... möchten Sie denn fahren? In der ersten oder in der zweiten Klasse?
Kunde:	In der zweiten Klasse, bitte.
Bahnmitarbeiter:	Dann kostet die Fahrkarte 104 Euro.
Kunde:	Oh, das ist aber teuer! .... kann ich bezahlen? Mit Kreditkarte?
Bahnmitarbeiter:	Nein, Sie können hier nur bar bezahlen.
Kunde:	Ich habe nicht so viel Bargeld dabei. .... ist der nächste Geldautomat?
Bahnmitarbeiter:	Gleich am Eingang.
Kunde:	Danke, dann komme ich später noch mal wieder.

2) **Fragen und Antworten. Formulieren Sie Fragen und antworten Sie.**
Questions and answers. Ask questions and answer them.

- Themen: Urlaub – Arbeit – Hobbys

Wann ...?	**Wohin ...?**	**Wo ...?**
Wie lange ...?	**Wie viel ...?**	**Wie oft ...?**
Was ...?	**Warum ...?**	**...?**

- *Wann fahren Sie (fahrt ihr/fährst du) in den Urlaub?*
  Wir fahren (Ich fahre) im August.
  Wann sind Sie (seid ihr/bist du) in den Urlaub gefahren?
  Wir sind (Ich bin) im Dezember in den Urlaub gefahren.

1. ....
2. ....
3. ....
4. ....
5. ....
6. ....
7. ....
8. ....

3) **Formulieren Sie passende Fragen.**
Ask appropriate questions.

- *Wie heißen Sie?* – Ich heiße Kerstin Kramer.

1. ....? – Ich bin 33 Jahre alt.
2. ....? – Ich wohne in Berlin.
3. ....? – Ich bin 1995 nach Berlin gezogen.
4. ....? – Ich fand Berlin toll und habe auch in Berlin studiert.
5. ....? – Germanistik und Romanistik.
6. ....? – Ich arbeite als Lehrerin an einem Gymnasium.
7. ....? – Ich arbeite dort schon acht Jahre.
8. ....? – Sehr gut. Sie macht mir viel Spaß.
9. ....? – In meiner Klasse sind 25 Kinder.
10. ....? – Ich spiele regelmäßig Volleyball.
11. ....? – Zweimal in der Woche und manchmal am Wochenende.
12. ....? – Weil Volleyball eine Mannschaftssportart ist.

4) **Das neue Projekt. Bilden Sie Fragen wie im Beispiel.**
The new project. Ask questions by following the example.

- das Projekt – dauern – wie lange
  Wie lange dauert das Projekt?

1. wir – Mitarbeiter – brauchen – wie viele
   ....
2. können – weitere Informationen – wir – finden – wo
   ....
3. finanzielle Unterstützung – bekommen – wir – woher
   ....
4. uns – treffen – wir – in der Woche – wie oft
   ....
5. wir – rechnen – mit ersten Ergebnissen – können – wann
   ....
6. das Projekt – kosten – insgesamt – wie viel
   ....

5) **Ergänzen Sie die Fragewörter.**
Fill in the question words.

Sehr geehrte Damen und Herren,

mein Name ist Sarah Pernot und ich möchte ab September an Ihrer Universität Medizin studieren. Ich suche im Moment eine Unterkunft in Ihrer Stadt und hätte gerne einige Informationen von Ihnen. Ich kann auf Ihrer Webseite leider keine Angaben zum Thema Wohnen finden. Ich hoffe, Sie können meine Fragen beantworten: Hat die Universität ein Studentenwohnheim? .... kann ich mich für ein Zimmer in einem Studentenwohnheim anmelden? .... kostet ein Zimmer dort? .... sind die Zimmer? .... ist das Studentenwohnheim von der Universität entfernt? Ab .... kann man in das Studentenwohnheim einziehen? Oder ist es vielleicht besser, in einem Zimmer bei einer Familie zu wohnen? .... muss man für ein privates Zimmer bezahlen? .... kann ich weitere Informationen über die Stadt bekommen?
Ich bedanke mich schon jetzt für Ihre Antwort.

Mit freundlichen Grüßen
Sarah Pernot

6.1.2 *Wo(r)* + Präposition *Wo(r)* + preposition

Paul träumt von der deutschen Grammatik.
Wovon träumt Paul?
→ Frage nach einer Sache: *wo* + Präposition
Asking about a thing: *Wo* + preposition

Paul träumt von schönen Frauen.
Von wem träumt Paul?
→ Frage nach einer Person: Präposition + Fragepronomen
Asking about a person: preposition + interrogative pronoun

Oskar denkt an seine Arbeit.
Woran denkt Oskar?
→ Frage nach einer Sache: *wo* + *r* + Präposition
Die Präposition beginnt mit einem Vokal.
Asking about a thing: *Wo* + *r* + preposition
The preposition begins with a vowel.

Hinweise Rules

→ Fragewörter mit *wo(r)* + Präposition wie: *wovon, woran, womit, worüber, worauf* werden nicht dekliniert, sie bleiben unverändert.
Question words formed with *wo(r)* + preposition such as *wovon, woran, womit, worüber, worauf* cannot be declined. They are invariable.

→ Fragen nach Personen werden mit einer Präposition und den Fragepronomen *wer, wen, wem* gebildet. Fragepronomen werden dekliniert. ➤ Seite 100
Questions about persons are formed with a preposition and one of the following interrogative pronouns: *wer, wen* or *wem*. These pronouns must be declined.

Übungen

1) Ergänzen Sie das Fragewort und antworten Sie. Achten Sie auf den richtigen Kasus.
Fill in the question words and answer the questions. Pay attention to the grammatical case.

- *Wovon* träumt Maria? *(von – eine Gehaltserhöhung)* *Maria träumt von einer Gehaltserhöhung.*
1. .... freust du dich? *(über – das gute Ergebnis)* ....
2. .... arbeitet ihr? *(mit – Word)* ....
3. .... ärgert sich Herr Klein? *(über – der Stau)* ....
4. .... denkt der Chef? *(an – die Einnahmen der Firma)* ....
5. .... habt ihr geredet? *(über – die Fußballergebnisse)* ....
6. .... interessierst du dich? *(für – Politik)* ....
7. .... hat der Koch die Soße gewürzt? *(mit – Chili)* ....
8. .... wartet ihr? *(auf – Beginn des Feuerwerks)* ....

2) Oma ist schwerhörig und muss immer nachfragen. Was sagt sie?
Grandma can't hear very well and always asks for things to be said again. What does she say?

- Ich habe heute über einen Witz gelacht. – *Was sagst du? Worüber hast du gelacht?*
1. Ich bin heute mit dem Bus zur Arbeit gefahren. – ....
2. Ich habe schon lange nichts mehr von Onkel Rudi gehört. – ....
3. Ich freue mich schon auf das Wochenende. – ....
4. Ich will mich um eine neue Stelle bewerben. – ....
5. Ich bin mit meinem alten Job nicht mehr zufrieden. – ....
6. Ich muss unbedingt mit Petra sprechen. – ....

6.2 Adverbien Adverbs

Heute gibt es im Haus von Familie Feuerstein eine große Party.
↓
Temporaladverb
Adverb of time

Hier feiert Paulchen seinen zehnten Geburtstag.
↓
Lokaladverb
Adverb of place

Paulchen hat sich über seine Geschenke sehr gefreut.
↓
Modaladverb
Adverb of manner

▶ Formen Forms

temporale Adverbien Adverbs of time	Wann?	montags, vormittags, abends	Der A2-Kurs ist **montags**.
		Vergangenheit Past damals, früher, vorhin, gestern	**Früher** war alles anders.
		Gegenwart: Present heute, jetzt, nun, momentan	Ich bin **jetzt** im Büro.
		Zukunft Future morgen, bald, nachher, später, gleich	Das mache ich **später**. Ich habe **morgen** einen Termin.
		Reihenfolge Sequence order of events zuerst, dann, danach, anschließend, zuletzt	**Zuerst** müssen Sie den Computer starten.
	Wie oft?	**Häufigkeit** Frequency immer, meistens, oft, manchmal, selten, nie, täglich	Ich trinke **selten** Tee.
lokale Adverbien Adverbs of place	Wo?	**Ort** Place links, rechts, oben, unten, vorn, hinten, überall, hier, dort	Ich fühle mich **hier** richtig wohl. Er ist **überall** auf der Welt zu Hause.
	Wohin?	**Richtung** Direction nach links, nach rechts, nach oben, nach unten, geradeaus	Fahren Sie bitte erst nach **links**, dann **geradeaus**.
	Woher?	**Herkunft** Origin von links, von rechts, von oben, von unten	Das Auto kam **von links**.
modale Adverbien Adverbs of manner	Wie?	anders, besonders, gern, leider	Ich habe **leider** keine Zeit.
	Wie stark? Wie viel?	**Graduierung** Graduation sehr, wenig, ein bisschen, kaum	Er liebt sie **sehr**.

▶ Hinweise Rules

→ Adverbien können zum Beispiel Zeit, Häufigkeit, Ort oder Art und Weise eines Geschehens angeben. Sie werden nicht dekliniert.
Adverbs can, for example, indicate time, frequency, place or manner of an event. They cannot be declined.

Übungen

1) Bilden Sie Sätze. Achten Sie auf die Reihenfolge.
Build sentences. Pay attention to the word order.

- abends – stattfinden – unsere Sprachkurse – nur
  Unsere Sprachkurse finden nur abends statt.

1. zurückrufen – Herr Klein – Sie – später
2. bitte – Sie – die E-Mail – gleich – schreiben
3. Kollege Klein – zum Mittagessen – meistens – um 12.30 Uhr – sein
4. sein – Frau Müller – nie – krank
5. momentan – viele Aufträge – haben – wir
6. Herr Krümel – das neue Projekt – morgen – vorstellen
7. besonders – ich – finde – sympathisch – den neuen Projektleiter
8. fünfzig E-Mails – beantworten – täglich – muss – die Sekretärin
9. ein bisschen – wir – heute Abend – bleiben – länger – im Büro

2) In der Firma ist viel los. Beschreiben Sie die Temporalangaben mit einem Adverb.
Many things are going on at the company. Replace each adverbial of time by the appropriate adverb.

- Jeden Montag macht Frau Müller die Wochenplanung. *montags*

1. Jeden Vormittag findet im Zimmer des Chefs eine Besprechung statt. ....
2. Die Kollegen gehen am Mittag zusammen in die Kantine. ....
3. Am Nachmittag arbeiten die meisten Kollegen am Computer. ....
4. Frau Müller und Herr Klein sind am Abend oft noch im Büro. ....
5. Am Samstag und am Sonntag genießen alle ihr Wochenende. ....

3) Hier ist einiges durcheinandergeraten. Beschreiben Sie den Vorgang des Wäschewaschens in der richtigen Reihenfolge. Benutzen Sie dabei die Adverbien: *zuerst, dann, danach, anschließend, zuletzt.*
Things got mixed up here. Put the steps of how to wash clothes in the right order. Use the following adverbs: *zuerst, dann, danach, anschließend, zuletzt.*

die Wäsche herausnehmen und aufhängen • das Programm wählen • die Maschine ausschalten • den Einschaltknopf drücken • die Tür schließen • Waschpulver einfüllen • Wäsche in die Waschmaschine legen • die Tür öffnen *(2 x)*

Zuerst muss man die Tür öffnen und die Wäsche in die Waschmaschine legen.

4) **Wie heißt das Gegenteil?**
Write the opposite of the underlined words.

- Martha sagt, wir müssen *nach links* fahren, Gregor meint, wir müssen *nach rechts*.
1. Martha ist oben im Arbeitszimmer, Gregor ist .... im Keller.
2. Martha liest lieber morgens Zeitung, Gregor ....
3. Martha geht oft im Park spazieren, Gregor ....
4. Martha mag den Garten sehr, Gregor mag ihn nur ....
5. Martha kommt lieber früher zu einer Verabredung, Gregor kommt immer etwas ....

5) **Wegbeschreibung. Beschreiben Sie die folgenden Wege.**
Giving directions. Describe the following routes:

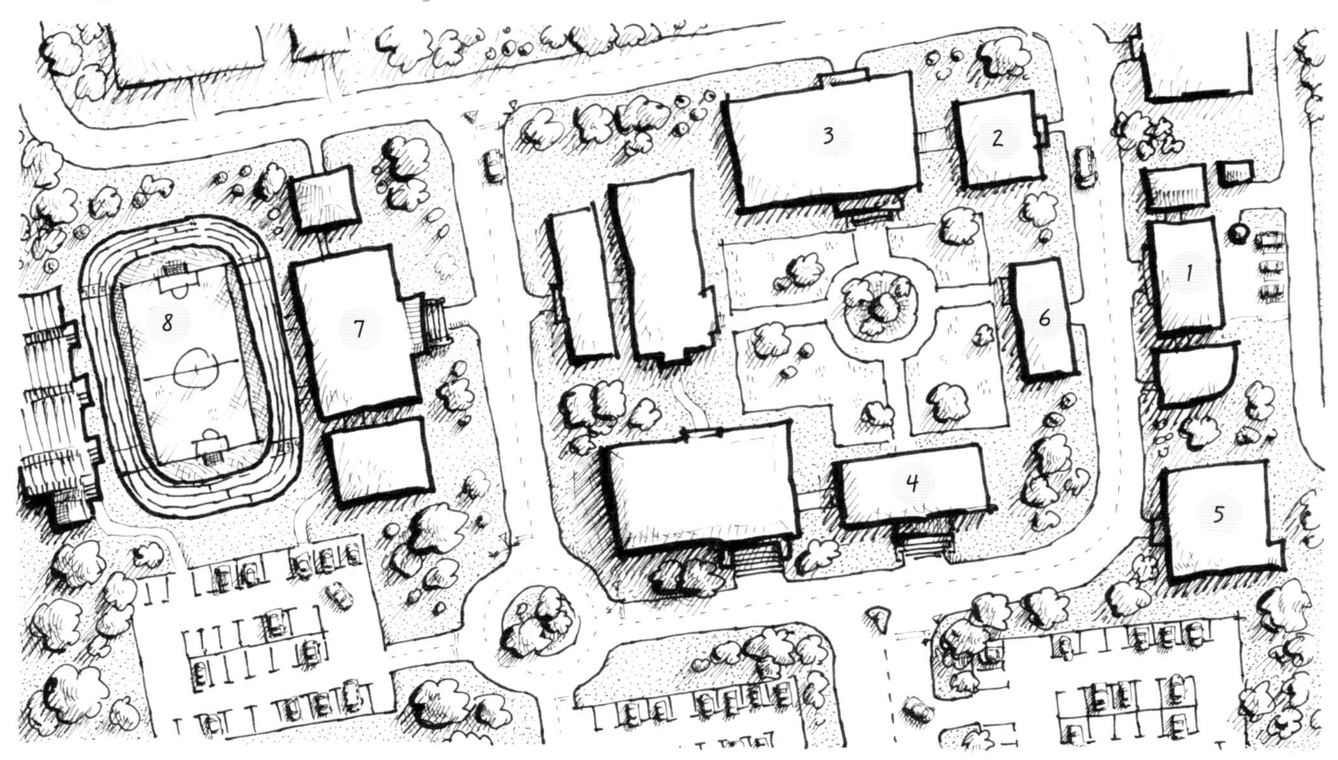

1. die Verwaltung
2. die Kantine
3. die Mensa
4. die Cafeteria
5. die Bibliothek
6. das Sekretariat
7. die Sporthalle
8. der Sportplatz

- von der Sporthalle zur Mensa — *Wenn Sie aus der Sporthalle kommen, müssen Sie zuerst nach links gehen und dann nach rechts.*
1. von der Mensa in die Bibliothek ....
2. von der Bibliothek zur Verwaltung ....
3. von der Verwaltung in die Sporthalle ....
4. von der Sporthalle in die Kantine für die Mitarbeiter ....
5. von der Kantine für die Mitarbeiter zur Cafeteria ....
6. von der Cafeteria zum Sekretariat ....
7. vom Sekretariat zum Sportplatz ....

6.3 Redepartikeln Discourse particles

□ Oh, mir ist gestern etwas Furchtbares passiert!

△ Was ist denn passiert, Ottilie?

□ Stellt euch vor, ich wollte mir gestern neue Schuhe kaufen und beim Anprobieren der Schuhe hat mir jemand mein Portemonnaie gestohlen! Das ist doch unglaublich, oder?

△ Das ist ja schrecklich! Wie viel Geld war denn im Portemonnaie?

□ 500 Euro.

△ 500 Euro! Davon kann man sich ja fünf Paar Schuhe kaufen!

denn, doch, ja → Redepartikeln

▶ Formen Forms

Überraschung ausdrücken Expressing surprise	Was hast du **denn** gemacht? Das ist **ja** schrecklich!
Ärger ausdrücken Expressing anger or irritation	Das weißt du **doch**! Kommen Sie **doch** her und sehen Sie sich das an!
Interesse ausdrücken Expressing interest	Wann ist **denn** deine Prüfung?
in Erwartung einer positiven Reaktion Expecting a positive reaction	Das ist **doch** toll, oder?

▶ Hinweise Rules

→ Redepartikeln gehören zur gesprochenen Sprache. Sie haben keine wichtige Bedeutung, man kann sie auch weglassen. Wenn man sie verwendet, bekommt der Satz einen bestimmten emotionalen Ausdruck.
Redepartikeln werden nicht dekliniert.
Discourse particles are a feature of the spoken language. They do not have any particular meaning and can therefore be omitted from the sentence without harm to the grammatical sense. They serve to indicate the speaker's attitude. Particles cannot be declined.

■ ■ ■ Übungen

1) **Bringen Sie Emotionen in die Sätze. Benutzen Sie Redepartikeln.** 50
Aussprachehilfe: Hören Sie die Lösungen auf CD.
Bring emotions into the following sentences by using particles. Pronunciation help: Check your answers with the CD.

● Was ist los? — *Was ist denn los?*
1. Was machst du da? ....
2. Das sieht schön aus, oder? ....
3. Das ist der Kaffee von gestern. ....
4. Das ist ein wunderschöner Ring. ....
5. Das kann nicht wahr sein! ....
6. Schau mal, das ist das Auto vom Chef! ....
7. Wie siehst du aus? Ganz blass. ....

2) **Bilden Sie Fragen mit *denn*.**
Build questions with *denn*.

● was – Sie – mit meinen Unterlagen – machen? — *Was machen Sie denn mit meinen Unterlagen?*
1. wann – der neue Mitarbeiter – kommen? ....
2. wann – die Sitzung – beginnen? ....
3. wo – du – waren? ....
4. warum – der Chef – nicht da – sein? ....

7 Einfache Sätze *Simple sentences*

Kerstin macht jeden Morgen Gymnastik.
Sie möchte fit und gesund bleiben.
→ Aussagesätze
Statements

Was ist Ihre Lieblingssportart?
→ Fragesatz mit Fragewort
Wh-questions

Machen Sie gern Gymnastik?
→ Fragesatz ohne Fragewort
Yes-no questions

Bewegen Sie sich regelmäßig!
Treiben Sie einmal in der Woche Sport!
→ Aufforderungssätze
Imperative sentences

7.1 Position der Verben *The position of the verb(s)*

A Das konjugierte Verb steht an Position 2. *The conjugated verb is in the second position.*

▶ **Formen** Forms

	Position 1	Position 2	Mittelfeld	Satzende
Aussagesatz	Franz Seit September	**hat** **studiert**	einen neuen Fußball. Klaus in Dresden.	
Aussagesatz mit trennbarem Verb	Kathrin Sie	**gibt** **leitet**	das Passwort wichtige E-Mails an den Chef	**ein.** **weiter.**
Aussagesatz mit Modalverb	Otto Heute	**kann** **muss**	sehr gut Frau Müller den Brief unbedingt	**kochen.** **abschicken.**
Aussagesatz im Perfekt	Max In München	**hat** **sind**	ein Gedicht 50 alte Autos durch die Innenstadt	**geschrieben.** **gefahren.**
Aussagesatz im Passiv	Der Minister Im letzten Jahr	**wird** **wurden**	heute in Deutschland weniger Autos	**interviewt.** **verkauft.**
Fragesatz mit Fragewort	Wann Wann	**beginnt** **hat**	das Konzert? das Konzert	 **begonnen?**

▶ **Hinweise** Rules

→ Im Aussagesatz und im Fragesatz mit Fragewort steht das konjugierte Verb immer an 2. Stelle.
In statements and wh-questions the conjugated verb is always in the second position.

→ Trennbare und zweiteilige Verben bilden eine Satzklammer. Das trennbare Präfix, der Infinitiv oder das Partizip stehen am Satzende.
The two parts of a verbal phrase (verbs and their separable prefix, helping verbs with an infinitive or a participle) form a so-called verbal bracket (Satzklammer). The separable prefix, infinitive or participle is placed at the end of the sentence.

→ Alle anderen Satzglieder kann man verschieben. Normalerweise steht das Subjekt an Position 1. Es können auch andere Satzglieder an erster Stelle stehen. Diese Satzglieder werden an Position 1 besonders betont. In diesen Fällen steht das Subjekt oft direkt nach dem konjugierten Verb.
Other words and phrases do not have a mandatory place in the sentence. The subject is usually in the first position. However, other words can also be placed in the first position to give them particular emphasis. In such cases the subject usually follows the verb.

B Das konjugierte Verb steht an Position 1. The conjugated verb is in the first position.

▶ **Formen** Forms

	Position 1	Mittelfeld	Satzende
Fragesatz ohne Fragewort	Beginnt	das Konzert um 20.00 Uhr?	
	Hast	du schon mit Agnes	telefoniert?
Aufforderungssatz	Rufen	Sie mich doch bitte morgen	an!
	Setz	dich!	

▶ **Hinweise** Rules

→ Im Aufforderungssatz und im Fragesatz ohne Fragewort steht das konjugierte Verb immer an 1. Stelle.
In imperative sentences and yes-no questions the conjugated verb is always in the first position.

→ Trennbare und zweiteilige Verben bilden eine Satzklammer. Das trennbare Präfix, der Infinitiv oder das Partizip stehen am Satzende.
The two parts of a verbal phrase form a verbal bracket (Satzklammer). The separable prefix, infinitive or participle is placed at the end of the sentence.

■ ■ ■ Übungen

1) **Heute und gestern. Bilden Sie Sätze im Präsens oder Perfekt. Achten Sie auf die Wortfolge.**
Today and yesterday. Put the sentences in the present or the perfect tense. Pay attention to the word order.

● Heute holt Michael die Kinder ab. *(gestern – Renate)*
Gestern hat Renate die Kinder abgeholt.

1. Gestern hat Renate das Abendessen gekocht. *(heute – Michael)*
....
2. Gestern hat Michael im Supermarkt eingekauft. *(heute – Renate)*
....
3. Heute begleitet Michael die Kinder zur Klavierstunde. *(gestern – Renate)*
....
4. Gestern hat Renate den Kindern bei den Hausaufgaben geholfen. *(heute – Michael)*
....
5. Heute kommen Michaels Eltern zum Abendessen. *(gestern – Renates Eltern)*
....
6. Gestern hat Michael den Kindern ein Märchen vorgelesen. *(heute – Renate)*
....
7. Gestern hat Renate abends noch lange gearbeitet. *(heute – Michael)*
....

2) **Eine E-Mail aus Berlin. Schreiben Sie einen Text. Die unterstrichenen Satzglieder stehen an erster Stelle.**
Write an e-mail from Berlin. Begin each sentence with the underlined word.

● aus Berlin – dir – <u>herzliche Grüße</u> – Paula – senden
1. hier – wir – <u>gestern</u> – angekommen sein
2. in Strömen – <u>es</u> – regnen *(Präteritum)*
3. ins Hotel – <u>zuerst</u> – wir – gefahren sein
4. in der Nähe der Museumsinsel – <u>das Hotel</u> – sein
5. das Neue Museum – wir – <u>am Nachmittag</u> – besucht haben
6. die weltberühmte Nofretete – <u>in diesem Museum</u> – sich befinden
7. sehr schön – wirklich – <u>sie</u> – sein
8. ein italienisches Restaurant – <u>neben unserem Hotel</u> – sein
9. Pizza – <u>dort</u> – wir – gestern Abend – gegessen haben
10. auf unserem Besuchsplan – das Brandenburger Tor – <u>heute</u> – stehen
11. später – wieder – <u>ich</u> – sich melden

Herzliche Grüße aus Berlin sendet Dir Paula. ....

3) **Erweitern Sie den Satz mit dem vorgegebenen Wort in der richtigen Form. Achten Sie auf die Wortstellung. Manchmal sind mehrere Lösungen möglich.**
Complete each sentence by adding the words in brackets in the correct form. Pay attention to the word order. Sometimes more than one answer is possible.

- Otto spielt gut Tennis. *(können)* — *Otto kann gut Tennis spielen.*
1. Hast du dich mit Gertrud gestritten? *(warum)* ....
2. Ich nehme dich mit. *(können)* ....
3. Das Geschäft ist geschlossen. *(sonntags)* ....
4. Bleibst du heute länger im Büro? *(müssen)* ....
5. Das Auto wird repariert. *(morgen)* ....
6. Wir gehen ins Stadion. *(sein/Perfekt)* ....
7. Hast du das Paket zur Post gebracht? *(wann)* ....
8. Ich rufe dich an. *(haben/Perfekt)* ....

4) **Smalltalk vor der Verhandlung** 51
Zwei Geschäftspartner treffen sich zum ersten Mal in einer Firma in München. Formulieren Sie passende Fragen mit oder ohne Fragewort.
Aussprachehilfe: Hören Sie die Lösungen auf CD.
Smalltalk before a business meeting. Two business partners meet at a Munich company for the first time. Ask appropriate questions with or without a question word. Pronunciation help: Check your answers with the CD.

- *Sind Sie das erste Mal in München?* – Nein, ich bin schon das dritte Mal in München.
1. ....? – Ich komme aus Leipzig.
2. ....? – Nein, ich bin mit dem Auto gefahren.
3. ....? – Vier Stunden.
4. ....? – Nein, ich kenne Ihr Firmengebäude noch nicht.
5. ....? – Ich hätte gern eine Tasse Kaffee.
6. ....? – Mit Milch, bitte.
7. ....? – Ich arbeite seit drei Jahren bei IPROTEX.
8. ....? – In der Abteilung Marketing.
9. ....? – Herr Klein arbeitet im Moment an einem anderen Projekt.
10. ....? – Ja, natürlich kenne ich Herrn Klein. Ich arbeite eng mit ihm zusammen.

5) **Eine Lehrerin geht mit ihren Schülern ins Museum. Formulieren Sie Aufforderungen in der 2. Person Plural.**
A teacher goes to the museum with her students. Formulate her commands in the second person plural *(ihr)*.

- die Mäntel und Taschen – an der Garderobe – abgeben
Gebt die Mäntel und Taschen an der Garderobe ab.
1. Abstand – zu den Bildern – halten ....
2. keine Fotos – machen ....
3. die Kunstwerke – nicht – anfassen ....
4. nicht – so laut – reden ....
5. nicht – durch die Räume – rennen ....
6. die Bilder – genau – sich anschauen ....
7. dem Museumsführer – gut – zuhören ....
8. bis morgen – einen Aufsatz – über das schönste Bild – schreiben ....

7.2 Position der anderen Satzglieder The position of other words in the sentence
7.2.1 Wortstellung im Mittelfeld The word order in the middle field

A Kasusergänzungen (Obligatory) Case complements

Gestern Abend erzählte der Vater dem Kind eine Gutenachtgeschichte.

- der Vater → Subjekt Nominativ
- dem Kind → Ergänzung Dativ
- eine Gutenachtgeschichte → Ergänzung Akkusativ

Frau Müller erinnert den Chef an einen Termin.

- den Chef → Ergänzung Akkusativ
- an einen Termin → präpositionale Ergänzung

▶ **Formen** Forms

	Position 1	Position 2	Mittelfeld	Satzende
Beispiel 1	Gestern	habe	**ich dir das Programm** genau	erklärt.
Beispiel 2	Paul	hat	**es dir** auch schon	erklärt.
Beispiel 3	Wir	gratulieren	**dir zum Geburtstag.**	
Beispiel 4	Frau Müller	erinnert	**den Chef an den Termin.**	

▶ **Hinweise** Rules

→ Normalerweise ist die Reihenfolge: Nominativ, Dativ, Akkusativ (siehe Beispiel 1).
The word order is usually as follows: nominative, dative, accusative (s. example 1).

→ Gibt es zwei Pronomen, steht der Akkusativ vor dem Dativ (siehe Beispiel 2).
If the accusative and dative complements are both pronouns, the accusative precedes the dative (s. example 2).

→ Dativ- oder Akkusativergänzungen stehen vor präpositionalen Ergänzungen (siehe Beispiele 3 und 4).
Dative and accusative complements always precede prepositional complements (s. examples 3 and 4).

B Angaben Optional complements

Ferdinand fährt nach der Arbeit mit dem Auto nach Hause.

- nach der Arbeit → Temporalangabe
- mit dem Auto → Modalangabe
- nach Hause → Lokalangabe

▶ **Formen** Forms

	Position 1	Position 2	Mittelfeld	Satzende
Beispiel 1	Ferdinand	fährt	**nach der Arbeit mit dem Auto nach Hause.**	
Beispiel 2	Paul	geht	**heute aus Zeitgründen** nicht **in die Kantine.**	
Beispiel 3	Ich	möchte	**mir in diesem Winter einen neuen Mantel**	kaufen.
Beispiel 4	Frau Müller	hat	**den Chef gestern in der Kantine an den Termin**	erinnert.

▶ **Hinweise** Rules

→ Die Reihenfolge der Angaben ist meistens: 1. temporal (wann?) • 2. kausal (warum?) • 3. modal und instrumental (wie? mit wem? womit?) • 4. lokal (wo? wohin?) (siehe Beispiele 1 und 2).
Kleine Eselsbrücke: te – ka – mo – lo
The word order of optional complements is usually as follows: 1. temporal *(when?)* • 2. causal *(why?)* • 3. modal or instrumental *(how? with whom? by what?)* • 4. local *(where? where to?)* (s. examples 1 and 2). Memory help: *te – ca – mo – lo*

→ Die Angaben stehen oft zwischen zwei Objekten (siehe Beispiele 3 und 4).
Optional complements are usually placed between two objects (s. examples 3 and 4).

Übungen

1) **Bilden Sie Sätze. Achten Sie auf die Wortstellung.**
Build sentences. Pay attention to the word order.

- schreiben – meiner Schwester – ich – eine E-Mail — *Ich schreibe meiner Schwester eine E-Mail.*

1. ein Fahrrad – schenken – meine Cousine – ihrer Tochter
...
2. zeigen – unsere Urlaubsfotos – ich – meinen Freunden
...
3. einen Kaffee – Frau Müller – dem Gast – kochen
...
4. sie – die Dokumente – geben – ihm
...
5. um Hilfe – bitten – Maria – ihren Bruder
...
6. die Rechnung – wir – senden – dem Kunden
...
7. mit dem Chef – besprechen – Konrad – das Problem
...
8. sich interessieren – für Informationen über Deutschland – viele Kursteilnehmer
...

2) **Wie entspannen Sie sich? Wohin passen die Wörter in Klammern?**
How do you relax? Complete the sentences using the words in brackets.

- Karla: Ich kann mich bei einem kurzen Mittagsschlaf entspannen. *(am besten)*
Karla kann sich am besten bei einem kurzen Mittagsschlaf entspannen.

1. Robert: Ich mache Yoga. *(einmal in der Woche)*
...
2. Andreas: Ich lese einen Krimi. *(abends – oft)*
...
3. Jörg: Ich gehe morgens joggen. *(in den Park)*
...
4. Anna: Ich treffe mich mit meinen Freundinnen. *(in einer Bar – samstags)*
...
5. Anke: Ich gehe in die Sauna. *(nach der Arbeit)*
...
6. Bertus: Ich koche etwas Leckeres. *(mit scharfen Gewürzen – am Abend)*
...
7. Maike: Ich gehe in einen Schönheitssalon. *(freitags)*
...
8. Regine: Ich nehme ein heißes Bad. *(zur Entspannung)*
...

3) **Schreiben Sie zwei kurze Briefe. Benutzen Sie die vorgegebenen Wörter.**
Write two short letters using the words below.

a) **Anfrage**

geschäftliche Beziehungen – in Dresden – zu einer Firma – wir – haben • nach Dresden – ungefähr zehn Mitarbeiter unserer Firma – mehrmals – im Monat – reisen müssen • für unsere Mitarbeiter – ein geeignetes Hotel – wir – nun – suchen • uns – bitte – Sie – einen Prospekt einschließlich Preisliste – senden

Sehr geehrte Damen und Herren,

....

....

....

....

....

....

....

....

....

....

Vielen Dank im Voraus, mit freundlichen Grüßen

Otto Sander

b) **Angebot**

Ihnen – für Ihre Anfrage vom 12. April – wir – danken • finden – unseren neuen Prospekt und die Preisliste – beiliegend – Sie • einen Rabatt von 10 % – unseren festen Kunden – wir – gewähren • im Monat – Ihre Firma – allerdings – garantieren – eine Minimalzahl von 20 Übernachtungen – muss • mit unseren Leistungen – sehr zufrieden – sind – unsere Kunden – bisher • wir – ein reichhaltiges Frühstück – bieten • außerdem – über einen Swimmingpool und einen Fitnessraum – das Hotel – verfügt • Ihre Reservierungen – wir – erwarten – gerne – und auf Ihren Besuch – freuen – uns

Sehr geehrter Herr Sander,

....

....

....

....

....

....

....

....

....

....

....

....

....

Mit freundlichen Grüßen
Cornelia Wagner
Sonnenschein-Hotel Dresden

7.2.2 Satzglieder im Nachfeld The field to the right of the verbal bracket

Der Kuchen hat 20 Cent mehr gekostet als vor einem Jahr.

▶ **Formen** Forms

Position 1	Position 2	Mittelfeld	Satzende	Nachfeld
Sie	sah	so schön	aus	**wie immer.**
Der Kuchen	hat	20 Cent mehr	gekostet	**als vor einem Jahr.**

▶ **Hinweise** Rules

→ In Vergleichssätzen können Angaben mit *als* und *wie* nach der Satzklammer stehen.
In comparative sentences the clause beginning with *als* or *wie* may be placed after the second part of the verbal bracket.

■ ■ ■ Übungen

1) **Was passt? Ordnen Sie zu. Ergänzen Sie *als* oder *wie*.**
Find the matching ending for each sentence. Complete *als* or *wie*.

1. In Deutschland ist es im Januar kälter
2. Der neue Roman hat sich genauso gut verkauft
3. Mein Bürostuhl ist viel unbequemer
4. Fotos von Andreas Gursky können mehr kosten
5. Dieser Grippevirus ist nicht so gefährlich

a) .... das letzte Buch der Autorin.
b) .... eine Million Euro.
c) .... im März.
d) .... erwartet.
e) .... der Stuhl von Frau Müller.

2) **Bilden Sie Sätze wie im Beispiel. Ergänzen Sie *als* oder *wie*.**
Build sentences by following the example. Complete *als* or *wie*.

● langsamer – Marie – Martina – geschwommen sein
Marie ist langsamer geschwommen als Martina.

1. heute – es – mir – gestern – besser gehen
....
2. Otto – Gustav – das gleiche Auto – fahren
....
3. Lehrbücher für Deutsch – in den Niederlanden – in Deutschland – teurer – sein
....
4. länger – im Winter – im Sommer – die Nächte – sein
....
5. schneller – ein Gepard – ein Pferd – laufen – können
....
6. Giftschlangen – andere Tiere – mehr Menschen – töten
....
7. Max – genauso – intelligent – Moritz – sein
....
8. Schalke 04 – mehr Tore – der FC Bayern München – geschossen haben
....
9. das Buch – den Film – ich – spannender – finden
....
10. die Preise für Lebensmittel – höher – in diesem Jahr – im letzten Jahr – sein
....

7.3 Negation Negation

Der Wein hat mir nicht geschmeckt.
↓
Mit *nicht* kann man Sätze oder Satzteile verneinen.
Nicht can be used in two different ways: to negate a whole sentence or only one word or expression.

Paul trinkt keinen Wein.
↓
Der negative Artikel *kein-* steht nur vor einer Nomengruppe.
The negative article *kein-* is only used to negate nominal phrases.

7.3.1 Satznegation Sentence negation

▶ **Formen** Forms

Position von *nicht*	Position 1	Position 2	Mittelfeld	Satzende
am Ende At the end of the sentence	Ich Der Chef	beantworte kommt	diese E-Mail **nicht.** heute **nicht.**	
vor dem zweiten Teil des Verbs Preceding the second part of the verb	Wir Sie	können leitete	morgen leider **nicht** das Dokument **nicht**	kommen. weiter.
vor Ergänzungen, die eng zum Verb gehören Preceding complements that belong to the verb	Otto Heute	kann bin	**nicht** Schach ich **nicht** Fahrrad	spielen. gefahren.
vor präpositionalen Ergänzungen Preceding prepositional complements	Frau Müller Marie	hat interessiert	**nicht** mit dem Chef sich **nicht** für alte Autos.	telefoniert.
vor bestimmten Adverbien Preceding certain adverbs	Der Minister Mir	hat gefällt	**nicht** sofort das Bild **nicht** besonders gut.	reagiert.
vor lokalen Angaben Preceding adverbials of place	Wir Bist	gehen du	heute **nicht** ins Kino. **nicht** nach London	 geflogen?

▶ **Hinweise** Rules

→ In der Satznegation steht *nicht* möglichst weit am Ende des Satzes.
When negating a whole sentence, *nicht* is usually placed somewhere near the end of the sentence.

■ ■ ■ Übungen

1) **Ergänzen Sie das Wort *nicht*.**
Put the word *nicht* in the sentences.

- ● Julia hat die Rechnung bezahlt. — *Julia hat die Rechnung nicht bezahlt.*
1. Ich fahre mit dem Bus. ....
2. Der Hausmeister kommt heute. ....
3. Ich kann das Dokument bearbeiten. ....
4. Ich möchte die E-Mail sofort beantworten. ....
5. Klaus besucht uns am Wochenende. ....
6. Tante Anneliese liegt im Krankenhaus. ....
7. Ich habe das Buch gelesen. ....
8. Das mache ich. ....

9. Der Diamantring ist sehr teuer. ....
10. Er kann dich hören. ....
11. Wir arbeiten sonntags. ....
12. Ich kann Golf spielen. ....

2) Ergänzen Sie *nicht* oder *kein-*.
Complete each sentence by adding *nicht* or *kein-*.

- Ich habe heute leider *keine* Zeit.

1. Ich gehe .... ans Telefon.
2. Ich kann die Briefe .... abschicken, ich habe .... Briefmarken.
3. Heute findet .... Besprechung statt.
4. Ab morgen ist der Chef .... im Büro, er ist auf Dienstreise.
5. Die Sekretärin kann morgen auch .... kommen, sie ist krank.
6. Sie hat .... richtige Grippe, nur eine Erkältung.
7. Sie hat auch .... Fieber.
8. Ich habe die Unterlagen noch .... kopiert.
9. Die Kaffeemaschine funktioniert .... Wir können .... Kaffee trinken.

3) Olaf und Thomas sind Zwillinge, aber sie haben ganz verschiedene Charaktere. Beenden Sie die Sätze. Benutzen Sie *nicht* oder *kein-*.
Olaf and Thomas are twins but have very different characters. Finish the sentences about them by using *nicht* or *kein-*.

- Olaf steht gern früh auf, Thomas *steht nicht gern früh auf.*

1. Olaf mag Haustiere, Thomas ....
2. Olaf tanzt gern, Thomas ....
3. Olaf ist oft unterwegs, ...
4. Olaf ist freundlich, ...
5. Olaf hat viele Freunde, ...
6. Olaf möchte einen Garten, ...
7. Olaf kann gut kochen, ...
8. Olaf ist mit seinem Leben zufrieden, ...

4) Grüße aus München. Ergänzen Sie *nicht* oder *kein-*.
Complete each sentence by adding *nicht* or *kein-*.

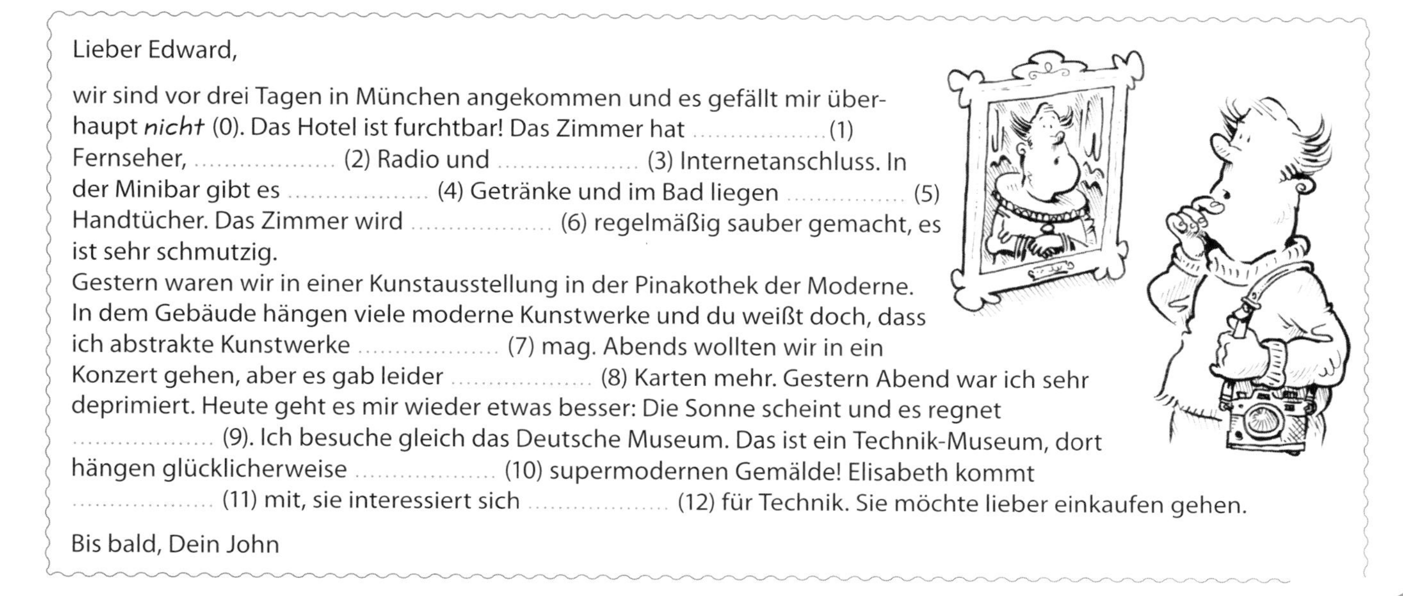

Lieber Edward,

wir sind vor drei Tagen in München angekommen und es gefällt mir überhaupt *nicht* (0). Das Hotel ist furchtbar! Das Zimmer hat .... (1) Fernseher, ... (2) Radio und .... (3) Internetanschluss. In der Minibar gibt es .... (4) Getränke und im Bad liegen .... (5) Handtücher. Das Zimmer wird .... (6) regelmäßig sauber gemacht, es ist sehr schmutzig.
Gestern waren wir in einer Kunstausstellung in der Pinakothek der Moderne. In dem Gebäude hängen viele moderne Kunstwerke und du weißt doch, dass ich abstrakte Kunstwerke .... (7) mag. Abends wollten wir in ein Konzert gehen, aber es gab leider .... (8) Karten mehr. Gestern Abend war ich sehr deprimiert. Heute geht es mir wieder etwas besser: Die Sonne scheint und es regnet .... (9). Ich besuche gleich das Deutsche Museum. Das ist ein Technik-Museum, dort hängen glücklicherweise .... (10) supermodernen Gemälde! Elisabeth kommt .... (11) mit, sie interessiert sich .... (12) für Technik. Sie möchte lieber einkaufen gehen.

Bis bald, Dein John

5) **Hausordnung. Was darf man in diesem Haus nicht tun? Bilden Sie Sätze. Benutzen Sie *nicht* oder *kein-*.**
House rules. What must you not do in this house? Build sentences using *nicht* or *kein-*.

- nach 10.00 Uhr abends laut Musik hören — *Nach 10.00 Uhr abends darf man nicht laut Musik hören.*
1. das Auto direkt vor dem Haus waschen ……
2. auf dem Balkon grillen ……
3. Haustiere halten ……
4. die Wände im Treppenhaus beschmutzen ……
5. im Treppenhaus schreien ……
6. an Arbeitstagen Partys veranstalten ……
7. auf das Dach steigen ……
8. den Hausmeister unnötig stören ……
9. nachts Klavier spielen ……
10. Fahrräder in den Hausflur stellen ……
11. Werbung in die Briefkästen stecken ……

7.3.2 Teilnegation Partial negation

▶ **Formen** Forms

Position 1	Position 2	Mittelfeld	Satzende
Der Chef	hat	nicht Paul	befördert.
Er	hat	Ferdinand	befördert.

▶ **Hinweise** Rules

→ *Nicht* steht vor dem Satzteil, der negiert wird.
Nicht precedes the word or expression that is negated.

■ ■ ■ Übungen

1) **Ein Erfinder spricht mit seinem Berater. Ergänzen Sie den Dialog.** 52
Aussprachehilfe: Hören Sie die Lösungen auf CD.
An inventor is speaking to his consultant. Complete the dialogue. Pronunciation help: Check your answers with the CD.

- Erfinder: Ich will meine Erfindung auf der Messe in Rostock vorstellen.
  Berater: Stellen Sie *die Erfindung nicht auf der Messe in Rostock vor*, sondern in Hannover. Die Hannover-Messe ist viel wichtiger.

1. Erfinder: Ich lasse die Gebrauchsanweisung ins Dänische übersetzen.
   Berater: Lassen Sie ……………………………………………!
   Chinesisch ist die Weltsprache der Zukunft!
2. Erfinder: Ich möchte die Werbekampagne selbst organisieren.
   Berater: Organisieren Sie ……………………………………………!
   Eine Werbeagentur macht das viel besser.
3. Erfinder: Ich melde die Erfindung im nächsten Jahr zum Patent an.
   Berater: Sie dürfen ……………………………………………!
   Sie müssen die Erfindung jetzt zum Patent anmelden.
4. Erfinder: Ich zahle Ihnen ein Honorar von fünf Prozent.
   Berater: Ich bekomme ……………………………………………, sondern zehn Prozent!

2) **Korrigieren Sie die Aussagen.**
Correct the following statements.

a) **Bekannte Deutsche, Schweizer und Österreicher**
Famous German, Swiss and Austrian persons.

- Rudolf Diesel hat den Kühlschrank erfunden. *(den Dieselmotor)*
  Rudolf Diesel hat nicht den Kühlschrank erfunden, sondern den Dieselmotor.

1. Wolfgang Amadeus Mozart spielte sehr gut Trompete. *(sehr gut Klavier)*
2. Johann Wolfgang von Goethe wurde in Köln geboren. *(in Frankfurt am Main)*
3. Herta Müller wurde 2009 mit dem Friedensnobelpreis ausgezeichnet. *(mit dem Literaturnobelpreis)*
4. Franz Beckenbauer spielte in der österreichischen Nationalmannschaft. *(in der deutschen)*
5. Franz Schubert komponierte den „Ring der Nibelungen“. *(Richard Wagner)*
6. Der deutsche Film „Das Leben der anderen“ hat den afrikanischen Filmpreis gewonnen. *(den Oscar)*
7. Rudolf Steiner hat die erste Sportschule gegründet. *(die erste Waldorf-Schule)*
8. Sigmund Freud beschäftigte sich mit dem Körper der Menschen. *(mit der Psyche)*
9. André Lange ist der berühmteste deutsche Skispringer. *(der berühmteste deutsche Bobfahrer)*
10. Albert Einstein erhielt 1921 den Nobelpreis für die Entwicklung der Relativitätstheorie. *(für die Deutung des fotoelektrischen Effekts)*
11. Martin Luther hat im 16. Jahrhundert griechische Gedichte ins Deutsche übersetzt. *(die Bibel)*
12. Richard Strauß schrieb viele berühmte Walzermelodien. *(Johann Strauß)*
13. Johann Sebastian Bach lebte und arbeitete in Köln. *(in Leipzig)*

b) **Tobias sagt nicht immer die Wahrheit. Korrigieren Sie seine Aussagen.**
Tobias does not always tell the truth. Correct his statements.

1. Heute bin ich mit einer Limousine zur Arbeit gekommen. *(Fahrrad)*
   Tobias ist heute nicht mit einer Limousine zur Arbeit gekommen, sondern mit seinem Fahrrad.
2. Gestern Abend habe ich ein Bier getrunken. *(sechs)*
3. Meine Ferien habe ich in Italien verbracht. *(an der Ostsee)*
4. Ich habe in Nizza ein Haus gekauft. *(in Warnemünde ein Eis)*
5. Abends habe ich Kaviar gegessen. *(Gemüseeintopf)*
6. Ich habe zehn Millionen Euro auf meinem Bankkonto. *(zehn Euro)*
7. Nächstes Wochenende fahre ich nach Paris. *(Bad Tölz)*
8. Mein Bruder arbeitet als Modedesigner in München. *(Verkäufer)*

7.3.3 Negative Frage Negative questions

Frage ohne Fragewort (Ja-Nein-Frage):

Kannst du in dem neuen Bett nicht schlafen?

Nein, ich kann nicht schlafen.
Doch, ich kann sehr gut schlafen.

Frage mit Fragewort:

Warum kannst du nicht schlafen?

Ich kann nicht schlafen, weil du immer redest.

▶ **Hinweise** Rules

→ Wenn eine negative Ja-Nein-Frage positiv beantwortet wird, benutzt man *doch*.
Doch is used when answering a negative yes-no question.

■ ■ ■ Übungen

1) **Antworten Sie positiv und negativ.**
Give positive and negative answers.

- Hast du kein Fahrrad? *Doch, ich habe ein Fahrrad.* *Nein, ich habe kein Fahrrad.*

1. Hast du keinen Laptop? ....
2. Treibst du keinen Sport mehr? ....
3. Gehst du nicht zur Weihnachtsfeier? ....
4. Isst du nicht gern Gemüse? ....
5. Liebst du ihn nicht mehr? ....
6. Gefällt dir das Foto nicht? ....
7. Ist der Zug wieder nicht pünktlich? ....
8. Hast du kein Wörterbuch? ....

2) **Bilden Sie negative Fragen im Perfekt.**
Build negative questions in the perfect tense.

- dir – die Nachspeise – schmecken *Hat dir die Nachspeise nicht geschmeckt?*

1. du – mit dem Chef – sprechen ....
2. du – den Film – sehen ....
3. ihr – das Deutsche Museum – besuchen ....
4. du – die E-Mail – noch – schreiben ....
5. Sie – die Rechnung – noch – bezahlen ....

8 Zusammengesetzte Sätze Compound sentences

Hauptsatz + Hauptsatz:

Martin macht im Winter in den Alpen Urlaub, denn er fährt gern Ski.

↓ Konjunktion
Coordinating conjunction

Hauptsatz + Hauptsatz:

Martin fährt gern Ski, deshalb macht er im Winter in den Alpen Urlaub.

↓ Konjunktionaladverb
Conjunctional adverb

Hauptsatz + Nebensatz:

Martin macht im Winter in den Alpen Urlaub, weil er gern Ski fährt.

↓ Subjunktion
Subordinating conjunction

Hauptsatz + *dass*-Satz:

Martin weiß, dass im Winter in den Alpen Schnee liegt.

↓ Subjunktion
Subordinating conjunction

Hauptsatz + indirekter Fragesatz:

Martin weiß nicht, wie viele Sterne das Hotel „Bergsicht" hat.

↓ Fragewort
Question word

Hauptsatz + Infinitiv mit *zu*:

Martin hat die Absicht, dieses Jahr nach Achenkirch zu fahren.

↓ *zu* + Infinitiv
zu + infinitive

Hauptsatz + Relativsatz:

Martin nimmt die Skier mit, die er schon vor zehn Jahren gekauft hat.

↓ Relativpronomen
Relative pronoun

8.1 Hauptsätze Main clauses

8.1.1 Satzverbindung: Konjunktionen
Connecting sentences by coordinating conjunctions

Martin macht im Winter in den Alpen Urlaub, denn er fährt gern Ski.

↓ Konjunktion
Coordinating conjunction

Zusammengesetzte Sätze
Hauptsätze: Konjunktionen

▶ Formen Forms

	Hauptsatz 1	Konjunktion	Hauptsatz 2
Grund Reason (Kausalangabe)	Martin **macht** im Winter in den Alpen Urlaub,	denn	er **fährt** gern Ski.
Gegensatz Contrast (Adversativangabe)	Früher **habe** ich im Sommer Urlaub gemacht,	aber	heute **fahre** ich lieber im Winter weg.
	Karla **fährt** dieses Jahr nicht im Januar weg,	sondern	sie **fliegt** im August nach Spanien.
Alternative Alternative	Vielleicht **fahren** wir in die Berge(,)	oder	wir **fahren** ans Meer.
Addition Addition	Wir **fahren** im Januar nach Österreich(,)	und	im Sommer **fahren** wir nach Irland.

▶ Hinweise Rules

→ Konjunktionen verbinden zwei Hauptsätze miteinander. Im zweiten Hauptsatz steht das konjugierte Verb an 2. Stelle nach der Konjunktion. Die Position der Konjunktion kann nicht verändert werden.
Coordinating conjunctions are used to connect two main clauses. The conjugated verb of the second clause is placed in the second position, right after the conjunction. Coordinating conjunctions have a mandatory place in the sentence.

→ Die Konjunktionen *aber* und *sondern* bezeichnen einen Gegensatz. *Sondern* steht nach einer Negation und stellt Informationen aus dem ersten Satz richtig.
The conjunctions *aber* (but, however) and *sondern* (but, rather) indicate contrast. *Sondern* is used when the second clause corrects a piece of information given in the first clause. Therefore, the first clause always contains a negation.

■ ■ ■ Übungen

1) Finden Sie das passende Satzende.
Find the matching ending for each sentence.

1. Ich muss die Verabredung absagen, → c)
2. Ich muss noch Peter anrufen
3. Ich kann dir 10 Euro leihen,
4. Freitagabend könnt ihr zu uns zum Abendessen kommen
5. Ich kann heute nicht mit dir essen gehen,
6. Dieses Jahr organisiere ich meinen Urlaub nicht selbst,
7. Ich wollte gestern mit dir sprechen,

a) denn ich muss meine Tante besuchen.
b) oder wir können uns in einem Restaurant treffen.
c) denn ich bin krank.
d) sondern ich buche im Reisebüro eine Pauschalreise.
e) aber du musst mir das Geld morgen zurückgeben.
f) aber du warst nicht im Büro.
g) und du musst Karl eine E-Mail schreiben.

2) Verbinden Sie die Sätze mit der passenden Konjunktion.
Connect the clauses with the appropriate conjunction.

● Ich war pünktlich am Bahnhof, *aber* der Zug hatte 20 Minuten Verspätung.
1. Ich bin heute nicht mit dem Fahrrad gekommen, ... ich habe das Auto genommen.
2. Ich wollte dich anrufen, ... ich habe mein Handy zu Hause vergessen.
3. Ich komme 30 Minuten später, ... ich stehe im Stau.
4. Ich habe eine halbe Stunde auf den Bus gewartet, ... er ist nicht gekommen.
5. Ich musste zur Firma laufen, ... alle Busfahrer streiken heute.
6. Ich bin nicht zu spät, ... du bist zu früh!

3) *Sondern* oder *aber*? Ergänzen Sie die passende Konjunktion.
Sondern or *aber*? Complete each sentence with the appropriate conjunction.

● Rudi ist schon drei Jahre alt, *aber* er kann noch nicht sprechen.
1. Das Programm hat sich geändert: Wir gehen nicht zusammen Mittag essen, ... wir treffen uns erst um 16.00 Uhr.
2. Ich studiere nicht mehr, ... ich arbeite schon seit zwei Jahren bei einer Firma.
3. Mein Chef ist nett, ... seine Sekretärin ist sehr unfreundlich.
4. Ich komme gerne zu deiner Party, ... ich muss um 23.00 Uhr zu Hause sein.
5. Wir treffen uns nicht heute, ... wir sehen uns morgen.

8.1.2 Satzverbindung: Konjunktionaladverbien
Connecting sentences: Conjunctional adverbs

Martin fährt gern Ski, deshalb macht er im Winter in den Alpen Urlaub.
↓
Konjunktionaladverb
Conjunctional adverb

▶ **Formen** Forms

	Hauptsatz 1	Hauptsatz 2
erwartete Folge Expected consequences (Konsekutivangabe)	Martin **fährt** gern Ski, Martin **fährt** gern Ski,	deshalb **macht** er im Winter in den Alpen Urlaub. er **macht** deshalb im Winter in den Alpen Urlaub.
nicht erwartete Folge Not expected consequences (Konzessivangabe)	Martin **kann** nicht Ski fahren, Martin **kann** nicht Ski fahren,	trotzdem **macht** er im Winter in den Alpen Urlaub. er **macht** trotzdem im Winter in den Alpen Urlaub.

▶ **Hinweise** Rules

→ *Deshalb* und *trotzdem* sind Adverbien. Adverbien sind eigenständige Satzglieder. Sie können an verschiedenen Positionen des Satzes stehen. Meistens stehen sie vor oder nach dem konjugierten Verb.
Deshalb (hence, therefore) and *trotzdem* (nevertheless) are adverbs. Contrary to conjunctions, adverbs do not have a mandatory place: they may move around in the clause. However, they are usually placed right before or right after the verb.

→ Das konjugierte Verb steht in beiden Hauptsätzen an Position 2.
The conjugated verb is in the second position in both clauses.

■ ■ ■ Übungen

1) **Wer sieht was im Fernsehen? Bilden Sie Sätze und verbinden Sie die Sätze mit *deshalb* wie im Beispiel.**
Who is watching what on TV? Build sentences and connect them with *deshalb* by following the example.

● Martin und seine Freunde – für Fußball – sich interessieren •
sie – jeden Samstag gemeinsam – die Sportschau – sehen
Martin und seine Freunde interessieren sich für Fußball, deshalb sehen sie jeden Samstag gemeinsam die Sportschau.

1. Gerda – Krimis – mögen • sie – keine Krimiserie – verpassen
....
2. Mathildes Hobby – Gartenarbeit – sein • sie – Sendungen über Landschaftsgestaltung – sehr interessant – finden
....
3. Georg – für Biologie und Erdkunde – sich interessieren • bei ihm – immer Discovery Channel – laufen
....
4. Karl – Zeichentrickfilme – mögen • er – den Fernseher – nur vormittags – einschalten
....
5. Paula – über die Ereignisse in der Welt – sich informieren • sie – jeden Abend – die Tagesschau – sich ansehen
....
6. Kathrin – Romantikerin – sein • sie – gern Liebesfilme mit Happy End – sehen
....
7. Laura – alle Fernsehsendungen – mögen • sie – immer vor dem Fernseher – sitzen
....

2) Wer wohnt wo? Finden Sie das passende Satzende.
Who lives where? Find the matching ending for each sentence.

1. Herta mag ihre Ruhe, → c)
2. Felix ist schon 30 Jahre alt,
3. Brigitte und Josef bekommen bald ein Kind,
4. Konrad wohnt weit weg von seinem Arbeitsplatz,
5. Carla hat sehr viel Geld,
6. Robert wohnt gerne mit anderen Menschen zusammen,
7. Casper hat eine französische Freundin,

a) er wohnt trotzdem noch bei seinen Eltern.
b) sie wohnt trotzdem in einer Einzimmerwohnung.
c) deshalb wohnt sie alleine.
d) sie suchen deshalb eine größere Wohnung.
e) er möchte deshalb nach Frankreich ziehen.
f) trotzdem will er nicht umziehen.
g) deshalb mietet er ein Zimmer in einer Wohngemeinschaft.

3) *Trotzdem* oder *deshalb*? Verbinden Sie die Sätze.
Trotzdem or *deshalb*? Connect the sentences.

- Frank mag Autos. Er geht oft zu Automobil-Ausstellungen.
  Frank mag Autos, deshalb geht er oft zu Automobil-Ausstellungen.
  Frank mag Autos, er geht deshalb oft zu Automobil-Ausstellungen.

1. Ich habe nicht viel Geld. Ich mache diesen Sommer nur einen kurzen Urlaub.
   ....
2. Gerda verdient sehr gut. Sie ist sehr sparsam.
   ....
3. Rita mag Kinder. Sie möchte Kindergärtnerin werden.
   ....
4. Olga hat ein sehr schlechtes Abiturzeugnis. Sie möchte Medizin studieren.
   ....
5. Ich habe Halsschmerzen. Ich bleibe zu Hause.
   ....
6. Tante Käthe interessiert sich für Tiere. Sie geht jeden Mittwoch in den Zoo.
   ....
7. Jenny will nicht gestört werden. Sie schaltet ihr Handy aus.
   ....

4) Grüße aus Frankfurt. Ergänzen Sie die passenden Satzverbindungen.
Greetings from Frankfurt. Complete the text with the appropriate conjunctions.

trotzdem • denn *(2 x)* • deshalb *(2 x)* • aber • und *(2 x)* • sondern

Lieber Franz,

herzliche Grüße aus Frankfurt. Ja, Du hast richtig gelesen: aus Frankfurt! Ich wohne schon seit acht Monaten in Frankfurt, ...(1) habe ich mich so lange nicht gemeldet. Ich habe einen neuen Job ....(2) eine neue Freundin habe ich auch. Und es gibt noch eine Überraschung: Ich arbeite nicht bei einer Bank, ...(3) ich gebe an einer Sprachschule Italienischunterricht. Es gibt in Frankfurt viele Leute, die Italienisch lernen möchten. Einige Kursteilnehmer sind sehr fleißig, ...(4) machen sie nur langsam Fortschritte. Ich verstehe das sehr gut, ...(5) ich kenne die Probleme beim Sprachenlernen. Mein Deutsch ist schon viel besser geworden, ...(6) ich finde es noch nicht gut genug. Ich muss noch mehr sprechen, ...(7) rede ich jetzt mit meiner Freundin Deutsch. Das ist ein seltsames Gefühl, ...(8) wir haben früher miteinander Italienisch gesprochen. Das Essen ist hier sehr lecker. Kennst Du Frankfurter Würstchen oder Frankfurter Soße? Komm doch mal bei uns vorbei. Dann gehen wir in eine typische Frankfurter Kneipe ....(9) wir trinken zusammen ein Glas Apfelwein.

Bis bald, Dein Giorgio

8.2 Adverbiale Nebensätze Adverbial clauses

Martin macht im Winter in den Alpen Urlaub, weil er gern Ski fährt.
↓
Subjunktion
Subordinating conjunction

▶ Formen Forms

	Hauptsatz	Nebensatz
Grund Reason (Kausalangabe)	Martin **macht** im Winter in den Alpen Urlaub,	**weil** er gern Ski **fährt**.
Gegengrund Contrast (Konzessivangabe)	Martin **macht** im Winter in den Alpen Urlaub,	**obwohl** er nicht Ski fahren **kann**.
Bedingung Condition (Konditionalangabe)	Martin **fährt** nur in den Urlaub,	**wenn** seine Freundin **mitfährt**.
Zeit Time (Temporalangabe)	Martin **kann** erst in den Urlaub fahren, Ich **habe** Martin getroffen,	**wenn** er das Projekt beendet **hat**. **als** ich im letzten Jahr in Österreich **war**.

▶ Hinweise Rules

→ Subjunktionen leiten Nebensätze ein. Im Nebensatz steht das konjugierte Verb an letzter Stelle.
Subordinating conjunctions introduce subordinate clauses. In subordinate clauses the conjugated verb is placed at the end of the sentence.

→ Nebensätze ergänzen Hauptsätze. Sie können vor oder hinter dem Hauptsatz stehen.
Subordinate clauses complete main clauses. They can be placed before or after the main clause.

→ In temporalen Nebensätzen verwendet man *wenn* in der Gegenwart, in der Zukunft und bei mehrmaligen Ereignissen in der Vergangenheit: **Wenn** ich in München bin, komme ich mal bei dir vorbei. Immer **wenn** Paul in München war, besuchte er das Deutsche Museum.
In temporal clauses *wenn* (when) is used if an action is happening in the present or will happen in the future. It is only used in past tense sentences if an action happened more than once: *Wenn ich in München bin, komme ich mal bei dir vorbei. Immer wenn Paul in München war, besuchte er das Deutsche Museum.*

Als gebraucht man bei einmaligen Ereignissen oder Zuständen in der Vergangenheit: **Als** ich in München war, habe ich zufällig Herrn Kühn getroffen. **Als** ich ein Kind war, hatte ich Angst vor Gespenstern.
Als (when) indicates that an action or event happened in the past only once: *Als ich in München war, habe ich zufällig Herrn Kühn getroffen. Als ich ein Kind war, hatte ich Angst vor Gespenstern.*

▶ Satzbau Sentence structure

Hauptsatz Main Clause			Nebensatz Subordinate Clause		
	konjugiertes Verb		**Subjunktion**		**konjugiertes Verb**
Martin	**macht**	im Winter in den Alpen Urlaub,	**weil**	er gern Ski	**fährt.**

Nebensatz Subordinate Clause			Hauptsatz Main Clause	
Subjunktion		**konjugiertes Verb**	**konjugiertes Verb**	
Weil	er gern Ski	**fährt,**	**macht**	Martin im Winter in den Alpen Urlaub.

→ Wenn der Nebensatz vor dem Hauptsatz steht, folgt das konjugierte Verb direkt nach dem Nebensatz.
If the main clause is preceded by the subordinate clause, the conjugated verb of the main clause is placed in the first position, right after the subordinate clause.

Übungen

1) **Was ist der Grund? Bilden Sie die Sätze mit *weil*.**
What is the reason? Build sentences using *weil*.

Warum hast du so gute Laune?

- Ich kann nächstes Jahr eine Weltreise machen.
  Ich habe so gute Laune, weil ich nächstes Jahr eine Weltreise machen kann.

1. Ich muss heute nicht arbeiten. ……………………
2. Mein Chef ist heute nicht da. ……………………
3. Der Deutschkurs fällt heute aus. ……………………
4. Das Semester ist zu Ende. ……………………
5. Ich habe im Lotto gewonnen. ……………………
6. Ich habe eine neue Stelle gefunden. ……………………
7. Ich habe meine Sprachprüfung bestanden. ……………………
8. Ich habe mich verliebt. ……………………

2) ***Weil* oder *obwohl*?**
Weil or *obwohl*?

a) **Verbinden Sie die Sätze.**
Connect the sentences.

- Frida vereinbart einen Termin beim Zahnarzt. Sie hat Zahnschmerzen.
  Frida vereinbart einen Termin beim Zahnarzt, weil sie Zahnschmerzen hat.

1. Joachim ist gestresst. Er muss heute Nachmittag seine Arbeitsergebnisse präsentieren.
   ……………………
2. Peter lernt nicht. Er hat morgen eine wichtige Prüfung.
   ……………………
3. Karl hat Paul nicht zu seiner Geburtstagsparty eingeladen. Sie sind gute Freunde.
   ……………………
4. Petra darf nicht Auto fahren. Sie ist erst 16.
   ……………………
5. Klaus spricht kein einziges Wort Italienisch. Er wohnt seit zwei Jahren in Rom.
   ……………………
6. Kathrin hat mich am Wochenende nicht angerufen. Sie hat es mir versprochen.
   ……………………
7. Ilona isst jeden Tag eine Tafel Schokolade. Sie möchte abnehmen.
   ……………………
8. Dagmar nimmt Nachhilfestunden in Mathematik. Sie hat sehr schlechte Noten.
   ……………………

b) **Formen Sie die Sätze in Teil a) um. Der Nebensatz steht jetzt vor dem Hauptsatz.**
Transform the sentences in Part a) by following the example. The subordinate clause precedes the main clause.

- *Weil sie Zahnschmerzen hat, vereinbart Frida einen Termin beim Zahnarzt.*

1. ……………………
2. ……………………
3. ……………………
4. ……………………
5. ……………………
6. ……………………
7. ……………………
8. ……………………

3) **Was ist ein guter Film? Bilden Sie Sätze mit *wenn*. Achten Sie auf die Konjugation der Verben.**
What is a good movie like? Build sentences using *wenn*. Pay attention to the conjugation.

a) **Ich finde es toll:**

- die Schauspieler – gut spielen — *Ich finde es toll, wenn die Schauspieler gut spielen.*

1. die Geschichte – spannend sein ....
2. der Film – nicht zu lange dauern ....
3. die Hauptfigur – sympathisch sein ....
4. der Film – eine wahre Geschichte – erzählen ....
5. der Film – ein Happy End – haben ....

b) **Ich mag es nicht:**

1. der Film – nicht synchronisiert sein ....
2. der Film – nur aus Actionszenen – bestehen ....
3. der Held – am Ende – sterben ....
4. die Dialoge – nicht witzig sein ....
5. die Leute – im Kino – ihr Handy – nicht ausschalten ....

4) **Kindheitserinnerungen. Bilden Sie Sätze mit *als* wie im Beispiel. Achten Sie auf die Reihenfolge der Satzglieder und die Konjugation der Verben. Der Nebensatz steht im Präteritum, der Hauptsatz im Perfekt.**
Childhood memories. Build sentences using *als* by following the example. Pay attention to the word order and the conjugation. Use the preterite for the subordinate clause and the perfect tense for the main clause.

- klein – ich – sein • Schokolade – gern – ich – essen
  Als ich noch klein war, habe ich gern Schokolade gegessen.

1. Otto – noch – klein – sein • am liebsten – er – mit Matchboxautos – spielen
   ....
2. noch – klein – Max und Moritz – sein • sie – immer – sich streiten
   ....
3. Anna – fünf Jahre – alt – sein • sie – zum ersten Mal – im Chor – singen
   ....
4. ich – acht Monate – alt – sein • ich – meinen ersten Schritt – machen
   ....
5. Boris – ein Jahr – alt – sein • sein erstes Wort – er – sagen
   ....
6. Martin – drei Jahre alt – sein • zum ersten Mal – ins Puppentheater – er – gehen
   ....

5) **Annemaries Eltern sprechen über ihre Tochter. *Als* oder *wenn*? Ergänzen Sie die Subjunktionen.**
Annemarie's parents are talking about their daughter. Put *als* or *wenn* in the following sentences.

- *Als* Annemarie noch klein war, wollte sie Tänzerin werden.

1. Sie hatte viel Fantasie und hat sich nie gelangweilt, ... sie alleine war.
2. .... sie sechs Jahre alt wurde, hat sie ihr erstes Fahrrad bekommen.
3. .... ihr Bruder geboren wurde, hat sie sich sehr gefreut.
4. .... sie mit ihrem Bruder gespielt hat, gab es oft Streit.
5. Es war nicht leicht für die Kinder, ... wir 2002 in eine andere Stadt gezogen sind.
6. Wir waren stolz auf Annemarie, ... sie einmal einen Wettbewerb in Biologie gewonnen hat.
7. Es war ein komisches Gefühl, ... Annemarie sich zum ersten Mal verliebt hat.
8. Annemarie ist jetzt 20 und seit einem Jahr studiert sie in Köln Psychologie. Wir freuen uns immer, ... sie uns besucht.

6) **Ein Gespräch an der Uni. Ergänzen Sie die Subjunktionen *weil, wenn* oder *als*.** 53
Aussprachehilfe: Hören Sie die Lösungen auf CD.
Discussion at the university. Put *weil, wenn* or *als* in the sentences. Pronunciation help: Check your answers with the CD.

Claudia:	Hallo, Martin! Gut, dass ich dich treffe. Sag mal, warst du heute Morgen zur Vorlesung?
Martin:	Ja, natürlich. Und wo warst du?
Claudia:	Im Bett. Ich habe den Wecker nicht gehört. Ich musste noch das Referat für heute Nachmittag vorbereiten, und daran habe ich bis 3.00 Uhr gearbeitet.
Martin:	Das passiert mir auch, ... ich so spät ins Bett gehe. .... ich noch im ersten Studienjahr war, habe ich sehr oft die Vorlesung um 8.00 Uhr verpasst.
Claudia:	Kannst du mir deine Notizen geben?
Martin:	Tut mir leid, ich habe nichts mitgeschrieben, ... ich über das Thema schon sehr viel weiß.
Claudia:	.... du so schlau bist, kannst du mir ja bei der Prüfungsvorbereitung helfen?
Martin:	.... ich Zeit habe, mache ich das gerne.

7) **Peter erinnert sich an seinen ersten Urlaub mit Freunden. Wählen Sie die passende Subjunktion aus.**
Peter is remembering his first holiday with friends. Mark the appropriate conjunction for each sentence.

●	Früher musste ich mit meinen Eltern in den Urlaub fahren, *wenn* ich Ferien hatte.	a) weil	b) <u>wenn</u>	c) als
1.	.... ich 18 wurde, durfte ich zum ersten Mal mit meinen Freunden Urlaub machen.	a) Als	b) Wenn	c) Weil
2.	Wir sind in den Schwarzwald gefahren, ... die Eltern eines Freundes dort eine Ferienwohnung hatten.	a) wenn	b) als	c) weil
3.	.... einiges schiefgegangen ist, fanden wir diesen Urlaub sehr schön.	a) Wenn	b) Weil	c) Obwohl
4.	Zum Beispiel haben wir den Zug verpasst, ... wir zu spät aufgestanden sind.	a) obwohl	b) als	c) weil
5.	Und einmal sind wir ohne Abendessen ins Bett gegangen, ... Otto zu viel Salz in das Essen getan hat.	a) obwohl	b) weil	c) wenn
6.	Wir sind viel gewandert, ... es geregnet hat.	a) obwohl	b) weil	c) wenn
7.	Ich muss immer lachen, ... ich an diese Reise denke.	a) obwohl	b) wenn	c) als

8) **Die Erfindung des Dönerkebab. Ergänzen Sie die passenden Subjunktionen.** 54
Aussprachehilfe: Hören Sie die Lösungen auf CD.
The invention of Döner Kebab. Complete the text with the appropriate conjunctions. Pronunciation help: Check your answers with the CD.

obwohl *(2 x)* • wenn *(2 x)* • weil *(2 x)* • als *(2 x)*

.... man das Wort Dönerkebab hört, denkt man sofort an die Türkei. Aber das ist nicht ganz richtig, ... diese Erfindung aus Deutschland kommt. Der Erfinder des Dönerkebab heißt Mahmut Aygün. Mahmut wurde in der Türkei geboren. .... er 16 Jahre alt war, zog er mit seiner Familie nach Deutschland. In Berlin hatte Mahmut eine Imbissbude am Zoo. Er wollte dort ein türkisches Gericht anbieten, das man auch mitnehmen kann. .... er gründlich recherchiert hat, fand er in der Türkei kein geeignetes Gericht. Der kreative Mahmut erfand aus diesem Grund sein eigenes Rezept. Es war im Jahr 1971, ... er den ersten Dönerkebab verkaufte: Er packte etwas Döner-Fleisch mit Joghurt-Soße in eine Teigtasche. Sein Kebab kostete damals 2 DM.
Heute ist der Dönerkebab in der ganzen Welt beliebt. Selbst Fastfood-Ketten können auf die Döner-Industrie neidisch sein, ... sie in Europa mehr Geld verdient als McDonald's und Burger King zusammen. .... der Dönerkebab so große Erfolge hat, ist Mahmut Aygün nicht Millionär geworden. Das liegt daran, dass er kein Patent auf das Döner-Rezept hat. .... er seine Erfindung zum Patent angemeldet hätte, wäre er heute ein reicher Mann.

8.3 *Dass*-Sätze Sentences with *dass* (that)

Martin <u>weiß</u>, dass im Winter in den Alpen Schnee <u>liegt</u>.
↓
Subjunktion
Subordinating conjunction

▶ Formen Forms

- *Dass*-Sätze stehen oft **nach** oder **vor**:
  Clauses beginning with *dass* are usually used with:

unpersönlichen Ausdrücken mit *es*: Impersonal expressions with *es*:	Es ist richtig, Es ist wichtig, Es stimmt, Es tut mir leid, Es freut mich,	dass Frau Müller gekündigt hat. dass wir über die Ergebnisse reden. dass wir einen neuen Mitarbeiter bekommen. dass ich keine Zeit für dich hatte. dass du die Prüfung bestanden hast.
Wendungen wie: Idioms such as:	Mir gefällt nicht, Ich bin der Meinung,	dass der Chef mich nicht informiert hat. dass wir etwas ändern müssen.
Verben wie: Verbs such as:	Ich glaube, Ich weiß, Martin erwartet, Er sagte, Ich hoffe, Die Zeitungen berichten, Wissenschaftler haben herausgefunden,	dass er sich wohlfühlt. dass im Winter in den Alpen Schnee liegt. dass es schneit. dass er nicht kommen kann. dass du bald wieder gesund wirst. dass in Österreich sehr viel Schnee liegt. dass Tiere lachen können.

▶ Hinweise Rules

→ *Dass*-Sätze sind Verbergänzungen. Sie stehen oft für ein Akkusativobjekt: Martin erwartet Schnee. Martin erwartet, dass es schneit.
Dass-clauses are complements to the verb. They often replace direct objects: *Martin erwartet Schnee. Martin erwartet, dass es schneit.*

→ *Dass*-Sätze sind Nebensätze. Das konjugierte Verb steht an letzter Stelle. *Dass*-Sätze können vor oder nach dem Hauptsatz stehen. Die Subjekte von Haupt- und Nebensatz sind oft verschieden: <u>Wissenschaftler</u> haben herausgefunden, dass <u>Tiere</u> lachen können.
Dass-clauses are subordinate clauses. The conjugated verb is placed at the end of the clause. The subordinate clause itself can be placed before or after the main clause. The subjects of the main clause and the subordinate clause are usually two different persons: *Wissenschaftler haben herausgefunden, dass Tiere lachen können.*

▶ Satzbau Sentence structure

Hauptsatz Main Clause		**Nebensatz** Subordinate Clause		
	konjugiertes Verb	**Subjunktion**		**konjugiertes Verb**
Martin	**weiß,**	dass	im Winter in den Alpen Schnee	**liegt.**

Nebensatz Subordinate Clause			**Hauptsatz** Main Clause	
Subjunktion		**konjugiertes Verb**	**konjugiertes Verb**	
Dass	im Winter in den Alpen Schnee	**liegt,**	**weiß**	Martin.

→ Wenn der Nebensatz vor dem Hauptsatz steht, folgt das konjugierte Verb direkt nach dem Nebensatz.
If the main clause is preceded by the subordinate clause, the conjugated verb of the main clause is placed in the first position, right after the subordinate clause.

Übungen

1) Neuigkeiten im Büro. Wussten Sie schon, dass ...? Bilden Sie *dass*-Sätze.
News in the office. Did you know that ...? Build sentences using *dass*.

- Frau Müller hat einen neuen Freund.
  Wussten Sie schon, dass Frau Müller einen neuen Freund hat?

1. Der Hausmeister war zwei Wochen krank. ....
2. Die Sekretärin hat Ärger mit dem Verwaltungsleiter. ....
3. Wir haben den großen Auftrag nicht bekommen. ....
4. Die Einnahmen sind zurückgegangen. ....
5. Die Firma muss sparen. ....
6. Die Weihnachtsfeier fällt dieses Jahr aus. ....
7. Wir bekommen einen neuen Direktor. ....
8. Der neue Direktor hat in London studiert. ....

2) Neuigkeiten aus der Wissenschaft. Forscher haben herausgefunden, dass ... Bilden Sie *dass*-Sätze.
Science news. Researchers found that ... Build sentences using *dass*.

- sein – gesund – Lachen
  Forscher haben herausgefunden, dass Lachen gesund ist.

1. die sichersten Verkehrsmittel – Flugzeuge – sein
   ....
2. glauben – die meisten Menschen – an die Liebe auf den ersten Blick
   ....
3. können – singen – Mäuse
   ....
4. glücklich machen – kreative Berufe
   ....
5. die Deutschen – 8,22 Stunden – im Durchschnitt – schlafen – jeden Tag
   ....
6. der Mensch – brauchen – sieben bis acht Stunden Schlaf
   ....
7. haben – Akademiker – keine Sozialkompetenz – oft
   ....
8. Eltern und Kinder – sich streiten – am häufigsten – über Ordnung und Sauberkeit
   ....

3) Formulieren Sie Ihre Meinung mit einem *dass*-Satz.
Tell your opinion using a *dass*-clause.

ich bin der Meinung • ich denke (nicht) • ich finde (nicht) • ich glaube (nicht) ...	~~der Energieverbrauch auf der Welt steigt~~ • der Verkehr nimmt zu • die Windenergie ist eine gute Alternative • es gibt immer weniger Tierarten • die Menschen produzieren zu viel Abfall • wir müssen etwas gegen die Luftverschmutzung tun

- *Ich glaube, dass der Energieverbrauch auf der Welt steigt.*

1. ....
2. ....
3. ....
4. ....
5. ....

8.4 Infinitiv mit *zu* Infinitive + *zu*

Martin hat die Absicht, dieses Jahr nach Achenkirch zu fahren.
↓
zu + Infinitiv
zu + infinitive

Formen Forms

- Der Infinitiv mit *zu* steht oft **nach:**
  Infinitive + *zu* constructions are usually used with:

unpersönlichen Ausdrücken wie: Impersonal expressions:	Es ist wichtig, Es ist verboten, Es ist erlaubt, Es ist schwer,	das Projekt schnell zu beenden. hier zu parken. auf dem Platz Fußball zu spielen. den Termin zu halten.
Nomen in Verbindung mit *haben*: Nouns that are used with the verb *haben*:	Ich habe keine Lust, Ich habe keine Zeit, Ich habe die Absicht, Ich habe den Wunsch,	auf dich zu warten. die E-Mail zu schreiben. Französisch zu lernen. mein Englisch zu verbessern.
Verben wie: Verbs such as:	Ich habe vor, Ich verspreche dir, Ich freue mich, Ich empfehle dir, Ich versuche, Ich höre auf,	weniger zu essen. immer meine Hausaufgaben zu machen. mal wieder etwas von dir zu hören. mehr Sport zu treiben. dich abzuholen. Witze über den Chef zu machen.

- **Kein** Infinitiv mit *zu* kann stehen **nach:**
  Infinitive + *zu* constructions are never used with:

Modalverben: Modal verbs:	dürfen, können, mögen, müssen, sollen, wollen, möchte(n)	Sie dürfen hier rauchen. Ich muss meine Hausaufgaben machen. Ich möchte nicht mitkommen.
Verben wie: Verbs such as:	sagen, fragen, berichten, sehen, hören, riechen, wissen, kennen, lassen, lernen, helfen	Sag mir die Wahrheit! Ich rieche das Meer. Ich kenne den neuen Chef schon. Ich lerne Französisch.

Hinweise Rules

→ Infinitivkonstruktionen sind Verbergänzungen.
Infinitive constructions are complements to the verb.

→ Infinitivkonstruktionen stehen nach dem Hauptsatz. Der Infinitiv steht an letzter Stelle.
Infinitive constructions never precede the main clause: they always follow it. The infinitive is placed at the end of the sentence.

→ Die Infinitivkonstruktion kann einen *dass*-Satz ersetzen, wenn das Subjekt in beiden Satzteilen gleich ist.
Ich verspreche dir, dass ich immer meine Hausaufgaben mache.
Ich verspreche dir(,) immer meine Hausaufgaben zu machen.
Infinitive constructions may replace *dass*-clauses if the subject of the main clause and the subordinate clause is identical. *Ich verspreche dir, dass ich immer meine Hausaufgaben mache. Ich verspreche dir(,) immer meine Hausaufgaben zu machen.*

→ Bei trennbaren Verben steht *zu* zwischen dem Präfix und dem Verbstamm: Ich versuche(,) dich ab**zu**holen.
With separable verbs *zu* is placed between the prefix and the verb stem: *Ich versuche(,) dich abzuholen.*

Zusammengesetzte Sätze

Infinitiv mit *zu*

▶ **Satzbau** Sentence structure

	Hauptsatz Main Clause		**Infinitivsatz** Infinitive Clause	
	konjugiertes Verb			***zu* + Infinitiv**
Martin	**hat**	**die Absicht,**	dieses Jahr nach Achenkirch	**zu fahren.**

■ ■ ■ Übungen

1) **Was passt zusammen? Verbinden Sie.**
Find the matching ending for each sentence.

1. In diesem Restaurant ist es nicht erlaubt,
2. Ich verspreche dir,
3. Bitte hör auf,
4. Ich habe leider keine Zeit,
5. Es ist schwer.
6. Ich empfehle dir,

a) weniger fernzusehen und mehr zu lesen.
b) mit dem Handy zu telefonieren.
c) dich vom Bahnhof abzuholen.
d) immer mein Zimmer aufzuräumen.
e) mich 20-mal am Tag anzurufen!
f) alle Aufgaben richtig zu lösen.

2) **Frau Müller ist gestresst. Sie hat für verschiedene Dinge keine Zeit. Bilden Sie Sätze wie im Beispiel.**
Mrs. Müller is feeling stressed. She doesn't have time to do various things. Build sentences by following the example.

● den Brief übersetzen — *Frau Müller hat heute keine Zeit, den Brief zu übersetzen.*
1. die Fahrtkostenabrechnung machen ....
2. die Gäste vom Bahnhof abholen ....
3. alle E-Mails beantworten ....
4. ein Flugticket für den Chef buchen ....
5. die Besprechungsunterlagen kopieren ....
6. für alle Kaffee kochen ....
7. Einladungen zur Weihnachtsfeier schreiben ....
8. in die Kantine essen gehen ....
9. die neue Kollegin begrüßen ....

3) **Was macht Martin? Bilden Sie Sätze mit den Verben *wollen* und *vorhaben* wie im Beispiel.**
What is Martin doing? Build sentences using *wollen* and *vorhaben* by following the example.

● im Winter – Urlaub machen
a) *Martin will im Winter Urlaub machen.* b) *Martin hat vor, im Winter Urlaub zu machen.*
1. nach Österreich – fahren
a) .... b) ....
2. im Hotel „Bergsicht" – übernachten
a) .... b) ....
3. den ganzen Tag – Ski fahren
a) .... b) ....
4. abends im Restaurant – essen
a) .... b) ....
5. an einem Skiwettkampf – teilnehmen
a) .... b) ....
6. den Skiwettkampf – gewinnen
a) .... b) ....

4) **Carla und Otto haben einige Probleme. Bilden Sie Sätze wie im Beispiel.**
Carla and Otto have problems. Build sentences by following the example.

● Carla: die Absicht haben – das Auto verkaufen
Otto: wollen – das Auto behalten
Carla hat die Absicht, das Auto zu verkaufen.
Otto will das Auto behalten.

1. Carla: Lust haben – heute Abend – ausgehen
   Otto: möchte(n) – lieber fernsehen

   ....

2. Carla: den Auftrag haben – am Wochenende – zu einer Konferenz – nach Paris – fahren
   Otto: sollen – am Wochenende – einen Bericht – für seinen Chef – schreiben

   ....

3. Carla: vorhaben – ihren Urlaub im Ausland verbringen
   Otto: möchte(n) – in Deutschland bleiben

   ....

4. Carla: mal wieder – den Wunsch haben – die Wohnung umräumen
   Otto: wollen – nichts verändern

   ....

5. Carla: es – Spaß machen – Englisch lernen
   Otto: müssen – Englisch lernen

   ....

5) **Sönke macht seiner Freundin Versprechungen. Formen Sie die Sätze um wie im Beispiel.**
Sönke is making promises to his girlfriend. Transform the sentences by following the example.

● Ich verspreche dir, dass ich immer pünktlich nach Hause komme.
Ich verspreche dir, immer pünktlich nach Hause zu kommen.

1. Ich verspreche dir, dass ich dir im Haushalt helfe.

   ....

2. Ich verspreche dir, dass ich dreimal in der Woche das Abendessen koche.

   ....

3. Ich verspreche dir, dass ich dich jeden Tag fünfmal anrufe.

   ....

4. Ich verspreche dir, dass ich weniger Zeit mit meinen Freunden verbringe.

   ....

5. Ich verspreche dir, dass ich dir immer zuhöre.

   ....

6. Ich verspreche dir, dass ich dir jede Woche Blumen schenke.

   ....

7. Ich verspreche dir, dass ich zu deiner Mutter immer nett bin.

   ....

8. Ich verspreche dir, dass ich vorsichtiger fahre.

   ....

6) **Das ist Benno. Was erlauben ihm seine Eltern und was nicht? Bilden Sie Sätze wie im Beispiel.**
This is Benno. What do his parents allow him to do and what not? Build sentences by following the example.

● nach 22.00 Uhr fernsehen: nein
Benno darf nicht nach 22.00 Uhr fernsehen.
Die Eltern erlauben Benno nicht, nach 22.00 Uhr fernzusehen.

1. Saxofon-Stunden nehmen: ja

   ....

2. abends zu Hause Saxofon spielen: nein

   ....

3. sich ein neues Handy kaufen: nein

   ....

4. nach der Schule zu seinem Freund gehen: ja

   ....

5. bei seinem Freund übernachten: nein

   ....

6. in den Ferien an einem einwöchigen Musikkurs teilnehmen: ja

   ....

8.5 Fragesätze als Nebensätze — Interrogative clauses (questions) as subordinate clauses

Frage mit Fragewort:

Wie viele Sterne hat das Hotel „Bergsicht"?

Martin weiß nicht, wie viele Sterne das Hotel „Bergsicht" hat.

↓ Fragewort
Question word

Frage ohne Fragewort (Ja-Nein-Frage):

Liegt im April am Achensee noch Schnee?

Niemand weiß, ob im April am Achensee noch Schnee liegt.

↓ Subjunktion: ob
Subordinating conjunction: *ob*

▶ Formen — Forms

		Können Sie mir sagen,	Ich weiß nicht,
Frage mit Fragewort Wh-question	Wann landet das Flugzeug?	wann das Flugzeug landet?	wann das Flugzeug landet.
	Wer eröffnet die Ausstellung?	wer die Ausstellung eröffnet?	wer die Ausstellung eröffnet.
	Mit wem hat der Chef gesprochen?	mit wem der Chef gesprochen hat?	mit wem der Chef gesprochen hat.
	Wofür interessiert sich der Fußballtrainer?	wofür sich der Fußballtrainer interessiert?	wofür sich der Fußballtrainer interessiert.
Frage ohne Fragewort Yes-no question		**Können Sie mir sagen,**	**Ich weiß nicht,**
	Hat die deutsche Mannschaft gewonnen?	ob die deutsche Mannschaft gewonnen hat?	ob die deutsche Mannschaft gewonnen hat.

▶ Hinweise — Rules

→ Indirekte Fragen sind Nebensätze. Das konjugierte Verb steht am Satzende.
Bei Fragen mit Fragewort benutzt man das Fragewort als Einleitung.
Bei Fragen ohne Fragewort gebraucht man die Subjunktion *ob.*
Reported questions are subordinate clauses. The conjugated verb is placed at the end of the clause.
Wh-questions begin with the question word.
Yes-no questions begin with the subordinating conjunction *ob* (whether, if).

▶ Satzbau — Sentence structure

Hauptsatz Main Clause — **Nebensatz** Subordinate Clause

	konjugiertes Verb		Subjunktion		konjugiertes Verb
Martin	**weiß**	nicht,	wie viele	Sterne das Hotel „Bergsicht"	**hat.**
Martin	**weiß**	nicht,	ob	die Zimmer im Hotel „Bergsicht" schön	**sind.**

Nebensatz Subordinate Clause — **Hauptsatz** Main Clause

Subjunktion		konjugiertes Verb	konjugiertes Verb	
Wie viele	Sterne das Hotel „Bergsicht"	**hat,**	**weiß**	Martin nicht.
Ob	die Zimmer im Hotel „Bergsicht" schön	**sind,**	**weiß**	Martin nicht.

Übungen

1) **Otto hat Probleme. Beantworten Sie Ottos Fragen wie im Beispiel.**
Otto has problems. Answer the questions by following the example.

- Wann kommt Frau Müller? — *Ich kann Ihnen nicht sagen, wann Frau Müller kommt.* *Ich weiß nicht, wann Frau Müller kommt.*

1. Wo sind die Unterlagen für die Besprechung? ....
2. Hat Frau Müller die Unterlagen gestern kopiert? ....
3. Wann fängt die Besprechung an? ....
4. Hat Herr Klein die Präsentation vorbereitet? ....
5. Hat die Praktikantin die belegten Brötchen bestellt? ....
6. Gibt es in der Kantine auch belegte Brötchen? ....
7. Sind die Gäste schon angekommen? ....
8. Warum geht der Fotokopierer nicht? ....
9. Wo steht die Kaffeemaschine? ....
10. In welchem Büro findet die Besprechung statt? ....

2) **Auf dem Bahnhof. Formen Sie die Sätze um wie im Beispiel. Achten Sie auf die Wortstellung.**
At the railway station. Transform the sentences by following the example. Pay attention to the word order.

- Wann fährt der nächste Zug nach Bonn? — *Ich möchte gerne wissen, wann der nächste Zug nach Bonn fährt.* *Können Sie mir sagen, wann der nächste Zug nach Bonn fährt?*

1. Wie viel Verspätung hat der Zug aus Köln? ....
2. Wann kommt der Zug aus Köln an? ....
3. Wie lange dauert die Fahrt nach Dortmund? ....
4. Hält der Zug auch in Wuppertal? ....
5. Wo bekomme ich Fahrkarten für internationale Züge? ....
6. Kann ich im Zug etwas Warmes essen? ....
7. Von welchem Gleis fährt der Zug nach Essen? ....
8. Wie spät ist es jetzt? ....
9. Darf ich mein Fahrrad kostenlos mitnehmen? ....
10. Muss ich eine Platzkarte bestellen? ....

3) **Ihre Nachbarin ist verschwunden. Welche Fragen hat Ihnen die Polizei gestellt? Berichten Sie.**
Your neighbour is gone. What did the police ask you? Write sentences.

- Wo waren Sie gestern Abend zwischen 22.00 und 23.00 Uhr?
Der Polizist wollte wissen, wo ich gestern Abend zwischen 22.00 und 23.00 Uhr war.

1. Waren Sie allein zu Hause?
Der Polizist wollte wissen, ...
2. Wann haben Sie Frau Krüger zum letzten Mal gesehen?
....
3. Was für ein Mensch ist Frau Krüger?
....
4. Hatte Frau Krüger mit jemandem Ärger?
....
5. Wie ist Ihr Verhältnis zu Frau Krüger?
....
6. Ist Frau Krüger oft verreist?
....
7. Hatte Frau Krüger vielleicht einen Liebhaber?
....
8. Ist Ihnen sonst noch etwas Besonderes aufgefallen?
....

4) **Das Millionär-Spiel. Der Moderator fragt, der Kandidat antwortet.
Bilden Sie Fragen und beantworten Sie sie wie im Beispiel. Kreuzen Sie die richtige Antwort an.**
Who wants to be a millionaire? The moderator asks questions and the candidate answers them. Make questions and answer them by following the example. Mark the right answer.

- Wie viele Einwohner hat Deutschland?
  a) ca. 80 Millionen b) ca. 120 Millionen c) ca. 50 Millionen
  Moderator: *Wissen Sie, wie viele Einwohner Deutschland hat?*
  Kandidat: *Ich denke, dass Deutschland ... Millionen Einwohner hat.*
  oder: *Ich habe keine Ahnung, wie viele Einwohner Deutschland hat.*

1. In welchem Jahr hat die deutsche Nationalelf die Fußballweltmeisterschaft gewonnen?
   a) 1990 b) 1998 c) 2006
   Moderator: ....
   Kandidat: ....
2. Was bedeutet die Abkürzung SPD?
   a) Sozialdemokratische Partei Deutschlands b) Sozialpolitische Delegation c) Soziale Partei der Demokratie
   Moderator: ....
   Kandidat: ....
3. Welche Stadt war zwischen 1949 und 1990 die Hauptstadt der Bundesrepublik Deutschland?
   a) Köln b) Bonn c) Westberlin
   Moderator: ....
   Kandidat: ....
4. Welcher Fluss fließt durch Deutschland und Österreich und weiter bis zum Schwarzen Meer?
   a) der Rhein b) die Donau c) der Main
   Moderator: ....
   Kandidat: ....
5. Wie heißt das deutsche Parlament?
   a) Bundestag b) Bundeshaus c) Bundesrat
   Moderator: ....
   Kandidat: ....
6. Wann erfand Werner von Siemens den Dynamo?
   a) im 19. Jahrhundert b) im 20. Jahrhundert c) im 18. Jahrhundert
   Moderator: ....
   Kandidat: ....
7. Was ist das Lieblingsgetränk der Deutschen?
   a) Kaffee b) Limonade
   c) Wein
   Moderator: ....
   ....
   Kandidat: ....
   ....
8. Wie viele Menschen haben Deutsch als Muttersprache?
   a) ca. 150 Millionen Menschen b) ca. 70 Millionen Menschen
   c) ca. 100 Millionen Menschen
   Moderator: ....
   ....
   Kandidat: ....
   ....

8.6 Relativsätze Relative clauses

Martin nimmt die Skier mit, die er schon vor zehn Jahren gekauft hat.
↓
Relativpronomen
Relative pronoun

Martin wohnt in einem Hotel, das er noch nicht kennt.
↓
Relativpronomen
Relative pronoun

▶ Formen Forms

Kasus	Singular			Plural
	maskulin	feminin	neutral	
Nominativ	der	die	das	die
Akkusativ	den	die	das	die
Dativ	dem	der	dem	denen

➤ Seite 102: *Relativpronomen*

▶ Hinweise Rules

→ Mit einem Relativsatz beschreibt man Personen oder Sachen näher. Der Relativsatz ist ein Nebensatz. Er wird mit einem Relativpronomen eingeleitet und steht nach dem Hauptsatz.
Relative clauses give additional information about a person or a thing. Relative clauses are subordinate clauses. They are introduced by a relative pronoun and always follow the main clause.

→ Das Relativpronomen richtet sich in Genus und Numerus nach dem Bezugswort im Hauptsatz, im Kasus nach der Stellung im Relativsatz.
The gender and the number of relative pronouns are determined by the noun in the main clause about which they give additional information. The case is determined by the grammatical function of the pronoun in the relative clause.

▶ Satzbau Sentence structure

	Hauptsatz Main Clause		**Nebensatz** Subordinate Clause		
	konjugiertes Verb		**Relativpronomen**		**konjugiertes Verb**
Martin	**nimmt**	die Skier mit,	die	er schon vor zehn Jahren gekauft	**hat.**

■ ■ ■ Übungen

1) **Was passt zusammen? Verbinden Sie.**
Find the matching ending for each sentence.

1. Übernachtest du wieder in dem Hotel,
2. Sind in dem Hotel nicht die weichen Betten,
3. Hat das Hotel nicht einen Koch,
4. Kann man in dem Hotel den Wein kaufen,
5. War da nicht auch dieser nette Kellner,
6. Gab es in diesem Hotel nicht ein Badezimmer,

a) in denen man so gut schlafen kann?
b) den du mir letztes Jahr geschenkt hast?
c) in den du dich verliebt hast?
d) der sehr berühmt ist?
e) in dem ein großer Whirlpool war?
f) das so einen großen Swimmingpool hat?

2) **Was oder wer ist das? Welches Wort passt zur Definition?**
What/Who is this? Find the word that matches the definition.

der Ball • das Lehrbuch • der Lebenslauf • das Wetter • die Nachbarn • Neujahr • der Schauspieler • das Geschenk • ~~die Katze~~

- ein Tier, das viele Menschen gerne haben: *die Katze*
1. eine Sache, über die sich jeder freut: ....
2. ein runder Gegenstand, mit dem Kinder gerne spielen: ....
3. eine Person, die im Theater arbeitet: ....
4. ein Tag, den man in vielen Ländern feiert: ....
5. ein Text, in dem wir über unsere Ausbildung und Arbeitserfahrung berichten: ....
6. ein Buch, mit dem man eine Fremdsprache lernen kann: ....
7. Menschen, die neben uns wohnen: ....
8. ein Thema, über das man sich manchmal unterhält: ....

3) **Hast du ...? Ergänzen Sie die Relativsätze.**
Have you ...? Complete the following relative sentences.

- Du hast mir den Ring zum Geburtstag geschenkt.
  Hast du irgendwo den Ring gesehen, *den du mir zum Geburtstag geschenkt hast?*
1. Der Porsche hat uns gerade überholt.
   Hast du den Porsche gesehen, ...
2. Ich habe die Weinflasche gestern in den Kühlschrank gestellt.
   Hast du die Weinflasche gesehen, ...
3. Ich habe die Dokumente auf den Kopierer gelegt.
   Hast du die Dokumente gesehen, ...
4. Ich habe vor einer Stunde mit dem Kollegen gesprochen.
   Hast du den Kollegen gesehen, ...
5. Den Kuchen hat Frau Müller mitgebracht.
   Hast du den Kuchen gegessen, ...
6. Die E-Mail hat der Chef gestern an alle geschickt.
   Hast du die E-Mail gelesen, ...

4) **Geburtstagsgeschenke. Wer hat was bekommen? Verbinden Sie die Sätze wie im Beispiel.**
Birthday presents. Who got what? Connect the sentences by following the example.

- Peter hat einen Pullover bekommen. Der Pullover ist schön warm.
  Peter hat einen Pullover bekommen, der schön warm ist.
1. Martha hat ein Kleid bekommen. Das Kleid passt ihr nicht.
   ....
2. Paul hat einen Papagei bekommen. Der Papagei kann sprechen.
   ....
3. Ingrid hat Stiefel bekommen. Die Stiefel haben viel zu hohe Absätze.
   ....
4. Sarah hat eine Opernkarte bekommen. Die Opernkarte will sie in Geld umtauschen.
   ....
5. Opa hat ein Buch über Gartenarbeit bekommen. In dem Buch stehen viele Informationen über Obstbäume.
   ....
6. Paul hat einen neuen Fernseher bekommen. Er hat für den Fernseher gar keinen Platz in seinem Zimmer.
   ....
7. Inge hat einen Fotoapparat bekommen. Mit dem Fotoapparat kann sie professionelle Fotos machen.
   ....
8. Oma hat ein neues Telefon bekommen. Auf dem Telefon kann man die Zahlen besser erkennen.
   ....

9 Anhang

9.1 Sprechübungen für Gruppen und Tandemlerner

Zur Vertiefung von grammatischen Strukturen in Gruppen oder zu zweit eignen sich besonders gut kleine Dialoge. Sie können als Partnerübung oder als Gruppenübung nach dem Prinzip: A fragt, B antwortet und fragt, A bzw. C antwortet und fragt usw. eingesetzt werden.

Die Teilnehmer können die Fragen mit einem Satz oder (ausführlicher) mit mehreren Sätzen beantworten.

Verben

1) *Übung zum Präsens der Verben*

Kettenspiel oder zu zweit: Was machst du gern?

Stellen Sie Fragen und beantworten Sie sie wie im Beispiel.
Das Spiel ist zu Ende, wenn keinem ein neues Verb einfällt.

A: *Kochst du gern?*

B: *Ja, ich koche gern.*
Nein, ich koche nicht gern.
Und du? Singst du gern?

Hilfe: singen • tanzen • reisen • arbeiten • reden • telefonieren • lesen

2) *Übung zum Präsens der Modalverben*

a) **Kettenspiel oder zu zweit: Kannst du ...?**

A: *Kannst du kochen?*

B: *Ja, ich kann (gut) kochen.*
Nein, ich kann nicht gut kochen.
Nein, ich kann überhaupt nicht kochen.
Und du? Kannst du ...?

A/C: *Ich ...*

Hilfe: ein Instrument spielen • singen • Deutsch sprechen • Auto fahren • tauchen • schnell rennen

b) **Kettenspiel oder zu zweit: Magst du ...?**

A: *Magst du den Regen?*

B: *Nein, die Sonne ist mir lieber.*

Hilfe: (der) Tag/(die) Nacht • Horrorfilme/Liebesfilme • Krimis/Gedichte • alte Autos/neue Autos • Bier/Wein • Hunde/Katzen • rote Rosen/weiße Nelken • Schwarz-Weiß-Fotos/Farbfotos

3) *Übung zum Präsens der Modalverben*

Arbeit in Kleingruppen: Was möchten/wollen Sie in der nächsten Deutschstunde (nicht) machen?

Schreiben Sie drei Vorschläge auf einen Zettel (mit einem Partner oder allein). Vergleichen Sie Ihre Ideen und treffen Sie dann eine Entscheidung (in Kleingruppen oder im Plenum).

Vorschläge machen: *Ich möchte/will (nicht/keinen/keine/kein) ...*

Eine Entscheidung diskutieren: *Wir können ...*

Hilfe: (die Konjugation) wiederholen • viel sprechen • einen interessanten Text lesen • einen Test schreiben • ein Lied lernen • Grammatikübungen machen • spielen • (Alltagssituationen) üben

4) *Übung zu Modalverben (besonders geeignet nach Übung 4 auf S. 20)*
Rollenspiel in Zweiergruppen: Buchen Sie ein Zimmer.

Buchen Sie ein Doppelzimmer in einem Hotel in den Bergen/am Bodensee/an einem frei gewählten Urlaubsort. Erkundigen Sie sich nach Wellnessangeboten, Sportmöglichkeiten und Restaurants.
Benutzen Sie den Dialog in Übung 4 als Modell. Sie können diesen Dialog auch bei geschlossenem Buch nachspielen.

5) *Übung zum Perfekt (unregelmäßige Verben)*

a) **Hast du schon mal …?**

A: *Hast du schon mal ein Buch geschrieben?*
B: *Ja, ich habe schon mal/oft …*
Nein, ich habe noch nie …
Hast du …?

Hilfe: ein Weihnachtslied singen • 50 Jahre alten Whisky trinken • Zwiebeln schneiden • eine Patentanmeldung lesen • einem Freund helfen • in einem Zelt schlafen • Geld auf der Straße finden • einen berühmten Menschen treffen • einen Horrorfilm sehen

b) **Bist du schon mal …?**

A: *Bist du schon mal in der Nordsee geschwommen?*
B: *Ja, ich bin schon …*
Nein, ich bin noch nie …
Bist du …?

Hilfe: nach New York fliegen • zu spät zu einer Prüfung kommen • zehn Kilometer laufen • drei Tage im Bett bleiben • mit einem Motorrad fahren • zu Fuß zur Arbeit gehen

6) *Übung zum Perfekt (Verben mit Präfix)*
Im Büro. Hast du … schon …?

A: *Hast du den Kopierer schon eingeschaltet?*
B: *Ja, ich habe den Kopierer schon eingeschaltet.*
Nein, ich habe den Kopierer noch nicht eingeschaltet.
Hast du …?

Hilfe: den Computer einschalten • das Passwort eingeben • das Firmenpapier einlegen • Frau Müller anrufen • die Dokumente ausdrucken • Herrn Klein zurückrufen • die Gäste abholen • die E-Mail weiterleiten • das Formular ausfüllen • deinen Schreibtisch aufräumen • den Termin absagen • den kaputten Kopierer ausschalten

7) *Übung zum Perfekt (Verben mit Präfix)*
Zu zweit: Interview

Machen Sie ein Interview mit Ihrer Nachbarin/Ihrem Nachbarn. Sie haben dafür zehn Minuten Zeit. Stellen Sie ihr/ihm möglichst viele Fragen über den Tagesablauf.
Wechseln Sie dann die Rollen.

A: *Wann hast du gestern/bist du gestern …?*
Hast/Bist du gestern …?
B: *Ich habe/bin …*

Hilfe: aufstehen • frühstücken • mit der Arbeit anfangen • einen Termin mit jemandem vereinbaren • deine Mutter/deinen Vater/deinen Bruder/einen Kunden anrufen • frisches Gemüse einkaufen • das Abendessen vorbereiten • fernsehen • einschlafen

8) Übung zur Wiederholung der Zeitformen

a) Übung zum Präsens der Verben

Zu zweit oder in Einzelarbeit: Was macht Peter von Montag bis Sonntag?

Wählen Sie einen Wochentag aus und erzählen Sie, was Peter an diesem Tag macht. Bringen Sie die Bilder in eine logische Reihenfolge, Sie brauchen nicht alle Bilder zu benutzen. Geben Sie auch die Uhrzeiten an. Spielen Sie dann kleine Dialoge wie im Beispiel.

A: (mit Tagesordnung für Montag): *Peter steht um 7.00 Uhr auf. Und wann steht er am Dienstag auf?*

B: *Am Dienstag steht er auch um 7.00 Uhr auf. Wann steht er am Mittwoch auf?* usw.

Hilfe: kochen • fernsehen • ins Bett gehen/schlafen • Deutsch lernen • Musik hören • einkaufen • Wäsche waschen • duschen • E-Mails beantworten • essen • das Geschirr spülen

b) Übung zum Perfekt der Verben

Kettenspiel oder zu zweit: Was haben Sie letzten (Montag) … gemacht?

Wählen Sie einen Tag Ihrer Woche aus und erzählen Sie etwas über diesen Tag (in einem Satz oder ausführlicher). Fragen Sie dann Ihre Nachbarin/Ihren Nachbarn, was sie/er an diesem Tag gemacht hat.

A: *Am Samstag bin ich um 10.00 Uhr aufgestanden. Wann bist du aufgestanden?*

B: *Ich bin um 8.00 Uhr aufgestanden. Dann habe ich in einem Café gefrühstückt. Wo hast du gefrühstückt?* usw.

9) Übung zum Konjunktiv II (besonders geeignet nach Übung 3 auf S. 53)

Rollenspiel in Zweiergruppen

Vereinbaren Sie einen Termin. Benutzen Sie als Modell den Dialog in Übung 3. Sie können auch diesen Dialog bei geschlossenem Buch nachspielen.

Einige Ideen: Wohnungsbesichtigung • einen Freund besuchen • ein Produkt vorstellen • Zahnarztbesuch • Gespräch mit dem Chef über eine Gehaltserhöhung • Gespräch mit einem Kollegen über das neue Projekt

10) *Übung zu Verben mit präpositionalem Kasus (reflexive Verben)*

Kettenspiel: Wofür interessierst du dich?

A: *Wofür interessierst du dich?*

B: *Ich interessiere mich für ... Und du? Wofür interessierst du dich?*

A: *Ich ... Und worüber ärgerst du dich?*

Hilfe: sich ärgern über • sich freuen auf • sich fürchten vor

Nomen und Artikel

11) *Übung zum bestimmten und unbestimmten Artikel*

a) **Kettenspiel: Was sehen Sie auf dem Bild?**

Jeder soll einen Gegenstand oder eine Person nennen.

A: *Ich sehe auf dem Bild eine Frau. Die Frau hat einen Einkaufskorb in der Hand. In dem Einkaufskorb ist Gemüse. Sie nimmt gerade eine Flasche aus dem Regal.*

B: *Ich sehe auf dem Bild ...*

b) **Kettenspiel: Soll ich dir was mitbringen?** *(nach dem Muster von „Ich packe meinen Koffer")*

A: *Ich gehe in den Supermarkt. Soll ich dir was mitbringen?*

B: *Ja, bring mir bitte zwei Tafeln Schokolade mit.*
Ich gehe in den Supermarkt. Soll ich dir was mitbringen?

C: *Ja, bring mir bitte zwei Tafeln Schokolade und 100 Gramm Käse mit.* usw.

Hilfe: zwei Gurken • frisches Obst • ein Kilo Kartoffeln • drei Zwiebeln • zwei Flaschen Wein • 200 Gramm ungarische Salami • eine Flasche Bier

12) *Übung zum unbestimmten und negativen Artikel*
Kettenspiel oder zu zweit: Hast du einen/eine/ein ...?

A: *Hast du ein Handy?*
B: *Ja, ich habe ein Handy.*
Nein, ich habe kein Handy.
Und du? Hast du ...?
A/C: *Ich ...*

Hilfe: der Fernseher • das Auto • der Regenschirm • der Kugelschreiber • die Villa • der Hund • die Katze • das Fahrrad • der Garten • die Mikrowelle

13) *Übung zu Possessivartikeln*
Kettenspiel: Ist das dein ...?

Notieren Sie auf einem Kärtchen den Namen eines Gegenstandes mit Artikel. Formulieren Sie dann der Reihe nach Sätze wie im Beispiel.

Erste Runde – Nominativ:

A: *Das ist mein Kugelschreiber. Ist das dein Wörterbuch?*
B: *Ja, das ist mein Wörterbuch. Ist das dein Heft?*
C: *Ja, das ist mein Heft. Ist das ...*

Zweite Runde – Akkusativ:

A: *Ich brauche meinen Kugelschreiber oft/selten. Brauchst du dein Wörterbuch oft?*
B: *Ich brauche mein Wörterbuch sehr oft. Brauchst du dein Heft oft?*
C: *Ich brauche ...*

Dritte Runde – Dativ:

A: *Ich schreibe mit meinem Kugelschreiber. Was machst du mit deinem Wörterbuch?*
B: *Ich suche (mit meinem Wörterbuch) Wörter in Deutsch. Was machst du mit deinem Heft?*
C: *Ich ...*

Hilfe: das Wörterbuch • der Kugelschreiber • das Heft • der Taschenrechner • das Handy • der Laptop • das Buch • der Fotoapparat

14) *Übung zum Possessivpronomen (besonders geeignet nach Übung 2 auf S. 96)*
Kettenspiel oder zu zweit: Nach der Party

In diesem Zimmer liegt nach der Party viel herum. Stellen Sie Fragen wie im Beispiel.

A: *Da liegt ein Heft. Ist das deins?*
B: *Nein, das ist nicht meins.*
Da steht eine Tasse.
Ist das deine? usw.

Hilfe: das Fahrrad • die Socken *(Pl.)* • die Blumen *(Pl.)* • die Pizza • das Heft • das Radio • das Buch • die Tasse • die Rollschuhe *(Pl.)* • der Zettel • das Wörterbuch • der Reiseführer • der Kugelschreiber

Adjektive

15) *Übung zur Adjektivdeklination (besonders geeignet nach Übung 5 auf S. 108)*

a) **Was tragen Sie (nicht) gern?**

Was für Kleidungsstücke tragen Sie (nicht) gern? Nennen Sie ein Kleidungsstück mit Adjektiv.

b) **Kettenspiel: Was hat Ihre Nachbarin/Ihr Nachbar an?**

Was hat Ihre Nachbarin/Ihr Nachbar heute an? Nennen Sie ein Kleidungsstück mit Adjektiv.

Hilfe: langer Rock • kurze Hose • alte Schuhe • helles Hemd • karierte Hose • schwarze Bluse • weicher Kaschmirpullover • blaue Jeans

16) *Übung zur Adjektivdeklination*
Rollenspiel in Zweiergruppen: Wer hat den Dieb gesehen? Die Polizei sucht eine Täterbeschreibung.

A: *Sie haben den Dieb gesehen. Wie groß war er?*
B: ...
A: *Wie alt war er?*
B: ...
A: *Wie sah er aus?*
B: *Er hatte ...*

Hilfe: rund, Gesicht • groß, Nase • kurz, blond, Haare • gelb, Zähne • klein, Ohren • dick, Bauch

A: *Was hatte er an?*
B: *Er hatte ... an.*
Er trug ...

Hilfe: schwarz, Jacke • weiß, Hemd • braun, Schuhe • lang, Hose • bunt, Krawatte • schwarz, Fliege • alt, Arbeitskleidung

17) *Übung zur Adjektivdeklination (Ortsangaben)*
Kettenspiel oder zu zweit: Beschreiben Sie ein Zimmer in Ihrer Wohnung.

A: *Was ist dein Lieblingszimmer?*
B: *Mein Lieblingszimmer ist das Wohnzimmer.*
A: *Kannst du das Zimmer beschreiben?*
B: *Also, in der Mitte steht ein großer Tisch. Dann gibt es in dem Zimmer noch ein altes Sofa ... Das Zimmer hat grüne Wände. Was ist dein Lieblingszimmer?*
A: ...

Hilfe: der Stuhl • der Tisch • das Sofa • der Fernseher • die Lampe • das Foto • das Gemälde • das Bücherregal • die Pflanze • der Teppich • der Schrank • das Klavier • die Vase • der Sessel

18) *Übung zum Komparativ (besonders geeignet z. B. nach Übung 1 auf S. 111)*
Kettenspiel: Was möchten Sie ändern?

Sagen Sie einen Satz und fragen Sie dann Ihre Nachbarin/Ihren Nachbarn.

A: *Ich bin manchmal so ungeduldig. Ich möchte geduldiger sein.*
Und du? Was möchtest du ändern?

Hilfe: langsam/schnell arbeiten • nervös/ruhig sein • unpünktlich/pünktlich sein • noch nicht so gut/gut (Deutsch sprechen, Auto fahren) • oft zu Hause bleiben/viel reisen • faul/fleißig sein

19) *Übung zum Komparativ (besonders geeignet z. B. nach Übung 7 auf S. 113)*
Wie sind Sie?

Vergleichen Sie sich mit jemandem in der Gruppe. Formulieren Sie mindestens einen Unterschied und eine Ähnlichkeit. Benutzen Sie dabei die Sätze von Übung 7 als Modell.

Hilfe: Haarfarbe • Augenfarbe • Größe • Farbe der Kleidung • Alter

Nomen und Präpositionen

20) *Übung zu Präpositionen mit dem Dativ*
Kettenspiel oder zu zweit: Womit fährst du …?

A: *Womit fährst du zum Deutschkurs?*

B: *Ich fahre mit dem Auto.*
Und du? Womit fährst du …?

A/C: *Ich …*

Hilfe: die Uni/die Straßenbahn • die Arbeit/der Bus • die Sprachschule/der Zug • der Bahnhof/das Fahrrad • die Bäckerei/das Motorrad

21) *Übung zu Präpositionen mit dem Dativ*
Kettenspiel: Woher kommen Sie? Wohin gehen Sie?

Bilden Sie eine Satzkette wie im Beispiel. Wiederholen Sie zuerst das letzte Nomen wie im Beispiel und geben Sie dann eine neue Person/einen neuen Ort an.

A: *Ich komme vom Zahnarzt und gehe zum Friseur. Und du?*

B: *Ich komme vom Friseur und gehe zu …*

Hilfe: der Bäcker • der Metzger • der Masseur • meine Tante • mein Cousin • das Museum • der Supermarkt • mein Schulfreund • die Bibliothek • der Gemüsehändler • der Bahnhof • eine Ausstellung • die Apotheke • die Autowerkstatt • der Schwimmkurs

22) *Übung zu Wechselpräpositionen/Präpositionen mit dem Dativ*
Kettenspiel oder zu zweit: Warst du schon mal in …?

A: *Warst du schon mal in Berlin/bei einem Fußballspiel?*

B: *Ja, ich war schon mal in Berlin/bei einem Fußballspiel.*
Nein, ich war noch nie in Berlin/bei einem Fußballspiel.
Und du? Warst du …?

A/C: *Ja, …/Nein, …*

Hilfe: eine Sauna • ein Fünf-Sterne-Hotel • die USA • die Schweiz • die Alpen • Asien • Wien • Südamerika • ein Zoo • ein Boxkampf • Nordeuropa • ein Yogakurs • eine Modenschau • eine Ausstellungseröffnung • ein Weihnachtskonzert

23) *Übung zu Wechselpräpositionen*
Kettenspiel: Beschreiben Sie Ihr Klassenzimmer.

Wo sind die Gegenstände? Nennen Sie die Position eines Gegenstandes.

Hilfe: die Tafel • der Lehrertisch • Ihr Stuhl • das Regal • Ihre Tasche • das Wörterbuch • das Plakat • der Beamer • der Computer • der CD-Spieler • der Overheadprojektor • das Smartboard

Fragewörter

24) *Übung zu Fragewörtern*

Formulieren Sie Fragen zu den Personen auf den Bildern. Ihre Nachbarin/Ihr Nachbar soll die Frage beantworten und einer anderen Person in der Gruppe eine andere Frage stellen. Jedes Fragewort darf nur einmal benutzt werden.

Fragewörter: wann? • wer? • wen? • wo? • wie lange? • wie oft? • wie viel? • warum? • woher? • wohin? • welch ...? • was für ein ...? • mit wem? • über wen? • womit? • worüber? usw.

Sätze

25) *Übung zu Negationen*
Kettenspiel oder zu zweit: Sagen Sie das Gegenteil.

Formulieren Sie eine Aussage wie im Beispiel. Ihre Nachbarin/Ihr Nachbar soll das Gegenteil sagen und eine neue Aussage formulieren. (Die Sätze müssen nicht zusammenhängend sein.)
Sie können auch ein Thema auswählen (z. B. Urlaub, Wochenende, Arbeit) und zu diesem Thema Ihre Aussagen formulieren.

A: *Ich schwimme gern.*
B: *Ich schwimme nicht gern. Ich koche gern.*

26) *Übung zu adverbialen Nebensätzen (besonders geeignet nach Übung 4 auf S. 155)*
Kettenspiel oder zu zweit: Erinnerungen

Formulieren Sie Ihre Erinnerungen wie im Beispiel. Fragen Sie dann Ihre Nachbarin/Ihren Nachbarn.

A: *Als ich klein war, wollte ich Sänger werden. Was wolltest du werden, als du klein warst?*
B: *Als ich noch ...*

Hilfe: Womit hast du am liebsten gespielt? • Was hast du gern gegessen? • Was hast du in deiner Freizeit gerne gemacht? • Welche Filme hast du gerne gesehen? • Welche Bücher hast du gerne gelesen? • Worüber hast du dich geärgert?

27) *Übung zum Infinitiv mit zu*
Kettenspiel: Ich habe keine Zeit ...

Überlegen Sie sich vor dem Spiel, wofür Sie im Moment keine Zeit haben. Bilden Sie Satzketten wie im Beispiel.

A: *Ich habe keine Zeit, meine Hausaufgaben zu machen ...*
B: *Meine linke Nachbarin/Mein linker Nachbar hat keine Zeit, ihre/seine Hausaufgaben zu machen – ich habe keine Zeit, zum Zahnarzt zu gehen.*
C: *Meine linke Nachbarin/Mein linker Nachbar hat keine Zeit, zum Zahnarzt zu gehen – ich habe keine Zeit ...*

28) *Übung zu indirekten Fragesätzen, dass-Sätzen*
Zu zweit: Interview

Machen Sie ein längeres Interview mit Ihrer Nachbarin/Ihrem Nachbarn. Stellen Sie ihr/ihm viele Fragen und versuchen Sie dabei möglichst viele verschiedene Fragewörter zu benutzen.
Berichten Sie anschließend im Plenum.

A: *Ich habe meine Nachbarin/meinen Nachbarn gefragt, wann/ob ...*
Sie/Er hat geantwortet, dass ...

Hilfe: Alter • Beruf • Geburtsort • Geburtsdatum • Studium • Wohnort • Familie • Urlaub • Sprachkenntnisse • Hobbys • Essen und Trinken • Träume und Wünsche

Gesamtwiederholung

29) Gesamtwiederholung
Zu zweit: Ein Ort in der Stadt

a) **Wählen Sie ein Bild/einen Ort aus.**
Was alles gibt es an diesem Ort? Sammeln Sie Wörter.

b) **Was kann man an diesem Ort machen?**
Sammeln Sie Ausdrücke.

c) **Was kann an diesem Ort los sein?**
Spielen Sie einen Dialog, der sich an dem gewählten Ort abspielen könnte.

d) **Sie waren gestern im Kaufhaus, im Kino, im Café usw.**
Was haben Sie dort gemacht? Berichten Sie.

Hilfe: Kaufhaus • Bibliothek • Café • Hotel • Kneipe • Kino

9.2 Übersicht: Unregelmäßige Verben

A Modalverben

Infinitiv	3. Person Singular Präsens	3. Person Singular Präteritum
dürfen	er darf	er durfte
können	er kann	er konnte
mögen	er mag	er mochte
müssen	er muss	er musste
sollen	er soll	er sollte
wollen	er will	er wollte

B *Haben, sein* und *werden*

Infinitiv	3. Person Singular Präsens	3. Person Singular Präteritum	3. Person Singular Perfekt
haben	er hat	er hatte	er hat gehabt
sein	er ist	er war	er ist gewesen
werden	er wird	er wurde	er ist geworden

C Wichtige unregelmäßige Verben und Verben aus dem Buch

Infinitiv	3. Person Singular Präsens	3. Person Singular Präteritum	3. Person Singular Perfekt
beginnen *(mit der Vorbereitung)*	er beginnt	er begann	er hat begonnen
bieten *(guten Service)* anbieten *(ein Produkt)*	er bietet er bietet an	er bot er bot an	er hat geboten er hat angeboten
binden *(ein Buch/eine Schleife)* verbinden *(jemanden am Telefon oder etwas)*	er bindet er verbindet	er band er verband	er hat gebunden er hat verbunden
bitten *(jemanden um Hilfe)*	er bittet	er bat	er hat gebeten
bleiben	er bleibt	er blieb	er ist geblieben
(das Glas) brechen einbrechen *(in ein Museum)*	es bricht er bricht ein	es brach er brach ein	es ist gebrochen er hat eingebrochen
bringen *(jemandem ein Glas Wasser)* mitbringen *(jemandem ein Brötchen)*	er bringt er bringt mit	er brachte er brachte mit	er hat gebracht er hat mitgebracht
denken *(an die Arbeit)* nachdenken *(über ein Problem)*	er denkt er denkt nach	er dachte er dachte nach	er hat gedacht er hat nachgedacht
empfangen *(jemanden)*	er empfängt	er empfing	er hat empfangen
empfehlen *(jemandem ein Restaurant)*	er empfiehlt	er empfahl	er hat empfohlen
entscheiden *(sich für etwas/jemanden)*	er entscheidet sich	er entschied sich	er hat sich entschieden
essen *(ein Schnitzel)*	er isst	er aß	er hat gegessen
fahren abfahren hinfahren	er fährt er fährt ab er fährt hin	er fuhr er fuhr ab er fuhr hin	er ist gefahren er ist abgefahren er ist hingefahren

Infinitiv	3. Person Singular Präsens	3. Person Singular Präteritum	3. Person Singular Perfekt
fangen *(einen Fisch)*	er fängt	er fing	er hat gefangen
anfangen *(mit dem Studium)*	er fängt an	er fing an	er hat angefangen
fliegen	er fliegt	er flog	er ist geflogen
geben *(jemandem einen Brief)*	er gibt	er gab	er hat gegeben
abgeben *(ein Dokument)*	er gibt ab	er gab ab	er hat abgegeben
eingeben *(ein Passwort)*	er gibt ein	er gab ein	er hat eingegeben
gehen	er geht	er ging	er ist gegangen
ausgehen *(am Abend)*	er geht aus	er ging aus	er ist ausgegangen
gelten *(als giftig)*	er gilt	er galt	er hat gegolten
genießen *(das Wochenende)*	er genießt	er genoss	er hat genossen
geraten *(in eine schwierige Situation)*	er gerät	er geriet	er ist geraten
(etwas Schreckliches) geschehen	es geschieht	es geschah	es ist geschehen
gewinnen *(eine Medaille)*	er gewinnt	er gewann	er hat gewonnen
halten *(ein Glas in der Hand)*	er hält	er hielt	er hat gehalten
erhalten *(eine E-Mail)*	er erhält	er erhielt	er hat erhalten
unterhalten *(sich mit jemandem über Fußball)*	er unterhält sich	er unterhielt sich	er hat sich unterhalten
(das Handtuch) hängen *(im Bad)*	es hängt	es hing	es hat gehangen
(etwas) abhängen *(vom Wetter)*	es hängt ab	es hing ab	es hat abgehangen
heißen	er heißt	er hieß	er hat geheißen
helfen *(einem Freund)*	er hilft	er half	er hat geholfen
kennen *(den neuen Direktor)*	er kennt	er kannte	er hat gekannt
kommen	er kommt	er kam	er ist gekommen
ankommen *(um 15.00 Uhr)*	er kommt an	er kam an	er ist angekommen
bekommen *(ein Geschenk)*	er bekommt	er bekam	er hat bekommen
zurückkommen *(von einer Reise)*	er kommt zurück	er kam zurück	er ist zurückgekommen
laden *(die Batterie)*	er lädt	er lud	er hat geladen
einladen *(jemanden zu einem Fest)*	er lädt ein	er lud ein	er hat eingeladen
herunterladen *(etwas am Computer)*	er lädt herunter	er lud herunter	er hat heruntergeladen
lassen	er lässt	er ließ	er hat gelassen
hinterlassen *(eine Nachricht)*	er hinterlässt	er hinterließ	er hat hinterlassen
verlassen *(ein Gebäude/jemanden)*	er verlässt	er verließ	er hat verlassen
laufen	er läuft	er lief	er ist gelaufen
leihen *(jemandem eine CD)*	er leiht	er lieh	er hat geliehen
verleihen *(Fahrräder)*	er verleiht	er verlieh	er hat verliehen
lesen *(ein Buch)*	er liest	er las	er hat gelesen
vorlesen *(eine Geschichte)*	er liest vor	er las vor	er hat vorgelesen
liegen *(im Bett)*	er liegt	er lag	er hat gelegen
nehmen *(ein Bier)*	er nimmt	er nahm	er hat genommen
abnehmen	er nimmt ab	er nahm ab	er hat abgenommen
teilnehmen *(an einer Veranstaltung)*	er nimmt teil	er nahm teil	er hat teilgenommen
(der Sturm) zunehmen	er nimmt zu	er nahm zu	er hat zugenommen
raten *(jemandem, gesund zu leben)*	er rät	er riet	er hat geraten
beraten *(einen Kunden)*	er berät	er beriet	er hat beraten
(der Strick) reißen	er reißt	er riss	er ist gerissen
zerreißen *(ein Stück Papier)*	er zerreißt	er zerriss	er hat zerrissen

Infinitiv	**3. Person Singular Präsens**	**3. Person Singular Präteritum**	**3. Person Singular Perfekt**
rufen *(jemanden)*	er ruft	er rief	er hat gerufen
abrufen *(E-Mails)*	er ruft ab	er rief ab	er hat abgerufen
anrufen *(jemanden)*	er ruft an	er rief an	er hat angerufen
(die Sonne) scheinen	sie scheint	sie schien	sie hat geschienen
(das Buch) erscheinen	es erscheint	es erschien	es ist erschienen
schieben *(ein kaputtes Fahrrad)*	er schiebt	er schob	er hat geschoben
verschieben *(einen Termin)*	er verschiebt	er verschob	er hat verschoben
schießen *(ein Tor)*	er schießt	er schoss	er hat geschossen
schlafen	er schläft	er schlief	er hat geschlafen
einschlafen	er schläft ein	er schlief ein	er ist eingeschlafen
schlagen *(jemanden)*	er schlägt	er schlug	er hat geschlagen
vorschlagen *(ein Projekt)*	er schlägt vor	er schlug vor	er hat vorgeschlagen
schließen *(eine Tür/Freundschaft)*	er schließt	er schloss	er hat geschlossen
abschließen *(ein Studium/eine Tür)*	er schließt ab	er schloss ab	er hat abgeschlossen
schneiden *(das Gemüse)*	er schneidet	er schnitt	er hat geschnitten
ausschneiden *(einen Text am Computer)*	er schneidet aus	er schnitt aus	er hat ausgeschnitten
schreiben *(einen Brief)*	er schreibt	er schrieb	er hat geschrieben
unterschreiben *(einen Vertrag)*	er unterschreibt	er unterschrieb	er hat unterschrieben
(das Baby) schreien	es schreit	es schrie	es hat geschrien
schweigen	er schweigt	er schwieg	er hat geschwiegen
schwimmen	er schwimmt	er schwamm	er ist geschwommen
sehen *(einen Film)*	er sieht	er sah	er hat gesehen
ansehen *(jemanden)*	er sieht an	er sah an	er hat angesehen
aussehen *(gut/schlecht)*	er sieht aus	er sah aus	er hat ausgesehen
fernsehen	er sieht fern	er sah fern	er hat ferngesehen
zusehen *(jemandem beim Kochen)*	er sieht zu	er sah zu	er hat zugesehen
senden *(eine E-Mail)*	er sendet	er sandte	er hat gesandt
singen *(ein Lied)*	er singt	er sang	er hat gesungen
(das Interesse) sinken	es sinkt	es sank	es ist gesunken
sitzen *(auf dem Sofa)*	er sitzt	er saß	er hat gesessen
besitzen *(ein Haus)*	er besitzt	er besaß	er hat besessen
sprechen *(eine Fremdsprache)*	er spricht	er sprach	er hat gesprochen
versprechen *(jemandem ein Geschenk)*	er verspricht	er versprach	er hat versprochen
widersprechen *(jemandem)*	er widerspricht	er widersprach	er hat widersprochen
stehen *(im Tor)*	er steht	er stand	er hat gestanden
aufstehen	er steht auf	er stand auf	er ist aufgestanden
bestehen *(eine Prüfung)*	er besteht	er bestand	er hat bestanden
verstehen *(jemanden/etwas)*	er versteht	er verstand	er hat verstanden
stehlen (ein Gemälde)	er stiehlt	er stahl	er hat gestohlen
steigen *(auf einen Berg)*	er steigt	er stieg	er ist gestiegen
aussteigen *(aus einem Auto)*	er steigt aus	er stieg aus	er ist ausgestiegen
einsteigen *(in einen Zug)*	er steigt ein	er stieg ein	er ist eingestiegen
sterben *(an einer Krankheit)*	er stirbt	er starb	er ist gestorben
stoßen *(jemanden)*	er stößt	er stieß	er hat gestoßen

Infinitiv	3. Person Singular Präsens	3. Person Singular Präteritum	3. Person Singular Perfekt
streiten *(sich mit dem Chef)*	er streitet sich	er stritt sich	er hat sich gestritten
tragen *(moderne Kleidung)* *(die Lieferzeit)* betragen übertragen *(etwas live im Fernsehen)*	er trägt sie beträgt er überträgt	er trug sie betrug er übertrug	er hat getragen sie hat betragen er hat übertragen
treffen *(sich mit Freunden)*	er trifft	er traf	er hat getroffen
treiben *(Sport)*	er treibt	er trieb	er hat getrieben
treten *(vor die Presse)*	er tritt	er trat	er ist getreten
trinken *(eine Tasse Kaffee)*	er trinkt	er trank	er hat getrunken
tun *(nichts)*	er tut	er tat	er hat getan
vergessen *(einen Termin/jemanden)*	er vergisst	er vergaß	er hat vergessen
verlieren *(den Autoschlüssel)*	er verliert	er verlor	er hat verloren
verzeihen *(jemandem einen Fehler)*	er verzeiht	er verzieh	er hat verziehen
(das Baum) wachsen	er wächst	er wuchs	er ist gewachsen
waschen *(sich, die Sachen)*	er wäscht	er wusch	er hat gewaschen
weisen *(jemandem den Weg)* beweisen *(eine Theorie)*	er weist er beweist	er wies er bewies	er hat gewiesen er hat bewiesen
werben *(für ein Produkt)* bewerben *(sich um ein Stipendium)*	er wirbt er bewirbt sich	er warb er bewarb sich	er hat geworben er hat sich beworben
wissen	er weiß	er wusste	er hat gewusst
ziehen *(an einem Strick)* anziehen *(sich)* umziehen *(sich)* umziehen *(in eine andere Stadt)*	er zieht er zieht sich an er zieht sich um er zieht um	er zog er zog sich an er zog sich um er zog um	er hat gezogen er hat sich angezogen er hat sich umgezogen er ist umgezogen

9.3 Übersicht: Verben mit direktem Kasus

Einige Verben mit dem Akkusativ

Infinitiv	Ergänzung	Beispielsatz
abholen	AKK, *von* + DAT (oft)	Peter holt die Gäste vom Bahnhof ab.
absagen	AKK (oft)	Ich muss den Termin leider absagen.
anrufen	AKK	Ich rufe dich morgen an.
beantworten	AKK	Frau Müller beantwortet die E-Mail sofort.
bearbeiten	AKK	Ich kann das Dokument nicht bearbeiten.
bedienen	AKK	Nur Spezialisten können die Maschine bedienen.
beeinflussen	AKK	Wir können die Entwicklung beeinflussen.
bekämpfen	AKK	Mittags bekämpfen wir unsere eigene Müdigkeit.
benutzen	AKK	Bitte benutzen Sie nur die Toiletten in der ersten Etage.
bestehen	AKK	Hast du die Prüfung bestanden?
besuchen	AKK	Paul besucht seine Freunde in Paris.
bezahlen	AKK	Wir bezahlen die Rechnung in zwei Wochen.
brauchen	AKK	Ich brauche kein Auto.
empfangen	AKK	Der Direktor empfängt heute Gäste.
entwickeln	AKK	Unsere Fachleute haben ein neues Programm entwickelt.
erhalten	AKK	Wir haben die Ware noch nicht erhalten.
erwarten	AKK	Wir erwarten die Lieferung morgen.
essen	AKK	Susanne isst gerne Fisch.
finden	AKK	Wie findest du meine neue Wohnung?
genießen	AKK	Genießen Sie Ihr Wochenende!
gründen	AKK	Wir gründen eine Firma.
haben	AKK	Otto hat einen neuen Laptop.
hinterlassen	AKK, *für* + AKK (oft)	Kann ich eine Nachricht für Frau Müller hinterlassen?
hören	AKK	Hörst du die Vögel?
kennen	AKK	Kennst du den neuen Direktor schon?
kennenlernen	AKK	Wann haben Sie den berühmten Maler kennengelernt?
kopieren	AKK	Frau Müller hat die Dokumente kopiert.
lesen	AKK	Martina liest einen Krimi.
lieben	AKK	Mäuse lieben Süßspeisen.
lösen	AKK	Ich kann das Problem nicht lösen.
möchte(n)	AKK	Möchten Sie ein Glas Wasser?
mögen	AKK	Ich mag den neuen Kollegen nicht.
planen	AKK	Wir planen ein neues Projekt.
präsentieren	AKK	Joachim präsentiert heute die Arbeitsergebnisse.
respektieren	AKK	Wir müssen unseren Biorhythmus respektieren.
riechen	AKK	Riechst du das Meer?
sehen	AKK	Siehst du das blaue Auto dort?
speichern	AKK	Hast du die Dokumente gespeichert?
stehlen	AKK	Die Einbrecher haben ein Bild von Picasso gestohlen.
stören	AKK	Du darfst den Chef jetzt nicht stören.
suchen	AKK	Ich suche meine Uhr.

Infinitiv	Ergänzung	Beispielsatz
trinken	AKK	Ich trinke einen Kaffee mit Milch.
unterstützen	AKK	Graf Schattenbach hat Mozart finanziell unterstützt.
verarbeiten	AKK	Die Maschine verarbeitet die Daten.
vereinbaren	AKK	Der Chef vereinbart einen neuen Termin.
vergessen	AKK	Hast du den Termin vergessen?
vorbereiten	AKK	Herr Klein bereitet eine Präsentation vor.
würzen	AKK, *mit* + DAT (oft)	Der Koch würzt das Essen mit Chili.

Einige Verben mit dem Dativ

Infinitiv	Ergänzung	Beispielsatz
antworten	DAT	Wann hast du ihm geantwortet?
danken	DAT, *für* + AKK (oft)	Ich danke dir für das Geschenk.
folgen	DAT	Die Polizei folgte dem Dieb.
gefallen	DAT	Die Wohnung gefällt mir.
gehören	DAT	Die Sonnenbrille gehört mir.
glauben	DAT	Warum glaubst du mir nicht?
helfen	DAT, *bei* + DAT (oft)	Kannst du mir bei den Hausaufgaben helfen?
schmecken	DAT	Wie schmeckt dir das Essen?
widersprechen	DAT	Immer widersprichst du mir!
zuhören	DAT	Hörst du mir mal zu?

Einige Verben, die oft mit Akkusativ und Dativ stehen

Infinitiv	Ergänzung	Beispielsatz
bieten anbieten	DAT (oft), AKK DAT (oft), AKK	Wir bieten unseren Kunden vollen Komfort. Darf ich Ihnen noch einen Kaffee anbieten?
bringen mitbringen	DAT, AKK DAT, AKK	Bitte bringen Sie mir noch eine Tasse Tee. Bringst du mir ein Brötchen mit?
empfehlen	DAT, AKK	Wir empfehlen unseren Besuchern das Restaurant „Lecker".
erklären	DAT, AKK	Otto erklärt den Kollegen das neue Computerprogramm.
erzählen	DAT, AKK	Mein Opa erzählt mir manchmal Geschichten von früher.
geben zurückgeben	DAT, AKK DAT, AKK	Gibst du mir mal den Bleistift? Wann gibst du mir die CD zurück?
gewähren	DAT, AKK	Wir gewähren Ihnen einen Rabatt.
holen	DAT, AKK	Holst du mir noch ein Glas Wasser?
leihen	DAT, AKK	Ich leihe dir kein Geld mehr.
kaufen	DAT (oft), AKK	Hast du dir schon wieder neue Schuhe gekauft?
schenken	DAT, AKK, *zu* + DAT (oft)	Ich habe meiner Frau zum Geburtstag einen Fotoapparat geschenkt.
schicken	DAT, AKK	Wir schicken Ihnen das neue Handy mit der Post.
senden	DAT, AKK	Ich sende Ihnen heute die Preisliste.
versprechen	DAT, AKK	Er versprach ihr ewige Liebe.
waschen	DAT, AKK	Kannst du mir meine Hosen waschen?
wünschen	DAT, AKK, *zu* + DAT (oft)	Ich wünsche dir alles Gute zum Geburtstag.
zeigen	DAT, AKK	Können Sie mir die Rechnung zeigen?

9.4 Übersicht: Verben mit präpositionalem Kasus

Wichtige Verben mit präpositionalem Kasus in alphabetischer Reihenfolge

Infinitiv	Ergänzung		Beispielsatz
abhängen	*von*	+ DAT	Alles hängt vom Wetter ab.
achten	*auf*	+ AKK	Achten Sie besonders auf die Großschreibung.
anfangen	*mit*	+ DAT	Wann fangt ihr mit dem Projekt an?
arbeiten	*bei* *als* *an*	+ DAT + NOM + DAT	Frau Müller arbeitet bei Siemens als Sekretärin. Kerstin arbeitet an einem Gymnasium.
sich ärgern	*über*	+ AKK	Frau Müller ärgert sich über ihren Chef.
sich aufregen	*über*	+ AKK	Regst du dich schon wieder über die Benzinpreise auf?
ausgeben	*für*	+ AKK	Er gibt sehr viel Geld für Computerspiele aus.
beginnen	*mit*	+ DAT	Wann beginnt ihr mit der Arbeit?
sich bedanken	*bei* *für*	+ DAT + AKK	Martin bedankt sich bei seinem Chef. Der Projektleiter bedankt sich für die gute Zusammenarbeit.
berichten	*über*	+ AKK	Der Politiker berichtet über das Ergebnis der Verhandlungen.
sich beschäftigen	*mit*	+ DAT	Erwin beschäftigt sich gerade mit der Abrechnung.
sich beschweren	*bei* *über*	+ DAT + AKK	Der Gast beschwert sich bei dem Manager über das Hotelzimmer.
bestehen	*in* *aus* *(oft ohne Artikel)*	+ DAT + DAT	Das Problem besteht in der Zusammensetzung der Materialien. Der Film besteht nur aus Actionszenen.
sich bewerben	*um*	+ AKK	Robert bewirbt sich um ein Stipendium.
bitten	*um*	+ AKK	Ich bitte dich um einen kleinen Gefallen.
danken	*für*	+ AKK	Ich danke dir für die Blumen.
denken	*an*	+ AKK	Frau Müller denkt auch nachts an ihre Arbeit.
diskutieren	*mit* *über*	+ DAT + AKK	Der Direktor diskutiert mit den Mitarbeitern über die Arbeitszeiten.
sich entscheiden	*für*	+ AKK	Wir entscheiden uns für die kleine Wohnung.
sich entschuldigen	*bei* *für*	+ DAT + AKK	Ich möchte mich bei dir für den Fehler entschuldigen.
sich erinnern	*an*	+ AKK	Erinnern Sie sich an Ihre Schulzeit?
sich erkundigen	*bei* *nach*	+ DAT + DAT	Erkundigen Sie sich bitte bei der Lufthansa nach günstigen Flugverbindungen.
fragen	*nach*	+ DAT	Frag doch den Mann dort nach dem Weg!
sich freuen	*über* *auf*	+ AKK + AKK	Ich freue mich über die Blumen und auf das Wochenende.
gehören	*zu*	+ DAT	Kaffee kochen gehört nicht zu meinen Aufgaben.
es geht	*um*	+ AKK	Es geht um das neue Projekt.
gelten	*als*	+ NOM	Er gilt als Experte.
gratulieren	*zu*	+ DAT	Ich gratuliere dir zum Geburtstag.
es handelt sich	*um*	+ AKK	Es handelt sich um unser neues Produkt.

Infinitiv	Ergänzung		Beispielsatz
sich interessieren	*für*	+ AKK	Interessiert du dich für Computerspiele?
lachen	*über*	+ AKK	Über diesen alten Witz lacht niemand mehr.
nachdenken	*über*	+ AKK	Über diesen Vorschlag muss ich erst mal nachdenken.
reagieren	*auf*	+ AKK	Mäuse reagieren auf den Geruch von Käse.
reden	*über*	+ AKK	Er redet gern über moderne Kunst.
riechen	*nach*	+ DAT	Es riecht nach Essen.
sprechen	*mit* *über*	+ DAT + AKK	Ich spreche morgen mit meinem Arzt. Die Kinder sprechen über ihre Probleme.
stammen	*aus*	+ DAT	Das älteste Buch stammt aus China.
sich streiten	*mit*	+ DAT	Otto streitet sich oft mit seinem Nachbarn.
teilnehmen	*an*	+ DAT	Wer nimmt an der Besprechung teil?
telefonieren	*mit*	+ DAT	Ich telefoniere gerade mit meiner Mutter.
träumen	*von*	+ DAT	Paul träumt von schönen Frauen.
sich unterhalten	*mit* *über*	+ DAT + AKK	Ich unterhalte mich mit Christine über die Arbeit.
verfügen	*über*	+ AKK	Das Hotel verfügt über einen Swimmingpool.
verbinden	*mit*	+ DAT	Verbinden Sie mich bitte mit der Marketingabteilung.
sich verlieben	*in*	+ AKK	Marie hat sich in ihren Friseur verliebt.
sich vorbereiten	*auf*	+ AKK	Der Schwimmer bereitet sich auf den Wettkampf gut vor.
warten	*auf*	+ AKK	Ich warte am Ausgang auf euch.

9.5 Übersicht: Thematische Zuordnung der Übungen

1 Angaben zur Person (Vorstellung, Personenbeschreibung)

Seite 63 (Übung 2) • 75 (2) • 111 (1) • 111 (2) • 119 (3) • 131 (3) • 145 (3) • 155 (4) • 155 (5) • 167 (1) • 167 (2) • 172 (16) • 172 (18) • 173 (19)

2 Wohnen (Wohnort, Wohnungseinrichtung, Arbeit im Haushalt)

Seite 32 (Übung 1) • 68 (1) • 68 (3) • 71 (5) • 122 (2) • 134 (3) • 146 (5) • 152 (2) • 172 (17)

3 Tagesablauf, Alltagstätigkeiten

Seite 22 (Übung 2) • 30 (4) • 46 (1) • 95 (3) • 95 (4) • 169 (8)

4 Freizeit (Hobby und Kultur)

Seite 11 (Übung 2) • 12 (4) • 12 (5) • 15 (3) • 52 (2) • 81 (12) • 88 (6) • 141 (2) • 151 (1) • 155 (3) • 156 (7)

5 Reisen und Verkehr (Hotelreservierung, Verkehrsdurchsagen, Berichte aus dem Urlaub)

Seite 17 (Übung 3) • 20 (4) • 27 (3) • 27 (4) • 50 (4) • 64 (5) • 76 (7) • 88 (5) • 90 (3) • 104 (2) • 109 (7) • 116 (5) • 123 (5) • 129 (1) • 135 (5) • 138 (2) • 145 (4) • 160 (3) • 163 (2) • 168 (4) • 173 (20)

6 Zwischenmenschliche Beziehungen (Freundschaft und Familie)

Seite 30 (Übung 2) • 42 (6) • 103 (1) • 127 (8) • 160 (4) • 161 (5)

7 Schule und Studium, Sprachen lernen

Seite 93 (Übung 4) • 103 (3) • 131 (5) • 139 (5) • 152 (4) • 156 (6) • 167 (3) • 173 (23)

8 Geschäfte und Restaurants (Kleidung kaufen, einkaufen, Essen bestellen)

Seite 75 (Übung 3) • 107 (3) • 108 (4) • 156 (8) • 166 (4) • 170 (11)

9 Dienstleistungen (Geschäftsbriefe, Terminvereinbarung)

Seite 23 (Übung 4) • 52 (1) • 53 (3) • 88 (5) • 109 (9) • 142 (3) • 175 (29)

10 Alltag im Büro (Arbeitstätigkeiten, Aufgabenverteilung, Smalltalk)

Seite 13 (Übung 7) • 17 (2) • 30 (3) • 33 (3) • 44 (1) • 50 (3) • 57 (1) • 57 (2) • 64 (4) • 76 (6) • 93 (2) • 109 (8) • 123 (4) • 131 (4) • 134 (2) • 139 (4) • 158 (1) • 160 (2) • 163 (1) • 168 (6) • 174 (26) • 174 (28)

11 Deutschsprachige Länder, bekannte Deutsche, Schweizer und Österreicher (landeskundliche Informationen)

Seite 40 (Übung 2) • 113 (8) • 113 (9) • 115 (3) • 126 (7) • 145 (4) • 147 (2) • 164 (4)

12 Wissenschaft, Computer und Technologie

Seite 23 (Übung 3) • 41 (4) • 44 (2) • 57 (4) • 73 (9) • 146 (1) • 158 (2) • 158 (3)

13 Kurze Texte zu verschiedenen Themen

Seite 42 (Übung 5) • 58 (6) • 81 (10) • 84 (4) • 85 (5) • 111 (4) • 112 (5) • 128 (10)

9.6 Index

Grammatik

A Grammatik

Anne Buscha
Szilvia Szita

Übungsgrammatik Deutsch als Fremdsprache

Lösungsheft

Sprachniveau A1 • A2

Präsens: Verben ohne Vokalwechsel

S. 11 Ü 1 ■ **1.** studiert **2.** Bezahlst **3.** Lernen **4.** Macht **5.** bleiben **6.** Trinkst **7.** steht **8.** lebt

S. 11 Ü 2 ■ **2.** fotografiert Blumen **3.** sucht im Internet nach Informationen **4.** spielen Fußball **5.** trinken Bier **6.** machen eine Wanderung **7.** hört Musik **8.** lernt Deutsch

S. 11 Ü 3 ■ **1.** gehst, geht **2.** macht, Machst, Machen **3.** reserviert, reserviere, reservieren **4.** kommt, komme, kommt **5.** bestelle, bestellen, bestellen **6.** Schreibst, schreibt, Schreibt

S. 12 Ü 4 ■ **1.** gehe gern ins Konzert **2.** Du surfst gern im Internet, schreibst gern Computerprogramme und spielst gern am Computer. **3.** Vera lernt gern Sprachen, besucht gern Sprachkurse und kauft gern CDs. **4.** Wir fotografieren gern, gehen gern ins Museum und besichtigen gern Ausstellungen. **5.** Ihr kauft gern Kochbücher, kocht gern, organisiert gern eine Party. **6.** Sie wandern gern, schwimmen gern und spielen gern Tennis.

S. 12 Ü 5 ■ **1.** bleibe **2.** gehst **3.** kocht **4.** besuchen **5.** hört **6.** schreiben

S. 13 Ü 6 ■ **1.** heiße **2.** studiert, studiert **3.** Tanzt, tanze **4.** wohnt, wohnen **5.** Spielen, spielt **6.** Reist, reisen **7.** Sammeln, sammle **8.** Singst, singen **9.** Arbeitest, arbeitet **10.** Redest, rede

S. 13 Ü 7 ■ **1.** arbeitet **2.** redet/telefoniert **3.** bucht **4.** schreibe **5.** bezahlt/schreibt **6.** begrüßt **7.** telefoniert/redet **8.** repariert **9.** speichere/schreibe **10.** löst

Präsens: Verben mit Vokalwechsel

S. 14 Ü 1 ■ **nehmen:** er nimmt, ich nehme, ihr nehmt; **fahren:** ich fahre, wir fahren, Gudrun fährt; **laufen:** ihr lauft, der Film läuft, die Kinder laufen; **geben:** du gibst, Manfred gibt, wir geben; **sprechen:** ich spreche; der Lehrer spricht, ihr sprecht; **lesen:** er liest, ich lese, Sie lesen; **essen:** ich esse, du isst, wir essen; **schlafen:** das Kind schläft, die Gäste schlafen, du schläfst; **tragen:** er trägt, ihr tragt, wir tragen; **sehen:** ich sehe, du siehst, die Besucher sehen

S. 15 Ü 2 ■ **1.** Sie fliegt nach Rom. **2.** Sie fährt zum Bahnhof. **3.** Sie hört Musik. **4.** Sie tanzt. **5.** Sie liest Fachbücher. **6.** Sie duscht. **7.** Sie kocht das Abendessen. **8.** Sie isst ihr Lieblingsgericht. **9.** Sie sieht ein Fußballspiel. **10.** Sie arbeitet. **11.** Sie wäscht ihre Sachen.

S. 15 Ü 3 ■ **1.** liest **2.** schläft **3.** vergisst **4.** trägt **5.** spricht **6.** fährt **7.** isst **8.** sieht **9.** weiß **10.** läuft

S. 15 Ü 4 ■ **1.** schweigt – spricht **2.** schreibt – liest **3.** hört – sieht **4.** geht – fährt **5.** kocht – isst **6.** trinkt – nimmt **7.** wäscht – schläft

S. 15 Ü 5 ■ **1.** Isst du **2.** Kaufst du **3.** Fährst du **4.** Nimmst du **5.** Gehst du **6.** Läufst du **7.** Weißt du

1.1.2 Präsens: *haben, sein* und *werden*

S. 17 Ü 1 ■ **1.** bin **2.** seid, sind **3.** Hast, habe **4.** bist, Wirst, bin, habe **5.** ist, ist, wird **6.** ist, Hast, habe **7.** ist, wird **8.** hast, habe, werde

S. 17 Ü 2 ■ Das ist Frau Müller. Sie arbeitet als Sekretärin bei einer großen Firma. Ihre Arbeit beginnt um 9.00 Uhr. Sie fährt morgens mit der Straßenbahn zur Arbeit. Der Tagesablauf von Frau Müller ist immer gleich: Zuerst begrüßt sie ihre Kollegen, dann liest sie viele E-Mails und kocht Kaffee. Um 10.00 Uhr haben alle Mitarbeiter eine kurze Besprechung. Von 12.30 bis 13.00 Uhr hat Frau Müller Mittagspause. Oft geht sie in der Pause in ein kleines Restaurant. Nachmittags beantwortet sie die elektronische Post, schreibt Rechnungen und vereinbart Termine für ihren Chef. Um 17.30 Uhr hat sie Feierabend.

S. 17 Ü 3 ■ Wir wohnen in einem schönen Hotel direkt am Augustusplatz in der 8. Etage und wir haben einen schönen Ausblick über die Stadt. Unser Zimmer hat einen großen Fernseher und eine Sitzecke. Es ist sehr gemütlich. Ich bin von der langen Reise ein bisschen müde. Maximilian auch, er liegt im Bett und schläft. Morgen haben wir ein volles Ausflugsprogramm. Zuerst besichtigen wir das Völkerschlachtdenkmal, danach gehen wir ins Museum für moderne Kunst. Dort hängen viele Bilder aus dem 20. Jahrhundert. Abends gibt der Thomanerchor in der Thomaskirche ein Konzert. Wir hören Musik von Johann Sebastian Bach. Du weißt doch: Ich liebe die Musik von Bach.

Präsens: Modalverben

S. 19 Ü 1 ■ **1.** kann, können **2.** muss, müsst, muss **3.** sollt, soll, sollen **4.** darfst, darf, dürfen **5.** will, will, wollen **6.** möchten, möchte, möchte **7.** magst, mag, mag

S. 19 Ü 2 ■ **1.** Darf **2.** wollen **3.** Magst **4.** müssen **5.** Möchten **6.** Kannst **7.** kann **8.** Soll **9.** Möchtest **10.** will **11.** kann

S. 20 Ü 3 ■ **1.** Rainer muss das Protokoll schreiben. **2.** Der Chef mag keine langen Besprechungen. **3.** Du sollst für den Chef einen Flug buchen. **4.** Wir müssen die Rechnung noch bezahlen. **5.** Der neue Kollege will eine Dienstreise machen. **6.** Martina darf heute zu Hause arbeiten. **7.** Ich kann den Drucker nicht reparieren.

S. 20 Ü 4 ■ **1.** möchte **2.** wollen/möchten **3.** soll **4.** Möchten **5.** können **6.** Darf **7.** dürfen **8.** Muss/Soll/Darf **9.** dürfen **10.** können **11.** mag **12.** mögen **13.** kann **14.** kann **15.** Kann **16.** muss **17.** können **18.** wollen **19.** Können

Präsens: Verben mit Präfix

S. 22 Ü 1 ■ **trennbar:** ich sehe fern, ich rufe an, ich stehe auf, ich sehe zu, ich steige aus, ich arbeite weiter, ich stelle vor, ich leihe aus
nicht trennbar: ich bestelle, ich verliere, ich empfange, ich erfinde, ich zerstöre

S. 22 Ü 2 ■ **1.** Um 8.30 Uhr frühstückt er. **2.** Um 9.00 Uhr geht er zur Arbeit. **3.** Um 9.30 Uhr beginnt er mit der Arbeit. **4.** Zuerst liest und beantwortet er seine E-Mails. **5.** Danach hat er eine Besprechung mit seinen Kollegen. **6.** Um 12.00 Uhr holt er die Gäste vom Flughafen ab. **7.** Dann erklärt er den Gästen das Programm. **8.** Um 14.00 Uhr spricht er mit den Gästen über neue Projekte. **9.** Nachmittags schreibt er ein paar E-Mails und vereinbart Termine mit Kunden. **10.** Um 16.00 ruft er Frau Schröder an und diskutiert über ein Problem. **11.** Um 17.30 Uhr hat er Feierabend. **12.** Danach kauft er im Supermarkt etwas zum Abendessen ein. **13.** Zu Hause bereitet er das Abendessen vor. **14.** Um 19.00 Uhr isst er ganz alleine und trinkt ein Glas Wein. **15.** Ab 20.00 Uhr sieht er fern. **16.** Um 23.00 Uhr schläft er ein und träumt etwas Schönes.

S. 23 Ü 3 ■ **1.** Sie gibt ein Passwort ein. **2.** Sie ruft ihre E-Mails ab. **3.** Sie löscht unwichtige E-Mails. **4.** Sie druckt wichtige E-Mails aus. **5.** Sie leitet Dokumente weiter. **6.** Sie bearbeitet Texte. **7.** Sie schneidet Sätze aus und fügt sie ein. **8.** Sie surft im Internet. **9.** Sie bezahlt Rechnungen. **10.** Sie lädt Videoclips herunter.

S. 23 Ü 4 ■ **1.** habe **2.** ist **3.** verbinde **4.** funktioniert **5.** Können **6.** brauche **7.** verstehe **8.** wollen **9.** habe **10.** komme vorbei **11.** sehe an **12.** verspreche **13.** erwarte **14.** wohnen

Perfekt: Perfekt mit *haben*

S. 26 Ü 1 ■ **1.** sehen **2.** nehmen **3.** wohnen **4.** arbeiten **5.** helfen **6.** schneiden **7.** finden **8.** trinken **9.** essen **10.** schlafen **11.** lösen **12.** kaufen **13.** schreiben **14.** singen

S. 26 Ü 2 (Beispielsätze) ■ **1.** Habt ihr schon einmal Musik von Wolfgang Amadeus Mozart gehört? Ja, wir haben schon einmal Musik von Wolfgang Amadeus Mozart gehört. **2.** Haben Sie schon einmal Schokolade aus der Schweiz gegessen? Ja, ich habe schon einmal Schokolade aus der Schweiz gegessen. **3.** Habt ihr schon einmal warmes Bier getrunken? Nein, wir haben noch nie warmes Bier getrunken. **4.** Haben Sie schon einmal im Urlaub gearbeitet? Ja, ich habe schon oft im Urlaub gearbeitet. **5.** Hast du die Mona Lisa schon einmal im Original gesehen? Nein, ich habe die Mona Lisa noch nie im Original gesehen. **6.** Habt ihr schon einmal in New York gewohnt? Nein, wir haben noch nie in New York gewohnt. **7.** Hast du schon einmal ein Liebesgedicht geschrieben? Nein, ich habe noch nie ein Liebesgedicht geschrieben. **8.** Hast du schon einmal über dich selbst gelacht? Ja, ich habe schon oft über mich selbst gelacht. **9.** Haben Sie schon einmal einen Science-Fiction-Roman gelesen? Nein, ich habe noch nie einen Science-Fiction-Roman gelesen. **10.** Haben Sie schon einmal einen Fehler gemacht? Ja, ich habe schon oft einen Fehler gemacht. **11.** Hast du schon einmal einem Mitschüler geholfen? Ja, ich habe schon einmal einem Mitschüler geholfen. **12.** Hast du schon einmal eine fremde Sprache gelernt? Ja, ich habe schon eine/viele fremde Sprachen gelernt. **13.** Haben Sie schon einmal ein Portemonnaie auf der Straße gefunden? Nein, ich habe noch nie ein Portemonnaie auf der Straße gefunden. **14.** Hast du schon einmal ein Fünf-Gänge-Menü gekocht? Nein, ich habe noch nie ein Fünf-Gänge-Menü gekocht. **15.** Habt ihr schon einmal ein Computerproblem gelöst? Ja, wir haben schon einmal ein Computerproblem/schon viele Computerprobleme gelöst. **16.** Hast du schon einmal ein wichtiges Dokument gelöscht? Ja, ich habe schon einmal ein wichtiges Dokument gelöscht. **17.** Habt ihr schon einmal in einem Chor gesungen? Nein, wir haben noch nie in einem Chor gesungen. **18.** Haben Sie schon einmal Schach gespielt? Ja, ich habe schon oft Schach gespielt.

S. 27 Ü 3 ■ **1.** im Hotel Albertin geschlafen und das Neue Museum besucht. **2.** Er hat den Kölner Dom besichtigt, ein Kölsch getrunken und im Rhein-Energie-Stadion ein Fußballspiel gesehen. **3.** Wir haben Freunde getroffen, im Englischen Garten gesessen und technische Erfindungen im Deutschen Museum bewundert. **4.** Sie haben im Meer gebadet, eine Hafenrundfahrt gemacht und Seemannslieder gesungen. **5.** Ihr habt Tiere im Zoo fotografiert, in der Thomaskirche ein Konzert gehört und auf dem Marktplatz alte Gläser gekauft.

S. 27 Ü 4 ■ Die Tickets habe ich im Internet gebucht. Die Reise hat fünf Stunden gedauert. In Paris haben wir bei einer deutschen Freundin gewohnt. Am ersten Tag hat es geregnet, da haben wir Geschenke gekauft. Am Abend haben wir unsere französischen Freunde getroffen. Wir haben sie seit fünf Jahren nicht gesehen. Wir haben zusammen gegessen, lange diskutiert und ziemlich viel Rotwein getrunken. Am nächsten Tag haben wir bis 12.00 Uhr geschlafen.

Perfekt: Perfekt mit *sein*

S. 29 Ü 1 ■ **1.** Was ist passiert? **2.** Wohin ist er gelaufen? **3.** Warum bist du so schnell geschwommen? **4.** Wo sind die Akten gewesen? **5.** Wann ist er krank geworden? **6.** Wohin ist er gefahren? **7.** Wie lange bist du in London geblieben? **8.** Wann seid ihr das letzte Mal ins Kino gegangen? **9.** Wohin ist der Chef gereist? **10.** Woher ist der Zug gekommen? **11.** Wie oft bist du schon geflogen? **12.** Wann bist du das letzte Mal beim Zahnarzt gewesen? **13.** Wann ist Frau Müller nach Hause gegangen?

S. 30 Ü 2 ■ Ich bin drei Tage bei Tante Emma und Onkel Klaus in Ottobrunn gewesen und habe interessante Neuigkeiten gehört: Mein Cousin Alex hat 50 000 Euro im Lotto gewonnen! Er hat sich von dem Geld ein neues Auto gekauft und ist damit sofort nach Italien gefahren. In Italien hat er dann seine Traumfrau getroffen. Sie heißt Nora und ist vorgestern mit Alex nach Ottobrunn gekommen. Gestern haben wir alle zusammen in einem tollen Restaurant gegessen und Otto hat uns gesagt, dass er heiraten will.

S. 30 Ü 3 ■ **1.** Er ist zu spät zur Arbeit gekommen. **2.** Alle haben auf Frank gewartet. **3.** Beate hat keinen Parkplatz gefunden. **4.** Peter ist mit dem Fahrrad gefahren. **5.** Die Besprechung hat nicht pünktlich begonnen. **6.** Martha hat alle E-Mails gelöscht. **7.** Martin hat das Computerproblem nicht gelöst. **8.** Herr Müller ist nach Madrid geflogen. **9.** Das Flugzeug ist in Madrid mit Verspätung gelandet. **10.** Michael hat neue Produkte für einen Katalog fotografiert. **11.** Ich habe den ganzen Tag hart gearbeitet. **12.** Margit hat Dokumente kopiert. **13.** Joachim und Manfred haben über einen Auftrag diskutiert. **14.** Steffi hat mal wieder im Internet gesurft. **15.** Der Chef hat einen wichtigen Termin vergessen.

S. 30 Ü 4 ■ **1.** Um 9.30 Uhr hat Gabi Kaffee getrunken. **2.** Von 10.00 bis 10.30 Uhr hat sie Gymnastik gemacht. **3.** Von 11.00 bis 12.30 Uhr ist sie beim Friseur gewesen. **4.** Um 13.00 Uhr hat sie im Restaurant einen Salat gegessen. **5.** Von 14.00 bis 16.30 Uhr hat sie Golf gespielt. **6.** Um 17.00 Uhr hat sie neue Schuhe gekauft. **7.** Um 18.00 Uhr hat sie mit einer Freundin telefoniert. **8.** Ab 20.00 Uhr hat sie auf einer Party mit Herrn Wichtig getanzt. **9.** Um 23.30 Uhr ist sie ins Bett gegangen. **10.** Danach hat sie im Bett einen Krimi gelesen.

Perfekt: Verben mit Präfix

S. 32 Ü 1 ■ **1.** Räumst du das Zimmer bald auf? Ich habe das Zimmer schon aufgeräumt. **2.** Räumst du bald die Teller in den Küchenschrank ein? Ich habe die Teller schon in den Küchenschrank eingeräumt. **3.** Holst du bald das Paket von der Post ab? Ich habe das Paket schon von der Post abgeholt. **4.** Bezahlst du bald die Stromrechnung? Ich habe die Stromrechnung schon bezahlt. **5.** Baust du das Waschbecken bald an? Ich habe das Waschbecken schon angebaut. **6.** Verkaufst du bald den alten Kühlschrank? Ich habe den alten Kühlschrank schon verkauft. **7.** Bestellst du bald einen neuen

Kühlschrank? Ich habe schon einen neuen Kühlschrank bestellt. **8.** Hängst du das Bild bald auf? Ich habe das Bild schon aufgehängt. **9.** Trocknest du die Gläser bald ab? Ich habe die Gläser schon abgetrocknet. **10.** Kaufst du bald frisches Obst ein? Ich habe schon frisches Obst eingekauft. **11.** Machst du die Musik im Wohnzimmer bald aus? Ich habe die Musik im Wohnzimmer schon ausgemacht. **12.** Schaltest du den Fernseher im Schlafzimmer bald ein? Ich habe den Fernseher im Schlafzimmer schon eingeschaltet. **13.** Schaltest du das Licht im Arbeitszimmer bald aus? Ich habe das Licht im Arbeitszimmer schon ausgeschaltet.

S. 33 Ü 2 ■ **1.** Wann bist du heute aufgestanden? Ich bin um 9.00 Uhr aufgestanden. **2.** Wann hat der Sprachkurs angefangen? Der Sprachkurs hat am Montag angefangen. **3.** Wann hast du Tante Annelies angerufen? Ich habe Tante Annelies gestern angerufen. **4.** Wann ist der Zug angekommen? Der Zug ist um 17.00 Uhr angekommen.

S. 33 Ü 3 ■ **1.** Otto hat verschiedene Passwörter eingegeben. **2.** Er hat alle Computerfunktionen kontrolliert. **3.** Er hat einige Probleme gelöst. **4.** Er hat viele Dokumente ausgedruckt. **5.** Er hat die Kollegen über Veränderungen informiert. **6.** Er hat neue Mitarbeiter vorgestellt. **7.** Er hat über schwierige Probleme diskutiert. **8.** Er hat zwei Softwarefirmen angerufen. **9.** Er hat viele Termine vereinbart. **10.** Er hat eine Präsentation vorbereitet. **11.** Er hat einen Vertreter vom Bahnhof abgeholt. **12.** Er hat an einer Besprechung teilgenommen. **13.** Er hat Gespräche mit Mitarbeitern geführt. **14.** Er hat einen Vertrag unterschrieben.

Präteritum: *haben, sein* und *werden*

S. 35 Ü 1 ■ **1.** Ihr wart, Christine war **2.** Ich wurde, Franz wurde, Meine Eltern wurden **3.** Meine Oma hatte, Wir hatten, Ihr hattet **4.** Das Hotel war, Die Landschaft war, Die Bademöglichkeiten waren **5.** Meine Tante hatte, Ich hatte, Klaus und Karin hatten

S. 35 Ü 2 ■ **1.** Wir waren auf einer Party. **2.** War Kerstin auch da? **3.** Kerstin und Sabine waren krank. **4.** War es schön auf der Party?/War es auf der Party schön? **5.** Nein, es war schrecklich. **6.** Otto war wieder mal betrunken. **7.** Marie hatte Kopfschmerzen. **8.** Die Musik war viel zu laut. **9.** Karl hatte Ärger mit Susanne. **10.** Um 22.00 Uhr hatte ich keine Lust mehr.

Präteritum: Modalverben

S. 36 Ü 1 ■ **1.** konnte, konnten **2.** musste, mussten, musste **3.** sollte, sollte, sollten **4.** durftest, durfte, durfte/durften **5.** wollte, wollte, wollten **6.** mochtest, mochte, mochten

S. 37 Ü 2 ■ **1.** mochte **2.** will, wollte **3.** kann, konnte **4.** darf, durfte **5.** muss, musste **6.** sollte, soll

S. 37 Ü 3 ■ **1.** musstest **2.** Solltet **3.** Durftet **4.** Konnten **5.** Wolltest **6.** Mochtest

S. 37 Ü 4 ■ **1.** wurde, wollte **2.** Wart, Musstet **3.** war, hatte, war, konnte **4.** warst, war, hatte, musste **5.** war, waren, hatte, konnte, musste **6.** wurde, hatte, konnten, mussten

Präteritum: Regelmäßige und unregelmäßige Verben

S. 39 Ü 1 ■ **a) 1.** er arbeitet, arbeitete **2.** wir begrüßen, begrüßten **3.** sie telefoniert, telefonierte **4.** du bezahlst, bezahltest **5.** er löst, löste **6.** ich sammle, sammelte **7.** sie öffnen, öffneten **8.** ihr tanzt, tanztet **9.** du präsentierst, präsentiertest
b) 1. beginnen, es beginnt, es begann **2.** gehen, er geht, er ging **3.** gewinnen, wir gewinnen, wir gewannen **4.** fahren, du fährst, du fuhrst **5.** verlassen, er verlässt, er verließ **6.** schießen, sie schießt, sie schoss **7.** kommen, wir kommen, wir kamen **8.** geben, sie geben, sie gaben **9.** finden, wir finden, wir fanden **10.** sprechen, sie spricht, sie sprach **11.** lesen, du liest, du last **12.** fliegen, wir fliegen, wir flogen

S. 40 Ü 2 ■ interessieren, spielen, planen, bekommen, ändern, wechseln, machen, schießen, gewinnen, sein, holen, feiern, beenden, absolvieren, arbeiten, führen

S. 40 Ü 3 ■ **1.** Er machte mit 20 Jahren sein erstes Länderspiel. **2.** Er holte mit seinem Hamburger Klub viele Pokale und Meistertitel. **3.** Vor vier Jahren beendete er seine sportliche Karriere. **4.** Martine absolvierte ein Praktikum in Hamburg. **5.** Dort lernte sie Deutsch. **6.** Sie arbeitete danach drei Jahre bei einer Bank. **7.** Sie leitete eine kleine Abteilung. **8.** Im letzten Jahr heirateten Martin und Martine.

S. 41 Ü 4 ■ **Regelmäßige Verben:** Nicolas Joseph Cugnot baute – bauen, er transportierte – transportieren, das Fahrzeug/ein Renn-Elektromobil erreichte – erreichen, es brauchte – brauchen, man nutzte – nutzen, die Traktoren funktionierten nicht – funktionieren, Samuel Brown entwickelte – entwickeln, die Konstrukteure experimentierten – experimentieren
Unregelmäßige Verben: das Auto fuhr – fahren, sie waren – sein, er bekam – bekommen, der Erfolg kam/das Elektromobil kam – kommen

S. 42 Ü 5 ■ **1.** hatte, verließen, waren **2.** entdeckten, fanden, lebten **3.** war, gab, erhielt, kam, bewunderten **4.** war, beantworteten, war, wurden, konnte **5.** geriet, sprach, trat, gab **6.** spielte, gewannen, feierten **7.** wollten, überprüften, mussten, brauchten, standen **8.** fiel, kam, standen, gab, mussten

S. 42 Ü 6 ■ **1.** Fritz stand im Stau. **2.** Erikas Motorrad fuhr nicht. **3.** Klaus hatte Bauchschmerzen. **4.** Tante Frieda war im Krankenhaus. **5.** Gregor und Karl spielten noch Golf. **6.** Franzi musste noch arbeiten. **7.** Gustav feierte auf einer anderen Party. **8.** Frau Krüger bekam keine Einladung. **9.** Die Nachbarin wollte nicht kommen. **10.** Karin ging ins Kino. **11.** Der Chef flog nach Rom. **12.** Oskar konnte nicht laufen. **13.** Petra wurde plötzlich krank. **14.** Nina besuchte ihren Freund. **15.** Oskar lernte für eine Prüfung.

Präteritum: Verben mit Präfix

S. 44 Ü 1 ■ **1.** Petra schloss ihr Büro nicht ab. **2.** Kerstin holte die Gäste nicht vom Flughafen ab. **3.** Matthias rief die Kunden nicht an. **4.** Wolfgang druckte die Zugfahrkarte nicht aus. **5.** Michaela gab die Dokumente nicht ab. **6.** Klaus füllte die Formulare nicht aus. **7.** Christine rechnete die Reisekosten nicht ab. **8.** Joachim leitete die E-Mail nicht weiter. **9.** Rainer schaltete die Alarmanlage nicht ein.

S. 44 Ü 2 ■ **1.** verbanden **2.** transportierte, waren, kam **3.** mussten, fanden **4.** kauften, liefen, entschieden **5.** war **6.** galt, war, wollte, mussten, durfte, überlebten, starb **7.** entwickelte, waren, hatten, testete, trug **8.** stammte, brachte mit, galt, kamen, aßen

Reflexive Verben

S. 46 Ü 1 ■ **1.** sich **2.** sich **3.** sich **4.** sich **5.** sich **6.** sich **7.** sich

S. 46 Ü 2 ■ **1.** sich, dich **2.** euch **3.** uns **4.** dich **5.** sich **6.** sich **7.** dich **8.** mich

S. 47 Ü 3 ■ **1.** unterhalte mich, unterhalten uns **2.** interessiert sich, interessierst dich, interessiert euch **3.** dich, Bedankt ihr euch, Bedankt er sich **4.** erinnern uns, erinnere mich, erinnern sich **5.** Ärgert ihr euch, Ärgerst du dich, Ärgern Sie sich **6.** befindet sich, befinde mich, befindet sich **7.** verabschiedet sich, verabschiedet euch, verabschieden uns **8.** Streitest du dich, Streitet ihr euch, Streiten Sie sich

S. 47 Ü 4 ■ **1.** Hast du dich über das Stellenangebot gefreut? Ja, ich habe mich über das Stellenangebot gefreut. **2.** Haben sich die Kollegen über die neuen Arbeitszeiten unterhalten? Ja, sie haben sich über die neuen Arbeitszeiten unterhalten. **3.** Habt ihr euch über das Hotelzimmer geärgert? Ja, wir haben uns über das Hotelzimmer geärgert. **4.** Hat sich Herr Kümmel über die hohen Preise beschwert? Ja, er hat sich über die hohen Preise beschwert. **5.** Hat sich Marianne um die Stelle als Managerin beworben? Ja, sie hat sich um die Stelle beworben. **6.** Haben sich alle Mitarbeiter für das Seminar angemeldet? Ja, alle Mitarbeiter haben sich für das Seminar angemeldet. **7.** Hat sich Otto schon verabschiedet? Ja, er hat sich schon verabschiedet. **8.** Hast du dich auch für das Projekt interessiert? Ja, ich habe mich auch für das Projekt interessiert. **9.** Habt ihr euch über den Erfolg gefreut? Ja, wir haben uns über den Erfolg gefreut. **10.** Hast du dich auf dem Balkon gesonnt? Ja, ich habe mich auf dem Balkon gesonnt.

Imperativ

S. 49 Ü 1 ■ **1.** Rufen Sie an, Sprechen Sie, besuchen Sie, Informieren Sie sich **2.** Räumt weg, Sprecht, Achtet, Haltet ein, Lauft **3.** Füllen Sie, Geben Sie, Drücken Sie, schalten Sie ein, Vergessen Sie nicht **4.** Nehmen Sie, Trinken Sie, Gehen Sie

S. 49 Ü 2 ■ **1.** Vereinbar(e)/Vereinbart/Vereinbaren Sie einen Termin mit Frau Kuhn! **2.** Füll/Füllt/Füllen Sie die Formulare sorgfältig aus! **3.** Kontrolliere/Kontrolliert/Kontrollieren Sie die Rechnung noch mal! **4.** Lies/Lest/Lesen Sie den Bericht bitte bis morgen! **5.** Präsentiere/Präsentiert/Präsentieren Sie bitte die Arbeitsergebnisse! **6.** Bereite/Bereitet/Bereiten Sie die Präsentation gut vor! **7.** Mach(e)/Macht/Machen Sie Werbung für die Firma! **8.** Informiere/Informiert/Informieren Sie mich bitte über die Ergebnisse! **9.** Fahr/Fahrt/Fahren Sie vorsichtig!

S. 50 Ü 3 ■ **1.** Schalten Sie bitte die Computer im Besprechungszimmer ein. **2.** Korrigieren Sie bitte die Fehler in dem Dokument. **3.** Kopieren Sie bitte die Tagesordnung. **4.** Kochen Sie bitte zwei Kannen Kaffee. **5.** Rufen Sie bitte vor der Besprechung noch die Firma Prinz an. **6.** Erkundigen Sie sich bitte bei Frau Kümmel nach den Preisen. **7.** Schreiben Sie bitte Protokoll.

S. 50 Ü 4 ■ **2.** Frag nach den genauen Reisezeiten! **3.** Such im Internet nach Informationen über das Hotel! **4.** Kauf in der Apotheke noch Aspirin! **5.** Fahr das Auto in die Garage! **6.** Lern die wichtigsten spanischen Wörter! **7.** Pack endlich den Koffer! **8.** Nimm den Führerschein mit! **9.** Lass den Laptop zu Hause! **10.** Pack den Fotoapparat ein! **11.** Vergiss die Sonnencreme nicht! **12.** Bestell ein Taxi zum Flughafen!

Konjunktiv II: Höfliche Bitten und Fragen

S. 52 Ü 1 ■ **1.** könnten/würden, hätten **2.** Könnten/Würden, könnten/würden, hätte, würde **3.** Könntest/Würdest, Wären, Hättet, Könnten/Würden **4.** Könnten/Würden, Hätten, Könnte, würde

S. 52 Ü 2 ■ **1.** Könntet/Würdet ihr bitte Getränke kaufen? **2.** Könnten/Würden Sie den Kuchen bestellen? **3.** Könntest/Würdest du CDs mitbringen? **4.** Könntet/Würdet ihr Brötchen machen? **5.** Könnten/Würden Sie Gläser auf den Tisch stellen? **6.** Könntest/Würdest du uns beim Saubermachen helfen? **7.** Könntest/Würdest du den Teppich aufrollen? **8.** Könntet/Würdet ihr einige Stühle auf die Terrasse bringen?

S. 53 Ü 3 ■ Könnte, würde, würde, wäre, Hätten, wäre, wäre, Könnten/Würden

S. 53 Ü 4 ■ **1.** Könnten/Würden Sie mir helfen? **2.** Hättet ihr vielleicht (etwas) Geld für mich? **3.** Könnten/Würden Sie mir den Weg zeigen? **4.** Könntest/Würdest du diese Gebrauchsanweisung ins Deutsche übersetzen? **5.** Könnten/Würden Sie mich um 7.00 Uhr wecken? **6.** Könntest/Würdest du es reparieren? **7.** Könnten/Würden Sie meinen Koffer tragen? **8.** Könntest/Würdest du ihn abholen? **9.** Könntet/Würdet ihr mir euer Auto leihen? **10.** Könntest/Würdest du einkaufen gehen?

Konjunktiv II: Irreale Wünsche und Bedingungen

S. 55 Ü 1 ■ **1.** anrufen würde **2.** immer pünktlich wäre **3.** öfter nachdenken würde **4.** mehr Zeit für mich hätte **5.** mehr Sport treiben würde **6.** eine große Erfindung machen würde **7.** für mich ein Liebesgedicht schreiben würde **8.** nicht mehr nach andern Frauen gucken würde **9.** fünf Kilo abnehmen würde **10.** kochen könnte **11.** mal aufräumen würde **12.** selbst seine Sachen waschen würde **13.** vorsichtiger fahren würde **14.** ein bisschen Geld sparen würde

S. 55 Ü 2 ■ **1.** würde ich nicht mehr arbeiten. **2.** würde ich einen Roman schreiben. **3.** würde ich meinem Chef die Meinung sagen. **4.** würde ich jeden Tag spazieren gegen. **5.** würde ich kein Fastfood mehr essen. **6.** würde ich besser Deutsch sprechen. **7.** würde ich immer im Stau stehen. **8.** würde ich mich erholen.

S. 55 Ü 3 (Beispielsätze) ■ **1.** Wenn ich Japanisch könnte, würde ich den Brief ins Japanische übersetzen – aber leider kann ich kein Japanisch. **2.** Wenn ich eine Eintrittskarte hätte, würde ich heute mit dir in die Oper kommen – aber leider habe ich keine Eintrittskarte. **3.** Wenn ich reich wäre, würde ich dich auf eine Kreuzfahrt in die Karibik einladen – aber leider bin ich nicht reich. **4.** Wenn ich Zeit hätte, würde ich für dich heute Abend etwas Leckeres kochen – aber leider habe ich keine Zeit. **5.** Wenn mein Drucker funktionieren würde, würde ich die Dokumente für dich ausdrucken – aber leider funktioniert mein Drucker nicht. **6.** Wenn ich Lust hätte, würde ich heute auf die Kinder aufpassen – aber leider habe ich keine Lust. **7.** Wenn sie eine nette Kollegin wäre, würde ich die Arbeit von Frau Krause zusätzlich erledigen – aber leider ist sie keine nette Kollegin.

Passiv

S. 57 Ü 1 ■ **1.** Wann wird der Brief endlich beantwortet? **2.** Wann wird das Paket endlich abgeholt? **3.** Wann

wird das Zimmer vom Chef endlich aufgeräumt? **4.** Wann werden die neuen Drucker endlich geliefert? **5.** Wann wird das Kollegium endlich informiert? **6.** Wann wird der Artikel endlich veröffentlicht? **7.** Wann werden die Preise endlich gesenkt? **8.** Wann wird das Gehalt endlich erhöht?

S. 57 Ü 2 ■ **1.** Der Computer wird sofort repariert. **2.** Das Problem wird sofort gelöst. **3.** Die Unterlagen werden sofort kopiert. **4.** Die E-Mail wird sofort verschickt. **5.** Die Tickets werden sofort bestellt. **6.** Die Rechnung wird sofort bezahlt. **7.** Das Ersatzteil wird sofort eingebaut. **8.** Das Datum wird sofort geändert. **9.** Der Termin wird sofort bestätigt.

S. 57 Ü 3 ■ **1.** Aktiv **2.** Aktiv **3.** Passiv **4.** Aktiv **5.** Passiv **6.** Passiv

S. 57 Ü 4 ■ wird anerkannt, wurden durchgeführt, wurden gestartet, wurde beantragt, wurde erfunden

S. 58 Ü 5 ■ **1.** Wann wurde die Bundesrepublik Deutschland gegründet? Die Bundesrepublik Deutschland wurde 1949 gegründet. **2.** Wann wurde der Euro als Zahlungsmittel eingeführt? Der Euro wurde am 1.1.2002 als Zahlungsmittel eingeführt. **3.** Wann wurde Amerika entdeckt? Amerika wurde 1492 entdeckt. **4.** Wann wurde der Fernseher erfunden? Der Fernseher wurde 1886 erfunden. **5.** Wann wurde John F. Kennedy ermordet? John F. Kennedy wurde 1963 ermordet.

S. 58 Ü 6 ■ **1.** wurde entwickelt, wurden entlassen **2.** wurde gewählt, wurde unterschrieben **3.** wurde gefeiert, wurden empfangen **4.** wurden informiert, wurden geimpft

S. 58 Ü 7 ■ **1.** Der Bundespräsident wurde interviewt. **2.** Nach dem Unfall wurden die Verletzten sofort versorgt. **3.** Die Automobilmesse wurde eröffnet. **4.** Im letzten halben Jahr wurden 20 Prozent mehr Neuwagen verkauft. **5.** Einige Eintrittskarten zum Endspiel der Weltmeisterschaft wurden verschenkt. **6.** Die Eröffnungsveranstaltung wurde live im Fernsehen übertragen. **7.** Im Museum wurde eingebrochen. **8.** Ein Bild von Picasso wurde gestohlen.

Verben mit direktem Kasus

S. 60 Ü 1 ■ **1.** Dativ, Akkusativ **2.** Dativ **3.** Dativ **4.** Nominativ **5.** Dativ, Akkusativ **6.** Akkusativ **7.** Akkusativ **8.** Akkusativ **9.** Akkusativ **10.** Nominativ **11.** Dativ, Akkusativ **12.** Dativ

S. 60 Ü 2 ■ **1.** d **2.** c **3.** e **4.** i **5.** a **6.** g **7.** h **8.** j **9.** b **10.** f **11.** n **12.** m **13.** k **14.** l

S. 61 Ü 3 ■ **1.** Habt ihr das Bild schon gekauft? **2.** Hast du den Deutschkurs schon bezahlt? **3.** Habt ihr die Hausaufgaben schon gemacht? **4.** Hast du die CD schon gehört? **5.** Hast du die Zeitung schon gelesen? **6.** Hast du die Besprechung schon vorbereitet? **7.** Habt ihr die Ware schon bestellt? **8.** Hast du die Gäste schon begrüßt? **9.** Hast du den Termin schon notiert? **10.** Hast du die Nachricht schon weitergeleitet?

S. 61 Ü 4 ■ **1.** dem Chef **2.** den Techniker **3.** dem Professor **4.** der Praktikantin **5.** dem Direktor **6.** deinem Freund **7.** den Film **8.** die Ausstellung **9.** der Kollegin **10.** deinen Kaffee

S. 61 Ü 5 ■ **1.** Wir helfen den Kunden schnell. **2.** Das Auto gehört der Firma. **3.** Otto schenkt seiner Mutter ein Kochbuch. **4.** Zeigst du dem Chef das Dokument? **5.** Bringst du mir ein Andenken mit? **6.** Kannst du mir deinen Stift leihen? **7.** Schreibst du deinen Eltern Postkarten aus dem Urlaub?/aus dem Urlaub Postkarten? **8.** Hast du dir schon wieder neue Schuhe gekauft? **9.** Wann hast du ihm das Fachbuch gegeben? **10.** Der Direktor muss den Kollegen diese Entscheidung erklären. **11.** Alle Teilnehmer müssen die Rechnung für den Kurs bezahlen. **12.** Wir empfehlen Kollegen aus dem Ausland immer das Restaurant „La Cachette".

Verben mit präpositionalem Kasus

S. 63 Ü 1 ■ **1.** d/f **2.** a **3.** f **4.** b **5.** c **6.** g **7.** e

S. 63 Ü 2 ■ **1.** über **2.** bei **3.** auf **4.** für **5.** in **6.** mit **7.** mit **8.** über

S. 64 Ü 3 ■ **1.** Wir warten schon lange auf das Protokoll. **2.** Marion telefoniert täglich mit ihrem Freund in Kanada. **3.** Georg denkt nur noch an das Projekt. **4.** Max interessiert sich nur für Fußball. **5.** Der Informatiker denkt über das Softwareproblem nach. **6.** Bei der Sitzung sprechen wir über die Arbeitszeiten. **7.** Die Verwaltungsleiterin beschäftigt sich heute mit der Jahresendabrechnung. **8.** Wir achten besonders auf die Sicherheit.

S. 64 Ü 4 ■ **1.** bei dem, über ihre **2.** auf die **3.** mit seinen **4.** an keiner **5.** an das **6.** an sein **7.** für die **8.** mit ihren **9.** auf die **10.** für ihre

S. 64 Ü 5 ■ **1.** fragt **2.** bittet **3.** bedankt sich **4.** interessiert sich **5.** nimmt teil **6.** freut sich **7.** denkt **8.** ärgert sich **9.** warten **10.** sich beschweren

S. 65 Ü 6 ■ **1.** e **2.** h **3.** a **4.** f **5.** b **6.** i **7.** j **8.** c **9.** d **10.** g

S. 65 Ü 7 ■ **1.** Mit wem hast du gesprochen? **2.** Wofür habt ihr euch bedankt? **3.** Worüber denkst du nach? **4.** Wofür hast du dich entschieden? **5.** Mit wem hat er sich gestritten? **6.** Worüber hast du gelacht? **7.** In wen hast du dich verliebt? **8.** Worauf wartet ihr? **9.** Woran denkst du? **10.** Worum hast du ihn gebeten?

S. 66 Ü 8 ■ **1.** Mit wem **2.** Auf wen **3.** Mit wem **4.** Worüber **5.** worüber **6.** wofür **7.** Womit **8.** Woran **9.** Mit wem **10.** Mit wem

S. 66 Ü 9 ■ **2.** In wen **3.** Bei wem **4.** Worüber **5.** wofür **6.** Mit wem/Worüber **7.** Worüber **8.** Worüber **9.** Auf wen **10.** Mit wem

Verben mit lokalen Ergänzungen

S. 68 Ü 1 ■ **1.** hängt, Das neue Bild hängt über dem Bett. **2.** steht, Der Sessel steht im Wohnzimmer. **3.** steht, Die grüne Vase steht auf dem Tisch. **4.** liegen, Die Dokumente liegen in der Schreibtischschublade. **5.** hängt/liegt, Das Handtuch hängt/liegt im Bad. **6.** steht, Das schmutzige Geschirr steht in der Geschirrspülmaschine. **7.** liegt, Deine Brille liegt auf dem Fernseher. **8.** steht/liegt, Dein Laptop steht/liegt unter dem Sessel.

S. 68 Ü 2 ■ **1.** Hängen **2.** steht **3.** Stellt **4.** Liegst **5.** hängen **6.** stehen **7.** setzt/legt **8.** setzen **9.** stellen **10.** sitzt

S. 68 Ü 3 (Beispielsätze) ■ **1.** Die Turnschuhe hängen an der Lampe. **2.** Der Teller mit der Pizza steht auf dem Sofa. **3.** Die Spielkarten liegen neben dem Fernseher. **4.** Der Blumentopf steht auf der Fensterbank. **5.** Die CDs liegen auf dem Fußboden. **6.** Das Gamepad liegt auf der Pizzadose. **7.** Das Weinglas steht neben dem Fernseher. **8.** Die Fernbedienung liegt auf dem Fernseher. **9.** Eine Kaffeetasse steht auf dem Sofatisch. **10.** Die Socken hängen über dem Stuhl/der Stuhllehne.

Genus der Nomen

S. 70 Ü 1 ■ **a)** die Brille **b)** die Banane **c)** die Gitarre **d)** die Schokolade; **Regel:** Viele Nomen auf *-e* sind feminin. **e)** der Computer **f)** der Pullover **g)** der Koffer **h)** der Fernseher; **Regel:** Viele Nomen auf *-er* sind maskulin. **i)** das Auto **j)** das Telefon **k)** das Radio **l)** das Taxi; **Regel:** Viele internationale Nomen sind neutral.

S. 70 Ü 2 ■ **1.** der **2.** das **3.** die **4.** das **5.** das **6.** das **7.** das **8.** die **9.** die **10.** die **11.** die **12.** der **13.** der **14.** die **15.** der

S. 70 Ü 3 ■ **1.** die, das Gymnasium **2.** die, das Internet **3.** das, die Liebe **4.** der, die Ehrlichkeit **5.** das, die Torte **6.** die, der Arzt **7.** die, das Lernen

S. 71 Ü 4 ■ **1.** der Schrank, die Kommode, der Stuhl, der Spiegel, das Bücherregal **2.** das Glas, die Tasse, die Flasche, der Teller, der Löffel, die Gabel, das Messer, die Serviette **3.** die Zeitung, das Magazin, das Kochbuch, das Lexikon, das Wörterbuch, der Reiseführer **4.** der Pullover, das Hemd, die Hose, der Rock **5.** das Brot, die Suppe, das Fleisch, der Fisch, das Gemüse, das Obst, der Salat, der Apfel, die Birne, die Tomate **6.** die Schule, die Universität, das Theater, die Post, die Bibliothek, das Polizeirevier, der Bahnhof, das Museum, das Kino, das Geschäft **7.** das Auto, der Zug, die Straßenbahn, das Fahrrad, das Flugzeug, der Motorroller, der Bus, das Schiff, die Fähre

S. 71 Ü 5 ■ **der:** Flur, Tisch, Schrank, Sessel, Teppich, Balkon, Computer, Stuhl **die:** Toilette, Treppe, Küche, Dusche, Tür, Lampe, Blume, Vase, Gardine, Kommode, Schüssel, Badewanne **das:** Bad, Dach, Bett, Spielzeug, Bild, Regal, Fenster, Foto

S. 72 Ü 6 ■ **1.** der Zimmerschlüssel **2.** das Hotelrestaurant **3.** das Computerproblem **4.** die Kreditkarte **5.** das Stadtzentrum **6.** der Terminkalender **7.** das Musikinstrument **8.** der Lottogewinn **9.** die Arztpraxis **10.** der Sommerurlaub

S. 72 Ü 7 ■ **1.** der, die; die Schreibtischlampe **2.** der, die; die Kaffeetasse **3.** das, die; die Bierflasche **4.** das, der; der Buchladen **5.** das, das; das Fotomuseum **6.** die, das; das Stadttheater **7.** die, das; das Lebensmittelgeschäft **8.** die, das; das Bücherregal **9.** das, die; die Büroarbeit **10.** der, das; das Lehrerzimmer **11.** die, die; die Datenverarbeitung **12.** der, das; das Computerzeitalter

S. 73 Ü 8 ■ **1.** die, der; der Abteilungsleiter **2.** der, die; die Geburtstagsfeier **3.** die, die; die Wohnungssuche **4.** die, das; das Liebeslied **5.** die, das; das Sicherheitstraining **6.** die, der; der Vorlesungssaal **7.** die, das; das Besprechungsprotokoll **8.** die, die; die Datenverarbeitungsmaschine **9.** der, die; die Berufsbezeichnung **10.** der, die; die Unterrichtsvorbereitung

S. 73 Ü 9 ■ **1.** die **2.** der **3.** das **4.** die **5.** die **6.** das **7.** der **8.** der **9.** die **10.** die **11.** die **12.** Das **13.** die **14.** Der **15.** Der **16.** Der

S. 73 Ü 10 ■ **1.** Der Computer beeinflusste auch die Entwicklung des Buches. **2.** In den 1990-er Jahren wurde das elektronische Buch entwickelt. **3.** Das Gerät war am Anfang sehr groß und die Batterie hielt nicht lange. **4.** Auch die Lesbarkeit und der Schwarz-Weiß-Kontrast waren früher nicht optimal.

Numerus der Nomen

S. 75 Ü 1 ■ **2.** zwei Tassen Kaffee und zwei Löffel **3.** Autos **4.** Polizisten **5.** Telefone **6.** (Termin-)Kalender **7.** Taschenmesser **8.** Bäume **9.** Wörterbücher **10.** Katzen

S. 75 Ü 2 ■ schwarze Haare, blaue Augen, große Ohren, lange Finger, runde Knie, gesunde Zähne, starke Arme, kräftige Hände, gerade Beine, schöne Füße

S. 75 Ü 3 ■ Tomaten, Zwiebeln, Äpfel, Birnen, Orangen, Gurken, Gurken

S. 75 Ü 4 ■ **1.** -s **2.** -en **3.** – **4.** -n **5.** – (+Umlaut)

S. 76 Ü 5 ■ **1.** Plural **2.** Singular **3.** Plural **4.** Singular **5.** Singular **6.** Plural **7.** Singular **8.** Singular **9.** Singular **10.** Singular **11.** Singular

S. 76 Ü 6 ■ Die Gäste, die Kaffeetassen, die Brötchen, die Gläser, die Dokumente, die Unterlagen, die Mappen, die Fenster, die Praktikanten, die Herren

S. 76 Ü 7 ■ **1.** Prospekt **2.** Sterne **3.** Urlaubstage **4.** Erwartungen **5.** Zimmer **6.** Getränke **7.** Fernseher **8.** Betten **9.** Probleme **10.** Stunden **11.** Liegestühle **12.** Gäste **13.** Hotelpersonal **14.** Service **15.** Hälfte

Kasus der Nomen

S. 78 Ü 1 ■ **a) 1.** das Dokument, **2.** das Wörterbuch **3.** den Chef **4.** den Kopierer **5.** die Personalabteilung **6.** den Schlüssel **7.** den Bleistift **b) 1.** den Krimi **2.** den Artikel **3.** das Fernsehprogramm **4.** die Leipziger Volkszeitung

S. 78 Ü 2 ■ **1.** die Blumen **2.** die Kinder **3.** die Verkehrsschilder **4.** die Taxis **5.** die Kaufhäuser

S. 78 Ü 3 ■ **a) 1.** dem Fußballspieler **2.** der Firma **3.** dem Finanzminister **4.** dem Filmstar **5.** dem Mädchen **b) 1.** dem Taxi **2.** dem Zug **3.** der U-Bahn **4.** dem Fahrrad

S. 78 Ü 4 ■ **1.** den Politikern **2.** den Kindern **3.** den Frauen **4.** den Künstlern **5.** den Hausbesitzern **6.** den Managern **7.** den Bauern

S. 79 Ü 5 ■ **1.** des Restaurants **2.** des Detektivs **3.** der Sprachschule **4.** des Hotels **5.** der Autowerkstatt

S. 79 Ü 6 ■ **1.** die Kollegin **2.** der Reise **3.** den Dokumenten **4.** der Pudding **5.** der Direktor

S. 79 Ü 7 ■ **1.** Akkusativ **2.** Dativ, Akkusativ **3.** Nominativ **4.** Akkusativ **5.** Nominativ **6.** Dativ, Nominativ **7.** Akkusativ **8.** Akkusativ **9.** Akkusativ, Genitiv **10.** Dativ

S. 79 Ü 8 ■ **1.** Ich fahre mit der Straßenbahn, dem Zug, dem Fahrrad, dem Auto, der U-Bahn. **2.** Ich denke an den Urlaub, das Konzert von gestern, die Probleme im Büro, die Arbeit. **3.** Ich habe gerade mit dem Chef, der Sekretärin, dem Mädchen dort gesprochen. **4.** Ich ärgere mich über die E-Mail von Sabine, den Fotokopierer, das Wochenendprogramm, die Besprechungen. **5.** Ich gebe viel Geld für das Studium, die Kinder, den Management-Kurs, die Miete aus. **6.** Ich freue mich auf die Ferien, die Geburtstagsparty, den Theaterbesuch, das Wochenende.

S. 80 Ü 9 ■ **1.** der Affe, der Elefant, der Hase **2.** der Chinese, der Franzose, der Russe **3.** der Biologe, der Jurist, der Journalist, der Assistent **4.** der Herr, der Junge, der Kollege, der Kunde

S. 81 Ü 10 ■ Der Diamant ist das Symbol der ewigen Liebe, weil er als unzerstörbar gilt. Weltweit beurteilen Experten Diamanten (Plural) nach dem Zusammenspiel von Schliff, Gewicht (Karat), Farbe und Reinheit. Der perfekte Schliff verleiht dem Diamanten seine Brillanz. Der Schliff wird von Menschen (Plural) gemacht und der Mensch kann damit den Diamanten direkten beeinflussen. Denn erst der Schliff bringt den Diamanten zum Leuchten. Die Farbe eines Diamanten spielt auch große eine Rolle. Je weißer ein Diamant ist, desto

seltener ist er. Diamanten (Plural) werden in fast allen Farben des Regenbogens gefunden. Die Reinheit eines Diamanten kann man daran erkennen, ob und wie viele Einschlüsse er hat. Diese Merkmale geben dem Stein eine eigene Signatur. Ein Diamant gilt dann als rein, wenn selbst unter zehnfacher Vergrößerung keine Einschlüsse sichtbar sind. Das Gewicht und damit auch die Größe eines Diamanten wird in Karat gemessen. Ein Karat entspricht 0,2 Gramm. Ein Diamant von fünf Karat wiegt also ein Gramm.

S. 81 Ü 11 ■ **1.** Kunden **2.** Kunde **3.** Patienten **4.** Kollegen **5.** Chinesen und Griechen **6.** Journalisten **7.** Polizisten und Demonstranten **8.** Polizist

S. 81 Ü 12 ■ **1.** Kollegen **2.** Kollegen **3.** Kollege **4.** Kollegen **5.** Kollege **6.** Kollegen

Bestimmter, unbestimmter und negativer Artikel

S. 83 Ü 1 ■ **1.** ein Terminkalender, Der Terminkalender **2.** ein Telefon, Das Telefon **3.** eine Lampe, Die Lampe **4.** ein Schneemann, der Schneemann **5.** ein Globus, Der Globus **6.** ein Wörterbuch, Das Wörterbuch **7.** ein Schwein, Das Schwein

S. 84 Ü 2 ■ **1.** einen Kugelschreiber, einen Bleistift, kein Problem, einem Bleistift **2.** eine Lampe, einen Bürostuhl, ein Telefon **3.** ein Einzelzimmer, ein Doppelzimmer, Ein Einzelzimmer, einen Internetanschluss, keinen Internetzugang **4.** eine Eintrittskarte, einen Katalog, keinen Katalog, einen Bildband

S. 84 Ü 3 ■ **1.** den **2.** einen, Der **3.** Der, eine, Die, der **4.** ein, das **5.** eine, die **6.** eine, Die

S. 84 Ü 4 ■ **a)** Das beliebteste deutsche Haustier ist die Katze. In Deutschland leben rund 8,2 Millionen Katzen und Kater. An zweiter Stelle folgen die Nagetiere, auf dem dritten Platz kommen die Hunde. Der Grund für die Beliebtheit liegt im Verhalten der Katzen. Sie gelten als sozial, manchmal auch als seltsam. Eine Zeitung in Großbritannien berichtete kürzlich von einem besonderen Kater. Der Kater wartete jeden Morgen alleine an einer Bushaltestelle auf den Bus, stieg in den Bus ein und fuhr eine Runde.
b) Denken Sie immer noch, Mäuse lieben Käse? Falsch. Mäuse mögen keinen Käse: Sie mögen Süßspeisen. Mäuse reagieren nur auf den Geruch von Käse, weil der Geruch in ihrer natürlichen Umgebung nicht vorkommt.

S. 85 Ü 5 ■ **1.** Die Textkurzmitteilung SMS ist in Deutschland feminin: die SMS. Aber in Österreich benutzt man das Neutrum: das SMS.
2. Haben Sie kein Geld und brauchen Sie einen Kredit? Dann müssen Sie zu einer Bank gehen. Aber alle Banken wollen von ihren Kunden eine Sicherheit, wenn sie Geld verleihen. Normalerweise akzeptieren Banken zum Beispiel eine Wohnung oder ein Auto. Doch in Italien ist alles ganz anders. Bei einigen Banken im Norden des Landes kann man auch Geld gegen Parmesan-Käse leihen. In der Region Emilia Romagna akzeptieren vier Geldinstitute den beliebten Hartkäse als Sicherheit. Allein die Bank Credito Emiliano hat 400 000 Parmesan-Käse eingelagert: 16 000 Tonnen Parmesan bedeuten 120 Millionen Euro. Die Bank hat für den Käse ein Lagerhaus und Experten überwachen den Reifeprozess.
3. Heute findet man in den guten Hotels auch einen „Wasser-Sommelier". Er arbeitet in den Hotel-Restaurants. Er empfiehlt den Gästen aber nicht den besten Wein, sondern das beste Wasser.
4. Ein Experiment aus Amerika zeigte: Eine heiße Tasse Kaffee spielt im Umgang mit anderen Menschen eine positive Rolle. Wer eine warme Tasse Kaffee in der Hand hatte, reagierte auf andere Menschen positiv, Menschen mit einem Eiskaffee in den Händen waren nicht so freundlich.

S. 85 Ü 6 ■ **1.** keine Zeit **2.** keine Ahnung **3.** kein Mensch **4.** kein Auto **5.** keinen Hunger **6.** kein Geld **7.** keinen Job **8.** kein Interesse **9.** keinen Nagel **10.** keinen Durst **11.** kein Wörterbuch **12.** keine Waschmaschine

Possessivartikel

S. 87 Ü 1 ■ **1.** dein **2.** sein **3.** ihr **4.** sein **5.** unser **6.** euer **7.** Ihr **8.** ihr **9.** sein

S. 87 Ü 2 ■ **a) 1.** Dein **2.** Sein **3.** Ihre **4.** Unser **5.** Euer
b) 1. mein Handy, meinen Lippenstift **2.** sein Portemonnaie, seinen Autoschlüssel, seine Badehose **3.** unsere Reiseunterlagen, unsere Bademäntel, unsere Sonnencreme **4.** eure Reservierungsbestätigung, eure Eintrittskarten, euer Geld **5.** ihre Sonnenbrille, ihren Krimi, ihren Wecker **6.** ihre Gameboys, ihren Fußball, ihre Sportschuhe **7.** deinen Laptop

S. 87 Ü 3 ■ **1.** Ihre Ohren **2.** mein Hals **3.** euer Rücken **4.** unsere Füße **5.** Dein Bauch **6.** seine Zähne **7.** ihre Hand **8.** Meine Augen

S. 88 Ü 4 ■ **1.** Was isst man in deinem/Ihrem/eurem Heimatland zum Frühstück? **2.** Was machen deine/Ihre/eure Kinder? **3.** Was machst du in deiner Freizeit? Was machen Sie in Ihrer Freizeit? Was macht ihr in eurer Freizeit? **4.** Arbeitest du oft in deinem Garten? Arbeiten Sie oft in Ihrem Garten? Arbeitet ihr oft in eurem Garten? **5.** Schreibst du oft an deine Freunde? Schreiben Sie oft an Ihre Freunde? Schreibt ihr oft an eure Freunde? **6.** Wo hast du in deiner Kindheit gewohnt? Wo haben Sie in Ihrer Kindheit gewohnt? Wo habt ihr in eurer Kindheit gewohnt?

S. 88 Ü 5 ■ Ihre Zimmerbestellung, Ihre Reservierung, unserem Hotel, Unsere Zimmer, unser Gourmet-Restaurant, Unser Beauty-SPA-Team, Ihre Buchungswünsche, unserer Tiefgarage, Ihren Besuch

S. 88 Ü 6 ■ **1.** ihrem Freund, ihr rotes **2.** seiner Kollegin, seine Freundin, seine neue CD, Seine Fans **3.** seine Bilder, seine Farben, seinen Hund, seine Ansicht **4.** ihre Gemäldesammlung, seinem Lieblingsmaler **5.** Seine Aggressionen, seine Kunstwerke **6.** ihre Werke

Demonstrativ- und Frageartikel

S. 90 Ü 1 ■ **1.** d **2.** e **3.** c **4.** f **5.** a **6.** b

S. 90 Ü 2 ■ **1.** Welche Tasche, Diese, diese Tasche **2.** Was für einen Mann, Was für einen Mantel, Welche Haarfarbe, diese Fotos, dieser Mann, Diesen Mann **3.** Welches Bild, dieses Bild

S. 90 Ü 3 ■ **1.** Was für ein Zimmer **2.** welchem Stock **3.** Welcher Schlüssel **4.** welchem Bett **5.** welchen Tagen **6.** Welche Tür **7.** was für einer Karte **8.** welcher Telefonnummer **9.** Was für ein/Welches Museum

Personalpronomen

S. 92 Ü 1 ■ **a) 1.** es **2.** wir **3.** es **4.** es **5.** sie **6.** er
b) 1. ihn **2.** sie **3.** es **4.** ihn **5.** es **6.** sie
c) 1. ihm **2.** ihnen **3.** ihr **4.** ihm **5.** ihr **6.** ihnen

d) **1.** Ja, ich habe sie ihr gezeigt. **2.** Ja, ich habe sie ihnen erklärt. **3.** Ja, ich habe ihn ihr gekauft. **4.** Ja, ich habe es ihm geschenkt. **5.** Ja, ich habe sie ihr gegeben. **6.** Nein, ich habe es ihr nicht gestohlen.

S. 93 Ü 2 ■ Ihnen, Sie, Sie, mir, Ihnen, Sie, Sie, mich, Ihnen, Ihnen

S. 93 Ü 3 ■ **1.** Sie **2.** Ihnen **3.** Sie **4.** Ihnen **5.** Sie, Ihnen **6.** Ihnen **7.** Ihnen **8.** Sie

S. 93 Ü 4 ■ Dir/dir, mich, mir, ich, Mir, mich, ich, ich, ich, Dich/dich, Ich, ich, Du/du, mir, mich

Reflexivpronomen

S. 94 Ü 1 ■ **2.** f **3.** g **4.** a **5.** b **6.** d **7.** e

S. 94 Ü 2 ■ **1.** Habt ihr euch über das Urlaubsland informiert? Ja, wir haben uns über das Urlaubsland informiert. **2.** Haben Sie sich nach dem Weg vom Flughafen zum Hotel erkundigt? Ja, wir haben uns/ich habe mich nach dem Weg erkundigt. **3.** Hast du dich beim Reisebüro über die schlechte Beratung beschwert? Ja, ich habe mich über die schlechte Beratung beschwert. **4.** Hast du dir eine neue Badehose für die Reise gekauft? Ja, ich habe mir eine neue Badehose gekauft. **5.** Habt ihr euch im Hotel für den Golfkurs angemeldet? Ja, wir haben uns für den Golfkurs angemeldet. **6.** Haben Sie sich mit dem Reiseleiter unterhalten? Ja, wir haben uns/ich habe mich mit dem Reiseleiter unterhalten.

S. 95 Ü 3 ■ **2.** Ich koche mir gerade eine Suppe. **3.** Ich streite mich gerade mit meinem Nachbarn. **4.** Ich wasche mir gerade die Hände. **5.** Ich freue mich gerade über das Fußballergebnis. **6.** Ich schminke mich gerade. **7.** Ich bestelle mir gerade einen Kaffee. **8.** Ich kaufe mir gerade ein neues Sommerkleid.

S. 95 Ü 4 ■ mich, mir, mich, sich, uns, uns, dir, mich, uns, uns, mich, mich, mich

Possessivpronomen

S. 96 Ü 1 ■ **1.** meins **2.** unsere **3.** meine **4.** ihrer **5.** unseres **6.** meiner **7.** meiner

S. 96 Ü 2 ■ **1.** Ist das deins? **2.** Ist das deins? **3.** Ist das deiner? **4.** Sind das eure? **5.** Ist das deine? **6.** Ist das eurer? **7.** Ist das meine?

Indefinitpronomen

S. 97 Ü 1 ■ **a)** **1.** eine Waschmaschine? Ja, ich habe eine. **2.** ein Messer? Ja, ich habe eins. **3.** einen Koffer? Nein, ich habe keinen. **4.** eine Gitarre? Nein, ich habe keine. **5.** einen Fotoapparat? Nein, ich habe keinen. **6.** einen Terminkalender? Nein, ich habe keinen. **7.** ein Telefon? Ja, ich habe eins.
b) **1.** einen Laptop? einer **2.** ein Fahrrad? eins **3.** einen Kamm? einer **4.** ein Wörterbuch? eins **5.** einen Drucker? einer **6.** eine Sonnenbrille? eine

S. 99 Ü 1 ■ **1.** nichts **2.** etwas, nichts **3.** Jemand, niemand **4.** etwas, nichts, alles **5.** jemand **6.** Jemand, niemand **7.** Alle **8.** niemand/niemanden **9.** nichts, alles

S. 99 Ü 2 ■ nichts, etwas, alle, Jemand, Jemand, nichts, alles

S. 99 Ü 3 ■ **1.** Die Diebe sind nachts gekommen und sie haben alles mitgenommen. **2.** Die Polizei hat im Haus alle befragt. **3.** Die Frau im ersten Stock hat nichts gehört. **4.** Der Herr im zweiten Stock hat niemand(en) gesehen. **5.** Der Hausmeister hat jemand(en) beobachtet.

Fragepronomen

S. 101 Ü 1 ■ **1.** Was habt ihr gegessen? **2.** Wer hat angerufen? **3.** Mit wem triffst du dich heute Abend? **4.** Wessen Büro ist das? **5.** Was habt ihr gemacht? **6.** Was hast du Gustav gegeben? **7.** Wer ist zu deiner Party gekommen? **8.** Was hast du im Urlaub gelesen? **9.** Wen möchten Sie/möchtest du sprechen? **10.** Wer hat die Fenster geöffnet? **11.** Was haben die Einbrecher gestohlen? **12.** Wen hat die Polizei verhaftet?

S. 101 Ü 2 ■ **1.** Welchen **2.** Was für eins **3.** Welche **4.** Welchen **5.** Was für einen **6.** Welche

S. 101 Ü 3 ■ **1. b)** Welches **2. c)** Wer **3. b)** wem **4. a)** Welches **5. b)** Was **6. c)** Was **7. c)** Wen **8. a)** Wer **9. c)** Welchen **10. b)** wen **11. a)** Was **12. c)** Wem

Relativpronomen

S. 103 Ü 1 ■ **a)** **1.** den **2.** dem **3.** der **4.** der **b)** **1.** die **2.** die **3.** der **4.** die **5.** die

S. 103 Ü 2 ■ **1.** den **2.** die **3.** die **4.** dem **5.** der **6.** die **7.** das **8.** die

S. 103 Ü 3 ■ **1. a)** die **2. c)** der **3. b)** die **4. a)** denen **5. c)** der **6. b)** denen **7. b)** die **8. b)** die **9. b)** die **10. a)** dem

Das Wort *es*

S. 104 Ü 1 ■ Im Januar ist es in Deutschland kalt und es schneit. Im April regnet es oft. Im Juli ist es manchmal heiß. Bei Gewittern donnert und blitzt es. Im Oktober ist es an der See stürmisch und in den Morgenstunden oft neblig.

S. 104 Ü 2 ■ Es ist 20.00 Uhr. Hier sind die Nachrichten von Bayern 1. Heute gab es auf der Autobahn München–Salzburg kilometerlange Staus. In den Morgenstunden hatte es geschneit. Die Schneedecke war fast einen Meter hoch. Viele Autofahrer waren auf den Schnee nicht vorbereitet. Es kam zu vielen Unfällen. Eine Frau wurde ins Krankenhaus gefahren. In den nächsten Tagen erwarten die Experten noch mehr Schnee. Sicher kommt es wieder zu langen Staus. Der französische Ministerpräsident ist heute in Berlin gelandet. In den Gesprächen geht es hauptsächlich um Sicherheitspolitik. Morgen sind Gespräche mit dem Innenminister geplant.

Deklination der Adjektive

S. 107 Ü 1 ■ **a)** Vielleicht ein neuer Fernseher, ein moderner Computer, eine schöne Wanduhr, ein altes Gemälde oder eine neue Waschmaschine?
b) der neue Fernseher, der moderne Computer, die schöne Wanduhr, das alte Gemälde, die neue Waschmaschine

S.107 Ü 2 ■ **1.** das neue Fahrrad **2.** ein buntes Kleid, das bunte Kleid **3.** ein spanisches Kochbuch, das spanische Kochbuch **4.** einen gelben Pullover, den gelben Pullover **5.** eine kleine Katze, die kleine Katze **6.** eine neue Uhr, die neue Uhr **7.** eine elegante Hose, die elegante Hose

S. 107 Ü 3 ■ einen freien Tisch, einen guten Rotwein, ein Glas Mineralwasser, ein kühles Bier, eine französische Zwiebelsuppe, ein saftiges Steak, eine kleine Käseplatte einen großen Obstsalat

S. 108 Ü 4 ■ **a)** eine elegante Handtasche/Tasche, ein roter Lippenstift, ein schöner Kugelschreiber, ein moderner Fotoapparat, ein warmer Pullover;

eine elegante Handtasche/Tasche, einen roten Lippenstift, einen schönen Kugelschreiber, einen modernen Fotoapparat, einen warmen Pullover;
einer eleganten Handtasche/Tasche, einem roten Lippenstift, einem schönen Kugelschreiber, einem modernen Fotoapparat, einem warmen Pullover;
b) eine neue Handtasche, meine Freundin, Ihre alte Tasche, eine Tasche, Meine Freundin, keine modischen Sachen, ein klassisches Modell, ein sehr schönes und praktisches Modell, ein kleines Fach

S. 108 Ü 5 ■ **1.** grüne T-Shirts **2.** große Sonnenbrillen **3.** kurze Röcke **4.** bunte Hüte **5.** enge Hosen **6.** goldene Sportschuhe **7.** weißen Blusen **8.** weiten Hosen **9.** langen Röcken **10.** schwarzen Pullovern **11.** weißen Schuhen **12.** roten Handtaschen

S. 109 Ü 6 ■ **1.** weiße Schokolade **2.** frisches Gemüse **3.** saure Äpfel **4.** einheimische Kräuter **5.** rohen Schinken **6.** reife Pflaumen **7.** starken Kaffee **8.** grünen Tee **9.** helles Bier **10.** kalte Limonade **11.** guten Rotwein **12.** gesunden Obstsaft

S. 109 Ü 7 ■ **1.** schlechtes Wetter **2.** kalten Hotelzimmer **3.** heftigen Sturm **4.** interessante Erfahrung **5.** hohe Wellen **6.** schöne Fotos **7.** weißen Sandstrand **8.** lange Spaziergänge **9.** teuren Geschäften **10.** alten Whisky **11.** kühles Bier

S. 109 Ü 8 ■ Ich arbeite bei einer kleinen Firma. Ich habe ein normales Gehalt und bekomme 30 Urlaubstage. Zurzeit habe ich noch kein eigenes Büro und keinen eigenen Computer. Meine Kollegen sind sehr nett und hilfsbereit. Wir trinken oft zusammen den dünnen Kaffee aus dem Kaffeeautomaten oder wir gehen nach der Arbeitszeit in eine gemütliche Kneipe. Mein neuer Chef ist auch okay.

S. 109 Ü 9 ■ **1.** eine schnelle Bearbeitung **2.** ihren neuen Katalog **3.** die aktuelle Preisliste **4.** eine sofortige Reparatur **5.** einen baldigen Termin **6.** eine pünktliche Lieferung

Komparation der Adjektive

S. 111 Ü 1 ■ **1.** höflicher **2.** fleißiger **3.** ordentlicher **4.** freundlicher **5.** geduldiger **6.** schneller **7.** hilfsbereiter

S. 111 Ü 2 ■ **1.** eine abwechslungsreichere Arbeit **2.** einen netteren Chef **3.** eine zuverlässigere Sekretärin **4.** ein helleres Büro **5.** einen größeren Computerbildschirm

S. 111 Ü 3 ■ **1.** höher, am höchsten **2.** billiger, am billigsten **3.** teurer, am teuersten **4.** mehr, am meisten **5.** besser, am besten **6.** schärfer, am schärfsten **7.** länger, am längsten **8.** kürzer, am kürzesten

S. 111 Ü 4 ■ **1.** am längsten, längste Tier **2.** am schnellsten, schnellste Tier **3.** am größten, größte Tier **4.** am giftigsten, giftigste Tier **5.** am gefährlichsten, gefährlichste Tier **6.** am kleinsten, kleinste Säugetier **7.** am schwersten, schwerste Insekt

S. 112 Ü 5 ■ **1.** härtesten Teile **2.** längsten Stau **3.** älteste Buch **4.** kleinste Buch **5.** schnellsten Aufzüge

S. 112 Ü 6 ■ **1.** b **2.** c **3.** f **4.** a **5.** d **6.** e

S. 113 Ü 7 ■ **1.** In Hamburg gibt es mehr Brücken als in München. **2.** Dresden hat weniger Einwohner als Berlin. **3.** Die Universität Heidelberg ist älter als die Universität Jena. **4.** Der Berg „die Zugspitze" ist höher als „der Watzmann". **5.** Der Bodensee ist tiefer als der Königssee.

S. 113 Ü 8 ■ **1.** sicherste **2.** sicher wie **3.** sicherer als **4.** gefährlicher als **5.** am gefährlichsten **6.** sicherer als

S. 113 Ü 9 ■ **1.** wärmer, In Europa ist es nicht so warm wie in Afrika. **2.** teurer, Eine Flasche Wasser ist nicht so teuer wie eine Flasche Champagner. **3.** mehr, Eine Zugfahrkarte für die zweite Klasse kostet nicht so viel wie eine Fahrkarte für die erste Klasse. **4.** langweiliger, Die alten Bücher von Dan Brown sind nicht so langweilig wie sein neues Buch. **5.** besser, Koreanisch spreche ich nicht so gut wie Deutsch. **6.** lieber, Otto isst Fleisch nicht so gern wie Fisch. **7.** schärfer, Deutsches Essen ist normalerweise nicht so scharf wie indisches Essen.

Zahlwörter

S. 115 Ü 1 ■ **1.** fünfundfünfzig **2.** elf **3.** eine **4.** einen **5.** zwanzig **6.** drei **7.** fünf **8.** sechsundvierzig **9.** neununddreißig **10.** vier **11.** sieben **12.** zweihundertneunundfünfzigtausendachthundertsechsundsiebzig

S. 115 Ü 2 ■ **1.** neunundzwanzigste **2.** siebenundzwanzigste **3.** siebzehnte **4.** achte **5.** dritte **6.** fünfzehnte **7.** achtzehnte **8.** erste **9.** siebte **10.** elfte **11.** vierundzwanzigste

S. 115 Ü 3 ■ **1.** Der Schriftsteller Thomas Mann wurde am sechsten Juni achtzehnhundertfünfundsiebzig geboren. **2.** Der Regisseur Werner Herzog wurde am fünften September neunzehnhundertzweiundvierzig geboren. **3.** Kaiserin Elisabeth, genannt Sissi, wurde am vierundzwanzigsten Dezember achtzehnhundertsiebenunddreißig geboren. **4.** Der Arzt Sigmund Freud wurde am sechsten Mai achtzehnhundertsechsundfünfzig geboren. **5.** Der Maler Albrecht Dürer wurde am einundzwanzigsten Mai vierzehnhunderteinundsiebzig geboren. **6.** Der Erfinder Rudolf Diesel wurde am achtzehnten März achtzehnhundertachtundfünfzig geboren.

S. 116 Ü 4 ■ **1. a)** Der Deutschkurs beginnt am zweiten Mai/Fünften und endet am zweiundzwanzigsten November/Elften. **b)** Der Deutschkurs läuft vom zweiten Mai/Fünften bis zum zweiundzwanzigsten November/Elften. **2. a)** Der Italienischkurs beginnt am einundzwanzigsten April/Vierten und endet am zehnten Juli/Siebten. **b)** Der Italienischkurs läuft vom einundzwanzigsten April/Vierten bis zum zehnten Juli/Siebten. **3. a)** Der Spanischkurs beginnt am neunten Mai/Fünften und endet am dritten September/Neunten. **b)** Der Spanischkurs läuft vom neunten Mai/Fünften bis zum dritten September/Neunten. **4. a)** Der Polnischkurs beginnt am ersten Juni/Sechsten und endet am zehnten Oktober/Zehnten. **b)** Der Polnischkurs läuft vom ersten Juni/Sechsten bis zum zehnten Oktober/Zehnten. **5. a)** Der Englischkurs beginnt am dreißigsten Mai/Fünften und endet am zwölften November/Elften. **b) a)** Der Englischkurs läuft vom dreißigsten Mai/Fünften bis zum zwölften November/Elften. **6. a)** Der Japanischkurs beginnt am vierundzwanzigsten April/Vierten und endet am einunddreißigsten August. **b)** Der Japanischkurs läuft vom vierundzwanzigsten April/Vierten bis zum einunddreißigsten August.

S. 116 Ü 5 ■ Am neunten Oktober war Phileas Fogg noch in Ägypten, am zwanzigsten Oktober erreichte er Indien. Am einunddreißigsten Oktober kam er in Indonesien an und am sechsten November war er schon in Hongkong. China erreichte er am elften November, am vierzehnten November kam er in Japan an. Am dritten Dezember war er schon in Amerika und am zweiundzwanzigsten Dezember war er wieder zurück in England.

S. 116 Ü 6 ■ **1.** fünfte **2.** vierten, zweiten **3.** erste **4.** achte

Präpositionen mit dem Dativ

S. 118 Ü 1 ■ **a) 1.** nach München **2.** zum Bahnhof **3.** nach Portugal **4.** nach rechts **5.** zur Polizei **6.** zum Zahnarzt **7.** nach Hause **8.** zu Otto und Frieda **9.** zur Post **10.** nach Deutschland **11.** zum Unterricht
b) 1. aus Frankreich **2.** vom Bahnhof **3.** aus Leipzig **4.** von der Buchmesse **5.** von der Polizei **6.** vom Augenarzt **7.** vom Unterricht **8.** von Tante Else **9.** aus der Sauna **10.** von einer Party **11.** von links
c) 1. beim Chef **2.** beim Golfspielen **3.** beim Anwalt **4.** bei der Polizei **5.** beim Englischunterricht **6.** beim Friseur **7.** beim Einstufungstest

S. 119 Ü 2 ■ **1.** Oma fährt mit dem Taxi zu ihren Enkelkindern. **2.** Max und Moritz fahren mit dem Schiff über den Rhein nach Köln. **3.** Familie Feuerstein fährt mit dem Zug nach Frankreich. **4.** Susi Sorglos fährt mit dem Motorrad zur Party von Oskar. **5.** Mein Nachbar fährt mit dem Fahrrad zum Deutschunterricht. **6.** Die Kollegen fliegen mit dem Flugzeug nach London. **7.** Herr Krümel fährt mit der U-Bahn zum Alexanderplatz.

S. 119 Ü 3 ■ vom, zum, zu, zu, zu, nach, von, Seit, mit, nach, zum, zum

Präpositionen mit dem Akkusativ

S. 120 Ü 1 ■ **1.** gegen **2.** ohne **3.** gegen **4.** für **5.** um **6.** durch **7.** gegen/um **8.** Ohne

S. 120 Ü 2 ■ **1.** Herr Müller hat bis nächste Woche Urlaub/ist gegen ein Verkehrsschild gefahren/kann ohne Computer nicht leben/hat für seinen Sohn einen Fußball gekauft/ist durch die ganze Stadt gelaufen/ist um 17.00 Uhr in Frankfurt angekommen/kann gegen seine Kopfschmerzen nichts tun.

Präpositionen mit Dativ und Akkusativ

S. 122 Ü 1 ■ **a)** Mizi ist/liegt **1.** im Garten **2.** hinter der Gardine **3.** unter dem Sofa **4.** zwischen den Kissen **5.** vor der Haustür **6.** auf dem Schrank
b) 1. Das Geld befindet sich im Keller in einer Plastiktüte hinter dem Weinregal. **2.** Das Geld befindet sich in einem Schließfach auf dem Bahnhof. **3.** Das Geld befindet sich im Geheimfach eines Koffers auf dem Dachboden. **4.** Das Geld befindet sich unter einem Grabstein auf dem Friedhof.

S. 122 Ü 2 ■ **1.** Stell den Karton mit den Skiern und den Bratpfannen in den Keller! **2.** Stell die Kaffeemaschine und die Mikrowelle in die Küche! **3.** Stell den Fernseher auf die Kommode! **4.** Leg/Häng die Sachen in den Kleiderschrank! **5.** Stell den Computer, den Bildschirm und die Tastatur auf den Schreibtisch! **6.** Leg die Socken in die Schublade!

S. 123 Ü 3 ■ **1.** dem Schuhgeschäft in der Friedrichstraße **2.** In welches Restaurant **3.** neben dem Theater **4.** an der Bushaltestelle **5.** Auf dem Marktplatz **6.** in die neue Schwimmhalle **7.** in die Firma **8.** in der Firma **9.** in meinem Büro, auf meinem Schreibtisch **10.** in den Tresor

S. 123 Ü 4 ■ **1.** am Freitag **2.** vor diesem Wochenende **3.** Im letzten Monat **4.** In der nächsten Besprechung **5.** vor einer Woche **6.** Am Montagvormittag **7.** In diesem Sommer **8.** Zwischen dem 4. und dem 6. November

S. 123 Ü 5 ■ im 18. Jahrhundert, In der Kirche, Auf der rechten Seite, im Krieg, In der Burg, an den Wänden, in den letzten Jahren, in die Johanneskirche, in die Stadt, auf dem Parkplatz

Präpositionen: Zusammenfassende Übungen

S. 124 Ü 6 ■ **a) 1.** zum Friseur **2.** ins Fotomuseum **3.** nach New York **4.** in den Park **5.** zu meiner Freundin **6.** ins Kino **7.** zu einer/in eine Werkstatt **8.** zum Arzt **9.** nach Deutschland, nach Österreich, in die Schweiz **10.** in ein Modegeschäft **11.** an den Strand **12.** in die Kneipe
b) 1. ins Bett, im Bett **2.** ins Büro, im Büro **3.** nach Berlin, in Berlin **4.** in den Supermarkt, im Supermarkt **5.** zum Deutschunterricht, beim Deutschunterricht **6.** zur Polizei, bei der Polizei **7.** zu Oma Jutta, bei Oma Jutta **8.** nach Griechenland, in Griechenland **9.** nach Hause, zu Hause **10.** auf den Aussichtsturm, auf dem Aussichtsturm **11.** an die Nordsee, an der Nordsee **12.** ins Restaurant, im Restaurant **13.** in die Niederlande, in den Niederlanden

S. 125 Ü 7 ■ **a) 1.** im Urlaub **2.** am Wochenende **3.** beim Skifahren **4.** vor wenigen Minuten **5.** vor dem/beim/nach dem Weihnachtsessen **6.** vor der/in der/nach der nächsten Sitzung **7.** am 15. Juli **8.** vor der/in der/nach der Mittagspause **9.** in zwei Wochen **10.** vor dem/beim/im/nach dem Gespräch mit dem Direktor **11.** beim Golfspielen
b) 1. Ich habe vor 20 Jahren mit dem Malen begonnen. **2.** Ich habe von 1999 bis 2004 studiert. **3.** Ich habe mein erstes Bild im Mai 2005 verkauft. **4.** Ich arbeite seit August 2007 in diesem Atelier. **5.** Ich habe ihn vor einigen Wochen kennengelernt. **6.** Die Eröffnung meiner Ausstellung ist am 14. Mai um 17.00 Uhr. **7.** Man kann die Ausstellung vom 14. Mai bis zum 7. Juni besuchen. **8.** Ich treffe mich mit ihm vor/bei/nach der Ausstellungseröffnung. **9.** Ich fahre im Winter nach New York.

S. 126 Ü 8 ■ **1.** am **2.** Durch **3.** In **4.** in **5.** in **6.** Im **7.** im **8.** in **9.** in **10.** Nach **11.** nach **12.** Nach **13.** gegen **14.** ab **15.** bis

S. 127 Ü 9 ■ Seit Februar, bei/in einer Möbelfirma, von/aus Berlin, für ein Jazzkonzert, zu meinem Schwedischkurs, mit einem schwedischen Unternehmen, nach Stockholm, Um drei Uhr, am Wochenende, am Samstag oder am Sonntag, mit einem Schiff auf dem Rhein, aus der Stadt, am Freitag

S. 128 Ü 10 ■ **1.** Die Schränke sind aus Holz. **2.** Tante Jutta kommt mit dem Auto ohne ihren Hund. **3.** Martha kauft für ihren Sohn eine Gitarre. **4.** Meiner Meinung nach ist der Abgabetermin für den Abschlussbericht zu früh. **5.** Ohne Fleiß können wir den Wettkampf nicht gewinnen. **6.** Das Fußballspiel findet unter schlechten Wetterbedingungen statt. **7.** Aus Angst vor einer Verletzung spielt der Stürmer Franz Kaiser nicht mit. **8.** Das ganze Gebäude ist aus Stahl und Glas. **9.** Ich nehme die alten Pfannen von meiner Oma gerne zum Kochen. **10.** Bei heftigem Schnee kann man die Bergstraße nicht befahren. **11.** Er hilft dir nur aus Mitleid. **12.** Die Regierung kämpft jetzt gegen das Rauchen.

S. 128 Ü 11 ■ In Deutschland, am Arbeitsplatz, mit einem kurzen Mittagsschlaf, Nach einer 30-minütigen Siesta, mit Koffein, im Büro, Für unsere Leistung, zwischen 10.00 und 11.00 Uhr, am späteren Nachmittag, am frühen Morgen, um 13.00 Uhr

Fragewörter

S. 129 Ü 1 ■ Wann fährt der Zug ab? Wie oft/Wo muss ich umsteigen? Wie viel Zeit habe ich in Leipzig zum Umsteigen? Und wie viel/was kostet die Fahrkarte? Wie möchten Sie denn fahren? Wie kann ich bezahlen? Wo ist der nächste Geldautomat?

S. 130 Ü 2 (Beispielsätze zum Thema Urlaub) ■ Wohin fahren Sie? Wo verbringen Sie Ihren Urlaub am liebsten? Wie lange waren Sie letzten Sommer im Urlaub? Wie viel hat der Urlaub gekostet? Wie oft waren Sie schon in Spanien? Was haben Sie in Spanien gegessen? Warum wollen Sie immer ans Meer fahren?

S. 131 Ü 3 ■ **1.** Wie alt sind Sie? **2.** Wo wohnen Sie? **3.** Wann sind Sie nach Berlin gekommen/gezogen? **4.** Warum leben/wohnen Sie in Berlin?/Warum sind Sie nach Berlin gezogen? **5.** Was haben Sie studiert? **6.** Wo arbeiten Sie?/Was sind Sie von Beruf? **7.** Wie lange arbeiten Sie schon dort? **8.** Wie gefällt Ihnen Ihre Arbeit? **9.** Wie viele Kinder sind/lernen in Ihrer/einer Klasse? **10.** Was ist Ihr Hobby?/Treiben Sie Sport? **11.** Wie oft spielen Sie Volleyball? **12.** Warum gefällt Ihnen diese Sportart?

S. 131 Ü 4 ■ **1.** Wie viele Mitarbeiter brauchen wir? **2.** Wo können wir weitere Informationen finden? **3.** Woher bekommen wir finanzielle Unterstützung? **4.** Wie oft treffen wir uns in der Woche? **5.** Wann können wir mit ersten Ergebnissen rechnen? **6.** Wie viel kostet das Projekt insgesamt?

S. 131 Ü 5 ■ Wo, Wie viel, Wie groß, Wie weit, wann, Wie viel, Wo

S. 132 Ü 1 ■ **1.** Worüber freust du dich? Ich freue mich über das gute Ergebnis. **2.** Womit arbeitet ihr? Wir arbeiten mit Word. **3.** Worüber ärgert sich Herr Klein? Er ärgert sich über den Stau. **4.** Woran denkt der Chef? Er denkt an die Einnahmen der Firma. **5.** Worüber habt ihr geredet? Wir haben über die Fußballergebnisse geredet. **6.** Wofür interessierst du dich? Ich interessiere mich für Politik. **7.** Womit hat der Koch die Soße gewürzt? Er hat sie mit Chili gewürzt. **8.** Worauf wartet ihr? Wir warten auf den Beginn des Feuerwerks.

S. 132 Ü 2 ■ **1.** Womit bist du heute zur Arbeit gefahren? **2.** Von wem hast du schon lange nichts mehr gehört? **3.** Worauf freust du dich? **4.** Worum willst du dich bewerben? **5.** Womit bist du nicht mehr zufrieden? **6.** Mit wem musst du unbedingt sprechen?

Adverbien

S. 134 Ü 1 ■ **1.** Herr Klein ruft Sie später zurück. **2.** Bitte schreiben Sie die E-Mail gleich. **3.** Kollege Klein ist um 12.30 Uhr meistens zum Mittagessen. **4.** Frau Müller ist nie krank. **5.** Wir haben momentan viele Aufträge. **6.** Herr Krümel stellt morgen das neue Projekt vor. **7.** Ich finde den neuen Projektleiter besonders sympathisch. **8.** Die Sekretärin muss täglich fünfzig E-Mails beantworten. **9.** Wir bleiben heute Abend ein bisschen länger im Büro.

S. 134 Ü 2 ■ **1.** vormittags **2.** mittags **3.** nachmittags **4.** abends **5.** samstags und sonntags

S. 134 Ü 3 ■ Dann muss man das Waschpulver einfüllen und das Programm wählen. Anschließend schließt man die Tür und drückt auf den Einschaltknopf. Zuletzt muss man die Maschine ausschalten und die Tür öffnen. Danach kann man die Wäsche herausnehmen und aufhängen.

S. 135 Ü 4 ■ **1.** unten **2.** abends **3.** selten **4.** ein bisschen **5.** später

S. 135 Ü 5 (Beispielsätze) ■ **1.** Wenn Sie aus der Mensa kommen, dann gehen Sie nach rechts und dann gleich wieder nach rechts bis zum Ende der Straße. Dort befindet sich links/auf der linken Seite die Bibliothek. **2.** Wenn Sie aus der Bibliothek kommen, dann gehen sie nach rechts. In der Mitte der Straße befindet sich rechts/auf der rechten Seite die Verwaltung. **3.** Wenn Sie aus dem Verwaltungsgebäude kommen, dann gehen sie am besten nach rechts bis zum Ende der Straße und dann nach links. An der ersten Seitenstraße müssen Sie nach links. Die Sporthalle steht dann gleich auf der rechten Seite. **4.** Wenn Sie aus der Sporthalle kommen, dann gehen zuerst nach links und dann nach rechts. Weiter geradeaus bis zur nächsten Seitenstraße. Dort gehen Sie rechts. Die Kantine befindet sich im ersten Haus rechts. **5.** Wenn Sie von der Kantine zur Cafeteria wollen, dann gehen Sie am besten durch den Garten. Gehen Sie aus dem Gebäude hinten raus, durch die Mensa, wieder zum Hinterausgang und dann einfach geradeaus. **6.** Wenn Sie von der Cafeteria zum Sekretariat wollen, gehen Sie einfach nach links. Das Sekretariat befindet sich im ersten Haus links. **7.** Wenn Sie aus dem Sekretariatsgebäude kommen, dann gehen/fahren Sie nach rechts und dann geradeaus bis zum Kreisverkehr. Sie fahren in den Kreisverkehr und nehmen die zweite Ausfahrt. Dann geht es ein Stück geradeaus und Sie sind auf den Parkplätzen direkt vor dem Sportplatz.

Redepartikeln

S. 136 Ü 1 ■ **1.** Was machst du denn da? **2.** Das sieht doch schön aus, oder? **3.** Das ist doch der Kaffee von gestern. **4.** Das ist ja ein wunderschöner Ring. **5.** Das kann doch nicht wahr sein! **6.** Schau mal, das ist doch das Auto vom Chef! **7.** Wie siehst du denn aus? Ganz blass.

S. 136 Ü 2 ■ **1.** Wann kommt denn der neue Mitarbeiter? **2.** Wann beginnt denn die Sitzung? **3.** Wo warst du denn? **4.** Warum ist denn der Chef nicht da?

Position der Verben

S. 138 Ü 1 ■ **1.** Heute kocht Michael das Abendessen. **2.** Heute kauft Renate im Supermarkt ein. **3.** Gestern hat Renate die Kinder zur Klavierstunde begleitet. **4.** Heute hilft Michael den Kindern bei den Hausaufgaben. **5.** Gestern sind Renates Eltern zum Abendessen gekommen. **6.** Heute liest Renate den Kindern ein Märchen vor. **7.** Heute arbeitet Michael abends noch lange.

S. 138 Ü 2 ■ Gestern sind wir hier angekommen. Es regnete in Strömen. Zuerst sind wir ins Hotel gefahren. Das Hotel ist in der Nähe der Museumsinsel. Am Nachmittag haben wir das Neue Museum besucht. In diesem Museum befindet sich die weltberühmte Nofretete. Sie ist wirklich sehr schön. Neben unserem Hotel ist ein italienisches Restaurant. Dort haben wir gestern Abend Pizza gegessen. Heute steht das Brandenburger Tor auf unserem Besuchsplan. Ich melde mich später wieder.

S. 139 Ü 3 ■ **1.** Warum hast du dich mit Gertrud gestritten? **2.** Ich kann dich mitnehmen. **3.** Das Geschäft ist sonntags geschlossen. **4.** Musst du heute länger im Büro bleiben? **5.** Das Auto wird morgen repariert. **6.** Wir sind ins Stadion gegangen. **7.** Wann hast du das Paket zur Post gebracht? **8.** Ich habe dich angerufen.

S. 139 Ü 4 ■ **1.** Woher kommen Sie? **2.** Sind Sie mit dem Zug gefahren? **3.** Wie lange hat das gedauert?/Wie lange sind Sie gefahren? **4.** Kennen Sie unser Firmengebäude schon?/Kennen Sie die Firma schon? **5.** Möchten Sie etwas trinken? **6.** Trinken Sie den Kaffee mit Milch und Zucker? **7.** Wie lange arbeiten Sie schon bei IPROTEX? **8.** In welcher Abteilung arbeiten Sie? **9.** Warum ist Herr Klein nicht (mit)gekommen? **10.** Kennen Sie Herrn Klein?

S. 139 Ü 5 ■ **1.** Haltet Abstand zu den Bildern! **2.** Macht keine Fotos! **3.** Fasst die Kunstwerke nicht an! **4.** Redet nicht so laut! **5.** Rennt nicht durch die Räume! **6.** Schaut euch die Bilder genau an! **7.** Hört dem Museumsführer gut zu! **8.** Schreibt bis morgen einen Aufsatz über das schönste Bild!

Position der anderen Satzglieder

S. 141 Ü 1 ■ **1.** Meine Cousine schenkt ihrer Tochter ein Fahrrad. **2.** Ich zeige meinen Freunden unsere Urlaubsfotos. **3.** Frau Müller kocht dem Gast einen Kaffee. **4.** Sie gibt ihm die Dokumente. **5.** Maria bittet ihren Bruder um Hilfe. **6.** Wir senden dem Kunden die Rechnung. **7.** Konrad bespricht das Problem mit dem Chef. **8.** Viele Kursteilnehmer interessieren sich für Informationen über Deutschland.

S. 141 Ü 2 ■ **1.** Robert macht einmal in der Woche Yoga. **2.** Andreas liest abends oft einen Krimi. **3.** Jörg geht morgens in den Park joggen. **4.** Anna trifft sich samstags mit ihren Freundinnen in einer Bar. **5.** Anke geht nach der Arbeit in die Sauna. **6.** Bertus kocht am Abend mit scharfen Gewürzen etwas Leckeres/etwas Leckeres mit scharfen Gewürzen. **7.** Maike geht freitags in einen Schönheitssalon. **8.** Regine nimmt ein heißes Bad zur Entspannung/zur Entspannung ein heißes Bad.

S. 142 Ü 3 ■ **a)** wir haben geschäftliche Beziehungen zu einer Firma in Dresden. Ungefähr zehn Mitarbeiter unserer Firma müssen mehrmals im Monat nach Dresden reisen. Wir suchen nun für unsere Mitarbeiter ein geeignetes Hotel. Bitte senden Sie uns einen Prospekt einschließlich Preisliste.
b) wir danken Ihnen für Ihre Anfrage vom 12. April. Beiliegend finden Sie unseren neuen Prospekt und die Preisliste. Wir gewähren unseren festen Kunden einen Rabatt von 10 Prozent. Allerdings muss Ihre Firma eine Minimalzahl von 20 Übernachtungen im Monat garantieren. Unsere Kunden sind mit unseren Leistungen bisher sehr zufrieden. Wir bieten ein reichhaltiges Frühstück. Außerdem verfügt das Hotel über einen Swimmingpool und einen Fitnessraum. Gerne erwarten wir Ihre Reservierungen und freuen uns auf Ihren Besuch.

S. 143 Ü 1 ■ **1. c)** als **2. a)** wie **3. e)** als **4. b)** als **5. d)** wie

S. 143 Ü 2 ■ **1.** Heute geht es mir besser als gestern. **2.** Otto fährt das gleiche Auto wie Gustav. **3.** Lehrbücher für Deutsch sind in den Niederlanden teurer als in Deutschland. **4.** Im Winter sind die Nächte länger als im Sommer. **5.** Ein Gepard kann schneller laufen als ein Pferd. **6.** Giftschlangen töten mehr Menschen als andere Tiere. **7.** Max ist genauso intelligent wie Moritz. **8.** Schalke 04 hat mehr Tore geschossen als der FC Bayern München. **9.** Ich finde das Buch spannender als den Film. **10.** Die Preise für Lebensmittel sind in diesem Jahr höher als im letzten Jahr.

Negation

S. 144 Ü 1 ■ **1.** Ich fahre nicht mit dem Bus. **2.** Der Hausmeister kommt heute nicht. **3.** Ich kann das Dokument nicht bearbeiten. **4.** Ich möchte die E-Mail nicht sofort beantworten. **5.** Klaus besucht uns am Wochenende nicht. **6.** Tante Anneliese liegt nicht im Krankenhaus. **7.** Ich habe das Buch nicht gelesen. **8.** Das mache ich nicht. **9.** Der Diamantring ist nicht sehr teuer. **10.** Er kann dich nicht hören. **11.** Wir arbeiten sonntags nicht. **12.** Ich kann nicht Golf spielen.

S. 145 Ü 2 ■ **1.** Ich gehe nicht ans Telefon. **2.** Ich kann die Briefe nicht abschicken, ich habe keine Briefmarken. **3.** Heute findet keine Besprechung statt. **4.** Ab morgen ist der Chef nicht im Büro, er ist auf Dienstreise. **5.** Die Sekretärin kann morgen auch nicht kommen, sie ist krank. **6.** Sie hat keine richtige Grippe, nur eine Erkältung. **7.** Sie hat auch kein Fieber. **8.** Ich habe die Unterlagen noch nicht kopiert. **9.** Die Kaffeemaschine funktioniert nicht. Wir können keinen Kaffee trinken.

S. 145 Ü 3 ■ **1.** Thomas mag keine Haustiere. **2.** Thomas tanzt nicht gern. **3.** Thomas ist nicht oft unterwegs. Thomas ist nicht freundlich. **5.** Thomas hat keine Freunde. **6.** Thomas möchte keinen Garten. **7.** Thomas kann nicht gut kochen. **8.** Thomas ist mit seinem Leben nicht zufrieden.

S. 145 Ü 4 ■ **1.** keinen **2.** kein **3.** keinen **4.** keine **5.** keine **6.** nicht **7.** nicht **8.** keine **9.** nicht **10.** keine **11.** nicht **12.** nicht

S. 146 Ü 5 ■ **1.** Man darf das Auto nicht direkt vor dem Haus waschen. **2.** Man darf auf dem Balkon nicht grillen. **3.** Man darf keine Haustiere halten. **4.** Man darf die Wände im Treppenhaus nicht beschmutzen. **5.** Man darf nicht im Treppenhaus schreien/im Treppenhaus nicht schreien. **6.** Man darf an Arbeitstagen keine Partys veranstalten. **7.** Man darf nicht auf das Dach steigen. **8.** Man darf den Hausmeister nicht unnötig stören. **9.** Man darf nachts nicht Klavier spielen. **10.** Man darf keine Fahrräder in den Hausflur stellen. **11.** Man darf keine Werbung in die Briefkästen stecken.

S. 146 Ü 1 ■ **1.** Lassen Sie die Gebrauchsanweisung nicht ins Dänische übersetzen! **2.** Organisieren Sie die Werbekampagne nicht selbst! **3.** Sie dürfen die Erfindung nicht erst im nächsten Jahr zum Patent anmelden! **4.** Ich bekomme nicht fünf Prozent …

S. 147 Ü 2 ■ **a) 1.** Wolfgang Amadeus Mozart spielte nicht sehr gut Trompete, sondern Klavier. **2.** Johann Wolfgang von Goethe wurde nicht in Köln geboren, sondern in Frankfurt am Main. **3.** Herta Müller wurde 2009 nicht mit dem Friedensnobelpreis ausgezeichnet, sondern mit dem Literaturnobelpreis. **4.** Franz Beckenbauer spielte nicht in der österreichischen Nationalmannschaft, sondern in der deutschen. **5.** Nicht Franz Schubert komponierte den „Ring der Nibelungen", sondern Richard Wagner. **6.** Der deutsche Film „Das Leben der anderen" hat nicht den afrikanischen Filmpreis gewonnen, sondern den Oscar. **7.** Rudolf Steiner hat nicht die erste Sportschule gegründet, sondern die erste Waldorf-Schule. **8.** Sigmund Freud beschäftigte sich nicht mit dem Körper der Menschen, sondern mit der Psyche. **9.** André Lange ist nicht der berühmteste deutsche Skispringer, sondern der berühmteste deutsche Bobfahrer. **10.** Albert Einstein erhielt 1921 den Nobelpreis nicht für die Entwicklung der Relativitätstheorie, sondern für die Deutung des fotoelektrischen Effekts. **11.** Martin Luther hat im 16. Jahrhundert nicht griechische Gedichte ins Deutsche übersetzt, sondern die Bibel. **12.** Nicht Richard Strauß schrieb viele berühmte Walzermelodien, sondern Johann Strauß. **13.** Johann Sebastian Bach lebte und arbeitete nicht in Köln, sondern in Leipzig.

b) 2. Gestern Abend hat er nicht ein Bier getrunken, sondern sechs. **3.** Seine Ferien hat Tobias nicht in Italien verbracht, sondern an der Ostsee. **4.** Er hat sich nicht in Nizza ein Haus gekauft, sondern in Warnemünde ein Eis. **5.** Abends hat er keinen/nicht Kaviar gegessen, sondern Gemüseeintopf. **6.** Er hat nicht zehn Millionen Euro auf seinem Bankkonto, sondern zehn Euro. **7.** Nächstes Wochenende fährt er nicht nach Paris, sondern nach Bad Tölz. **8.** Sein Bruder arbeitet nicht als Modedesigner in München, sondern als Verkäufer.

S. 148 Ü 1 ■ **1.** Nein, ich habe keinen Laptop. Doch, ich habe einen Laptop. **2.** Nein, ich treibe keinen Sport mehr. Doch, ich treibe noch Sport. **3.** Nein, ich gehe nicht zur Weihnachtsfeier. Doch, ich gehe zur Weihnachtsfeier. **4.** Nein, ich esse nicht gern Gemüse. Doch, ich esse gern Gemüse. **5.** Nein, ich liebe ihn nicht mehr. Doch, ich liebe ihn noch. **6.** Nein, das Foto gefällt mir nicht. Doch, das Foto gefällt mir. **7.** Nein, der Zug ist wieder nicht pünktlich. Doch, der Zug ist pünktlich. **8.** Nein, ich habe kein Wörterbuch. Doch, ich habe ein Wörterbuch.

S. 148 Ü 2 ■ **1.** Hast du nicht mit dem Chef gesprochen? **2.** Hast du den Film nicht gesehen? **3.** Habt ihr das Deutsche Museum nicht besucht? **4.** Hast du die E-Mail noch nicht geschrieben? **5.** Haben Sie die Rechnung noch nicht bezahlt?

Hauptsätze

S. 150 Ü 1 ■ **2.** g **3.** e **4.** b **5.** a **6.** d **7.** f

S. 150 Ü 2 ■ **1.** sondern **2.** aber **3.** denn **4.** aber **5.** denn **6.** sondern

S. 150 Ü 3 ■ **1.** sondern **2.** sondern **3.** aber **4.** aber **5.** sondern

S. 151 Ü 1 ■ **1.** Gerda mag Krimis, deshalb verpasst sie keine Krimiserie. **2.** Mathildes Hobby ist Gartenarbeit, deshalb findet sie Sendungen über Landschaftsgestaltung sehr interessant. **3.** Georg interessiert sich für Biologie und Erdkunde, deshalb läuft bei ihm immer Discovery Channel. **4.** Karl mag Zeichentrickfilme, deshalb schaltet er den Fernseher nur vormittags ein. **5.** Paula informiert sich über die Ereignisse in der Welt, deshalb sieht sie sich jeden Abend die Tagesschau an. **6.** Kathrin ist Romantikerin, deshalb sieht sie gern Liebesfilme mit Happy End. **7.** Laura mag alle Fernsehsendungen, deshalb sitzt sie immer vor dem Fernseher.

S. 152 Ü 2 ■ **2.** a **3.** d **4.** f **5.** b **6.** g **7.** e

S. 152 Ü 3 ■ **1.** Ich habe nicht viel Geld, deshalb mache ich diesen Sommer nur einen kurzen Urlaub. **2.** Gerda verdient sehr gut, trotzdem ist sie sehr sparsam. **3.** Rita mag Kinder, deshalb möchte sie Kindergärtnerin werden. **4.** Olga hat ein sehr schlechtes Abiturzeugnis, trotzdem möchte sie Medizin studieren. **5.** Ich habe Halsschmerzen, deshalb bleibe ich zu Hause. **6.** Tante Käthe interessiert sich für Tiere, deshalb geht sie jeden Mittwoch in den Zoo. **7.** Jenny will nicht gestört werden, deshalb schaltet sie ihr Handy aus.

S. 152 Ü 4 ■ deshalb, und, sondern, trotzdem, denn, aber, deshalb, denn, und

Adverbiale Nebensätze

S. 154 Ü 1 ■ **1.** weil ich heute nicht arbeiten muss. **2.** weil mein Chef heute nicht da ist. **3.** weil der Deutschkurs heute ausfällt. **4.** weil das Semester zu Ende ist. **5.** weil ich im Lotto gewonnen habe. **6.** weil ich eine neue Stelle gefunden habe. **7.** weil ich meine Sprachprüfung bestanden habe. **8.** weil ich mich verliebt habe.

S. 154 Ü 2 ■ **a) 1.** Joachim ist gestresst, weil er heute Nachmittag seine Arbeitsergebnisse präsentieren muss. **2.** Peter lernt nicht, obwohl er morgen eine wichtige Prüfung hat. **3.** Karl hat Paul zu seiner Geburtstagsparty nicht eingeladen, obwohl sie gute Freunde sind. **4.** Petra darf nicht Auto fahren, weil sie erst 16 ist. **5.** Klaus spricht kein einziges Wort Italienisch, obwohl er seit zwei Jahren in Rom wohnt. **6.** Kathrin hat mich am Wochenende nicht angerufen, obwohl sie es mir versprochen hat. **7.** Ilona isst jeden Tag eine Tafel Schokolade, obwohl sie abnehmen möchte. **8.** Dagmar nimmt Nachhilfestunden in Mathematik, weil sie sehr schlechte Noten hat.
b) 1. Weil er heute Nachmittag seine Arbeitsergebnisse präsentieren muss, ist Joachim gestresst. **2.** Obwohl er morgen eine wichtige Prüfung hat, lernt Peter nicht. **3.** Obwohl sie gute Freunde sind, hat Karl Paul zu seiner Geburtstagsparty nicht eingeladen. **4.** Weil sie erst 16 ist, darf Petra nicht Auto fahren. **5.** Obwohl er seit zwei Jahren in Rom wohnt, spricht Klaus kein einziges Wort Italienisch. **6.** Obwohl sie es mir versprochen hat, hat Kathrin mich am Wochenende nicht angerufen. **7.** Obwohl sie abnehmen möchte, isst Ilona jeden Tag eine Tafel Schokolade. **8.** Weil sie sehr schlechte Noten hat, nimmt Dagmar Nachhilfestunden in Mathematik.

S. 155 Ü 3 ■ **a) 1.** wenn die Geschichte spannend ist. **2.** wenn der Film nicht zu lange dauert. **3.** wenn die Hauptfigur sympathisch ist. **4.** wenn der Film eine wahre Geschichte erzählt. **5.** wenn der Film ein Happy End hat.
b) 1. wenn der Film nicht synchronisiert ist. **2.** wenn der Film nur aus Actionszenen besteht. **3.** wenn der Held am Ende stirbt. **4.** wenn die Dialoge nicht witzig sind. **5.** wenn die Leute im Kino ihr Handy nicht ausschalten.

S. 155 Ü 4 ■ **1.** Als Otto noch klein war, hat er am liebsten mit Matchboxautos gespielt. **2.** Als Max und Moritz noch klein waren, haben sie sich immer gestritten. **3.** Als Anna fünf Jahre alt war, hat sie zum ersten Mal im Chor gesungen. **4.** Als ich acht Monate alt war, habe ich meinen ersten Schritt gemacht. **5.** Als Boris ein Jahr alt war, hat er sein erstes Wort gesagt. **6.** Als Martin drei Jahre alt war, ist er zum ersten Mal ins Puppentheater gegangen.

S. 155 Ü 5 ■ **1.** wenn **2.** Als **3.** Als **4.** Wenn **5.** als **6.** als **7.** als **8.** wenn

S. 156 Ü 6 ■ wenn, Als, weil, Wenn, Wenn

S. 156 Ü 7 ■ **1.** a **2.** c **3.** c **4.** c **5.** b **6.** a **7.** b

S. 156 Ü 8 ■ Wenn, weil, Als, Obwohl, als, weil, Obwohl, Wenn

Dass-Sätze

S. 158 Ü 1 ■ **1.** dass der Hausmeister zwei Wochen krank war? **2.** dass die Sekretärin Ärger mit dem Verwaltungsleiter hat? **3.** dass wir den großen Auftrag nicht bekommen haben? **4.** dass die Einnahmen zurückgegangen sind? **5.** dass die Firma sparen muss? **6.** dass die Weihnachtsfeier dieses Jahr ausfällt? **7.** dass wir einen neuen Direktor bekommen? **8.** dass der neue Direktor in London studiert hat?

S. 158 Ü 2 ■ **1.** dass Flugzeuge die sichersten Verkehrsmittel sind. **2.** dass die meisten Menschen an die Liebe auf den ersten Blick glauben. **3.** dass Mäuse singen können. **4.** dass kreative Berufe glücklich machen. **5.** dass die Deutschen jeden Tag im Durchschnitt 8,22 Stunden schlafen. **6.** dass der Mensch sieben bis acht Stunden Schlaf braucht. **7.** dass Akademiker oft keine Sozialkompetenz haben. **8.** dass sich Eltern und Kinder am häufigsten über Ordnung und Sauberkeit streiten.

S. 158 Ü 3 ■ **1.** Ich glaube, dass der Verkehr zunimmt. **2.** Ich finde, dass die Windenergie eine gute Alternative ist. **3.** Ich weiß, dass es immer weniger Tierarten gibt. **4.** Ich bin der Meinung, dass die Menschen zu viel Abfall produzieren. **5.** Ich denke, dass wir etwas gegen die Luftverschmutzung tun müssen.

Infinitiv mit *zu*

S. 160 Ü 1 ■ **1.** b **2.** d **3.** e **4.** c **5.** f **6.** a

S. 160 Ü 2 ■ **1.** die Fahrtkostenabrechnung zu machen. **2.** die Gäste vom Bahnhof abzuholen. **3.** alle E-Mails zu beantworten. **4.** ein Flugticket für den Chef zu buchen. **5.** die Besprechungsunterlagen zu kopieren. **6.** für alle Kaffee zu kochen. **7.** Einladungen zur Weihnachtsfeier zu schreiben. **8.** in die Kantine essen zu gehen. **9.** die neue Kollegin zu begrüßen.

S. 160 Ü 3 ■ **1. a)** Martin will nach Österreich fahren. **b)** Martin hat vor, nach Österreich zu fahren. **2. a)** Martin will im Hotel „Bergsicht" übernachten. **b)** Martin hat vor, im Hotel „Bergsicht" zu übernachten. **3. a)** Martin will den ganzen Tag Ski fahren. **b)** Martin hat vor, den ganzen Tag Ski zu fahren. **4. a)** Martin will abends im Restaurant essen. **b)** Martin hat vor, abends im Restaurant zu essen. **5. a)** Martin will an einem Skiwettkampf teilnehmen. **b)** Martin hat vor, an einem Skiwettkampf teilzunehmen. **6. a)** Martin will den Skiwettkampf gewinnen. **b)** Martin hat vor, den Skiwettkampf zu gewinnen.

S. 160 Ü 4 ■ **1.** Carla hat Lust, heute Abend auszugehen. Otto möchte lieber fernsehen. **2.** Carla hat den Auftrag, am Wochenende zu einer Konferenz nach Paris zu fahren. Otto soll am Wochenende einen Bericht für seinen Chef schreiben. **3.** Carla hat vor, ihren Urlaub im Ausland zu verbringen. Otto möchte in Deutschland bleiben. **4.** Carla hat mal wieder den Wunsch, die Wohnung umzuräumen. Otto will nichts verändern. **5.** Carla macht es Spaß, Englisch zu lernen. Otto muss Englisch lernen.

S. 161 Ü 5 ■ **1.** Ich verspreche dir, dir im Haushalt zu helfen. **2.** Ich verspreche dir, dreimal in der Woche das Abendessen zu kochen. **3.** Ich verspreche dir, dich jeden Tag fünfmal anzurufen. **4.** Ich verspreche dir, weniger Zeit mit meinen Freunden zu verbringen. **5.** Ich verspreche dir, dir immer zuzuhören. **6.** Ich verspreche dir, dir jede Woche Blumen zu schenken. **7.** Ich verspreche dir, zu deiner Mutter immer nett zu sein. **8.** Ich verspreche dir, vorsichtiger zu fahren.

S. 161 Ü 6 ■ **1.** Benno darf Saxofon-Stunden nehmen. Die Eltern erlauben Benno, Saxofon-Stunden zu nehmen. **2.** Benno darf abends zu Hause nicht Saxofon spielen. Die Eltern erlauben Benno nicht, abends zu Hause Saxofon zu spielen. **3.** Benno darf sich kein neues Handy kaufen. Die Eltern erlauben Benno nicht, sich ein neues Handy zu kaufen. **4.** Benno darf nach der Schule zu seinem Freund gehen. Die Eltern erlauben Benno, nach der Schule zu seinem Freund zu gehen. **5.** Benno darf nicht bei seinem Freund übernachten. Die Eltern erlauben Benno nicht, bei seinem Freund zu übernachten. **6.** Benno darf in den Ferien an einem einwöchigen Musikkurs teilnehmen. Die Eltern erlauben Benno, in den Ferien an einem einwöchigen Musikkurs teilzunehmen.

Fragesätze als Nebensätze

S. 163 Ü 1 ■ **1.** wo die Unterlagen für die Besprechung sind. **2.** ob Frau Müller die Unterlagen gestern kopiert hat. **3.** wann die Besprechung anfängt. **4.** ob Herr Klein die Präsentation vorbereitet hat. **5.** ob die Praktikantin die belegten Brötchen bestellt hat. **6.** ob es in der Kantine auch belegte Brötchen gibt. **7.** ob die Gäste schon angekommen sind. **8.** warum der Fotokopierer nicht geht. **9.** wo die Kaffeemaschine steht. **10.** in welchem Büro die Besprechung stattfindet.

S. 163 Ü 2 ■ **1.** wie viel Verspätung der Zug aus Köln hat? **2.** wann der Zug aus Köln ankommt? **3.** wie lange die Fahrt nach Dortmund dauert? **4.** ob der Zug auch in Wuppertal hält? **5.** wo ich Fahrkarten für internationale Züge bekomme? **6.** ob ich im Zug etwas Warmes essen kann? **7.** von welchem Gleis der Zug nach Essen fährt? **8.** wie spät es jetzt ist? **9.** ob ich mein Fahrrad kostenlos mitnehmen darf? **10.** ob ich eine Platzkarte bestellen muss?

S. 163 Ü 3 ■ **1.** ob ich allein zu Hause war. **2.** wann ich Frau Krüger zum letzten Mal gesehen habe. **3.** was für ein Mensch Frau Krüger ist. **4.** ob Frau Krüger mit jemandem Ärger hatte. **5.** wie mein Verhältnis zu Frau Krüger ist. **6.** ob Frau Krüger oft verreist ist. **7.** ob Frau Krüger vielleicht einen Liebhaber hatte. **8.** ob mir sonst noch etwas Besonderes aufgefallen ist.

S. 164 Ü 4 (Lösungen) ■ **Beispielsatz:** a **1.** a **2.** a **3.** b **4.** b **5.** a **6.** a **7.** a **8.** c

Relativsätze

S. 165 Ü 1 ■ **1.** f **2.** a **3.** d **4.** b **5.** c **6.** e

S. 166 Ü 2 ■ **1.** das Geschenk **2.** der Ball **3.** der Schauspieler **4.** Neujahr **5.** der Lebenslauf **6.** das Lehrbuch **7.** die Nachbarn **8.** das Wetter

S. 166 Ü 3 ■ **1.** der uns gerade überholt hat? **2.** die ich gestern in den Kühlschrank gestellt habe? **3.** die ich auf den Kopierer gelegt habe? **4.** mit dem ich vor einer Stunde gesprochen habe? **5.** den Frau Müller mitgebracht hat? **6.** die der Chef gestern an alle geschickt hat?

S. 166 Ü 3 ■ **1.** Martha hat ein Kleid bekommen, das ihr nicht passt. **2.** Paul hat einen Papagei bekommen, der sprechen kann. **3.** Ingrid hat Stiefel bekommen, die viel zu hohe Absätze haben. **4.** Sarah hat eine Opernkarte bekommen, die sie in Geld umtauschen will. **5.** Opa hat ein Buch über Gartenarbeit bekommen, in dem viele Informationen über Obstbäume stehen. **6.** Paul hat einen neuen Fernseher bekommen, für den er gar keinen Platz in seinem Zimmer hat. **7.** Inge hat einen Fotoapparat bekommen, mit dem sie professionelle Fotos machen kann. **8.** Oma hat ein neues Telefon bekommen, auf dem man die Zahlen besser erkennen kann.